Y Lôn Wen
The White Lane

Darn o hunangofiant
A fragment of autobiography

Kate Roberts

Gomer

I goffadwriaeth fy nheulu i gyd
In memory of all my family
Kate Roberts

Cyhoeddwyd yn 2009 gan
Wasg Gomer, Llandysul, Ceredigion, SA44 4JL
www.gomer.co.uk

Cyhoeddwyd *Y Lôn Wen* yn gyntaf gan Wasg Gee yn 1960
The original Welsh-language version was first published in 1960 by Gwasg Gee

ISBN 978 1 84851 016 6

ⓗ Ystâd Kate Roberts © Kate Roberts Estate
ⓗ Cyfieithiad © Translation Gillian Clarke, 2009

Cyhoeddir y gyfrol hon gyda chymorth
Cyngor Llyfrau Cymru.

This volume is published with the support of
the Welsh Books Council of Wales.

Argraffwyd a rhwymwyd yng Nghymru
gan Wasg Gomer, Llandysul, Ceredigion SA44 4JL

Printed and bound in Wales at Gomer Press, Llandysul, Ceredigion SA44 4JL

Cydnabyddiaeth

Diolch yn arbennig i Sian Northey am ei chymorth parod. Byddai'r gwaith wedi cymryd llawer yn hwy i'w gyflawni heb ei chyfraniad amhrisiadwy.

Acknowledgements

Special thanks are due to Sian Northey, without whose invaluable help the work would have taken me far longer.

Gillian Clarke

Cynnwys

Contents

Cyflwyniad

Ym 1960, pan gyhoeddwyd *Y Lôn Wen*, ei 'darn o hunan-gofiant' am y tro cyntaf, roedd Kate Roberts yn naw a thrigain mlwydd oed; ac fel y dywed hi ei hun yn y bennod olaf, roedd yn tynnu at oed yr addewid, sef deg a thrigain. Erbyn hyn roedd yn cael ei chydnabod yn eang fel llenor rhyddiaith gorau'r ganrif, a hithau wedi cyhoeddi tua saith nofel a nofela, naw cyfrol o straeon byrion ac ysgrifau ac erthyglau niferus. Roedd wedi ymddeol o'i swyddi dysgu a chyhoeddi llafurus a'i cadwodd yn brysur am y rhan fwyaf o'i hoes a chydnabuwyd ei chyflawniadau llenyddol a diwyll-iannol pan ddyfarnwyd iddi ddoethuriaeth er anrhydedd gan Brifysgol Cymru ym 1950. Roedd hi bellach yn bryd iddi edrych yn ôl a manteisio ar y cyfle i bwyso a mesur ei chyflawniadau nodedig. Ac eto, pan edrychwn ni ar y 'darn o hunangofiant', fe welwn yn rhyfedd ddigon nad oes fawr o sôn am Kate Roberts ei hun, y fenyw, y wraig, yr ymgyrchydd gwleidyddol a'r awdur. Wrth edrych yn ôl am y tro olaf o bosibl – ac mae naws ffarwelio teimladwy yn perthyn i ryddiaith pennod olaf y gyfrol, er iddi fyw am chwarter canrif arall – nid golygfeydd o'i bywyd hi ei hun yn unig yr oedd Roberts yn eu gweld ond yn hytrach cyfres o luniau o gymdeithas gyfan, y gymdeithas Gymraeg a'i ffurfiodd hi a'i gwaith. Mae fel pe bai'r camera, wrth dynnu'n ôl, gan ddilyn 'lôn wen' y cof dros y blynyddoedd, yn canolbwyntio llai ar y ffigur fenywaidd unig yn y blaendir, a mwy ar dirwedd Sir Gaernarfon ei mebyd, gan ddod â'r byd Cymraeg uniaith coll hwnnw'n fyw mewn modd cofiadwy.

Mae'r gyfrol yn canolbwyntio'n bennaf ar ugain mlynedd gyntaf bywyd Roberts. Fel math o esboniad o'r ffaith mai hunanbortread rhannol yw hwn, dywed bod 'popeth o bwys i mi wedi digwydd cyn 1917' (t. 307). Dyma'r dyddiad y bu farw ei brawd iau, David, ym Malta bell, o ganlyniad i afiechyd a'r anafiadau a ddioddefodd yn y Rhyfel. Mewn nifer o gyfweliadau, haerai Kate Roberts mai sioc ac anobaith

Introduction

In 1960, when *Y Lôn Wen*, her 'fragment of autobiography', was first published, Kate Roberts was sixty-nine years old; as she herself notes in its last chapter, she was about to reach her allotted three score years and ten. By this time she was widely acknowledged as the greatest Welsh prose writer of the century, having published some seven novels and novellas, nine volumes of short stories, and numerous essays and articles. She had retired from the exhausting teaching and publishing jobs which had kept her busy for most of her adult life and her literary and cultural achievements had been recognized in the award of an honorary doctorate by the University of Wales in 1950. It was clearly a time for retrospection, an opportunity to take stock of her own remarkable achievements. And yet, when we come to look at this 'fragment of autobiography', we see that it is curiously reticent about Kate Roberts herself, the adult woman, wife, political campaigner, and author. In looking back, perhaps for the last time – and there is a poignantly valedictory tone to the prose in the last chapter of the book, though she would actually live for another quarter of a century – Roberts saw not simply visions of herself but rather a series of pictures of a whole society, the Welsh society that shaped her and her work. It is as if the camera, in panning back, taking the 'white lane' of memory back over the years, focuses not on that solitary female figure in the foreground but on the landscape of her native Caernarfonshire, bringing that lost, monoglot Welsh world vividly, memorably to light.

The book focuses primarily on the first twenty years of Roberts's life. In a kind of apologia for the partialness of this self-portrait, she asserts that 'everything that mattered to me happened before 1917' (p. 307). This is the date of her younger brother, David's, death, in faraway Malta, as a result of disease and the injuries he had received in the War. In a number of interviews, Kate Roberts asserted that it was the shock and

y golled hon a'i symbylodd hi i ddechrau ysgrifennu.* Yr hyn y mae Roberts yn cynnig i ni yn *Y Lôn Wen* yw hanes twf meddwl y darpar lenor, portread o'r plentyn a fyddai'n fam i'r awdures.

Yn fwriadol, mae'r llyfr yn osgoi naratif mawr llinellol. Yma defnyddia Roberts dechneg dameidiog ac episodig, hyd yn oed sinematig, fel yn y bennod agoriadol sy'n rhyfeddol o atmosfferig, ac sy'n cynnig cyfres o 'ddarluniau' o'i phlentyndod. Aiff Roberts â ni yn ôl i'r gorffennol hwnnw – degawd olaf y bedwaredd ganrif ar bymtheg – drwy ei hatgofion hynod o fanwl am bobl, llefydd, hanesion a gwrthrychau. Mae'r gwrthrychau yn arbennig yn ffurfio cyswllt rhwng y gorffennol a'r presennol. Mae rhai yn gofarwyddion penodol a gallwn ni ddychmygu'r awdur yn eu dal mewn un llaw wrth iddi ysgrifennu: y ffotograff pŵl o'i nain a'i thaid a'u deuddeg o blant, bodis a phais hen-ffasiwn ei nain, cerdyn galar bach yn coffáu marwolaeth bachgen deuddeg oed yn y chwarel leol. Gwrthrychau a gofiwyd yw rhai o'r lleill, sy'n cael eu trawsnewid yn symbolau o fywyd arall, byd arall: stamp menyn y teulu ag arno brint deilen fefus, y bag gwerthfawr o farblis, a'r gwas-y-neidr a anfonwyd gan ei brawd David ym 1916, wedi'i gadw a'i wasgu'n ofalus rhwng tudalennau llyfr. Y manylion hyfryd ac atgofus hyn sy'n dangos nad dogfennu oes a fu yn unig a wnâi Kate Roberts, ond ei bod yn llenor creadigol o'r safon uchaf.

Gan ddefnyddio'r person cyntaf a'r modd presennol yn amlach na pheidio, daw Roberts â'r darllenydd yn bersonol glòs at y byd lle cafodd ei magu yn Arfon ar droad y ganrif. Tua diwedd yr hanes, mae hi ei hun yn cydnabod iddi gychwyn ar y dasg gydag agwedd ddiwyd y croniclwr, ac

---

* Er enghraifft, mewn ymateb i gwestiwn Saunders Lewis, 'Beth yn union a'ch cynhyrfodd chi gyntaf i ddechrau ysgrifennu o gwbl?' dywed Roberts, 'Marw fy mrawd ieuengaf yn rhyfel 1914–18, methu deall pethau a gorfod sgrifennu rhag mygu'. Dyfynnwyd yn *Crefft y stori fer* gol. S. Lewis (Llandysul: *Clwb Llyfrau Cymreig*, 1949) t. 11 ac yn *Kate Roberts: Bro a Bywyd*, gol. Derec Llwyd Morgan (Caerdydd: Cyngor Celfyddydau Cymru, 1981) t. 9. Mae'r olaf yn cynnwys ffotograff o David Roberts (t. 9) yn ei lifrai a ffotograff o Kate Roberts, flynyddoedd yn ddiweddarach, yn eistedd ar ei fedd ym Malta (t. 45).

despair of this loss that made her begin to write.* What Roberts offers us in *The White Lane* is an account of the growth of that future writer's mind, a portrait of the child who would be mother to the woman author.

The book deliberately eschews the linear grand narrative. Roberts's technique here is fragmentary and episodic, even cinematic, as in the brilliantly atmospheric opening chapter, which offers a series of 'pictures' of her childhood. Roberts takes us back into that past – the last decade of the nineteenth century – through her extraordinarily detailed recall of people, places, stories, and objects. Objects, particularly, link past and present. Some are actual mementoes which we can imagine the writer holding in one hand as she writes: the faded photograph of her grandparents with their twelve children, her grandmother's old-fashioned bodice and petticoat, a small mourning card commemorating the death of a boy aged twelve in the local quarry. Others are remembered objects which become transmuted into emblems of another life, another world: the family butter pat with a strawberry leaf print, the precious bag of marbles, and the preserved dragonfly, sent by her brother David in 1916, carefully pressed between the pages of a book. It is in these beautiful and evocative details that Kate Roberts shows herself to be not simply a documentarist of a bygone time but a creative writer of the first order.

Couched in the first person and largely in the present tense, Roberts brings her reader intimately close to the world in which she grew up in Arfon at the turn of the century. As she acknowledges near the end of her account, she had approached her task with the diligent attitude of a chronicler but had been

---

* For example, in answer to Saunders Lewis's question, 'What exactly prompted you first to begin to write at all?' Roberts replies, 'The death of my youngest brother in the 1914–18 war, my failure to understand things and having to write to stop myself from going under.' Cited in *Crefft y stori fer* ed. S. Lewis (Llandysul: Clwb Llyfrau Cymreig, 1949) p. 11 and in *Kate Roberts: Bro a Bywyd*, ed. Derec Llwyd Morgan (Caerdydd: Cyngor Celfyddydau Cymru, 1981) p. 9. The latter includes a photograph of David Roberts (p. 9) in his soldier's uniform and a photograph of Kate Roberts, taken many years later, sitting on his grave in Malta (p. 45).

nad oedd hi'n disgwyl i ysbrydion y meirw ddod yn fyw a siarad â hi. Mae hyn yn arbennig o amlwg yn ei theyrngedau emosiynol i'w thad a'i mam; y naill yn ffigur ag iddo dawelwch gweddus ac urddasol, tra bod y llall lawer yn fwy cymhleth ac yn tynnu'n groes, ond y ddau yn dod yn fyw mewn modd cofiadwy. Rydym ni, y darllenwyr, yn credu pob gair pan gyhoedda hi, Catrin Roberts, 'Pe bawn i wedi cael addysg byddwn wedi troi Ewrop ar ei ben' (t. 223). Ac eto fe'i hanfonwyd i wasanaethu a hithau ond yn ddeg oed; roedd ei gŵr Owen wedi dechrau gweithio yn y chwarel pan oedd yntau'n naw. Dengys Kate Roberts i ni wastraff bywyd ei rhieni. Ac eto, er bod traed y cymeriadau hyn mewn cyffion, fel y dywed Roberts yn nheitl ei nofel enwocaf, maen nhw'n gallu cyflawni gweithredoedd o haelioni arwrol, yn ogystal â hwyl afieithus.

Mae cyfieithu testun mor gyfoethog ac amrywiol, ac un sydd hyd yn oed yn awgrymu bod cyfieithu'n amhosibl (t. 51) yn her arswydus. Mae'n briodol felly mai'r un sy'n dal swydd Bardd Cymru ar hyn o bryd, Gillian Clarke, a dderbyniodd yr her honno. Mewn dehongliad sensitif o ryddiaith Roberts, dengys Clarke bod ganddi glust am gerddoriaeth ac arlliw iaith. A hithau ei hun wedi cyfansoddi cerddi gwych am ein neiniau, yma mae Clarke yn sefydlu cyswllt hanfodol â'i nain lenyddol ei hun, Kate Roberts, gan ddwyn peth o'i hysgrifennu gorau gerbron cynulleidfa newydd.

KATIE GRAMICH
Caerdydd, 2009

unprepared for the ghosts of the dead to come alive and speak to her. This is particularly evident in her moving tributes to both her father and mother; the former a figure of quiet decency and nobility, the latter a much more complex and contradictory figure, unforgettably brought to life. We as readers believe her implicitly when she, Catrin Roberts, announces, 'If I'd had an education I would turn Europe upside down' (p. 223). And yet she had been sent into service at the age of ten; her husband, Owen, had started work in the quarry at the age of nine. Kate Roberts brings home to us the waste of her parents' lives. And yet, though these characters' feet are in chains, as Roberts puts it in the title of her most famous novel, they are capable of acts of heroic generosity, as well as of sheer fun.

To translate such a rich and various text, one which even suggests the impossibility of translation (p. 51), is a formidable challenge. It is fitting that the current National Poet of Wales, Gillian Clarke, should be the one to rise to that challenge. In a sensitive rendering of Roberts's prose, Clarke shows her ear for the music and nuance of language. Having herself written fine poems about our grandmothers, Clarke here establishes a vital link with her own literary grandmother, Kate Roberts, and brings some of her best writing to the attention of a new audience.

KATIE GRAMICH
Cardiff, 2009

I

Darluniau

Y mae ceffyl y meddyg wedi ei glymu wrth y llidiart, a daw'r meddyg ar hyd y llwybr i lawr at y tŷ. Dyn bychan ydyw a chanddo farf goch; y mae'n gwisgo *leggings* lledr sy'n disgleirio fel gwydr. Daw i'r tŷ a rhydd ei het a'i fenig ar y bwrdd. Mae golwg bryderus iawn ar Mam fel yr â'r meddyg i'r siambar lle mae fy mrawd, iau na mi, yn sâl iawn. Mae arnaf fi ofn y meddyg, mae mor ddieithr ac yn gymaint o ŵr bonheddig, nid oes ôl gweithio ar ei ddwylo. Ond y fo sy'n mynd i fendio fy mrawd. Mae'n gadael aroglau cyffuriau ar ei ôl.

Ymhen ychydig ddyddiau yr wyf fi'n rowlio bisgedi Mari fel cylchyn hyd lawr y siambar, heb ofn cael fy nwrdio, oblegid mae fy mrawd yn gorwedd ar ei ochr yn y gwely yn edrych arnaf ac ar y bisgedi. Mae'n chwerthin ac mae Mam yn gwenu.

* * *

Mae hi'n gyda'r nos braf ym mis Mai, a minnau'n cael mynd yn llaw fy nhad i Fryn Gro. Mae yno ddyn sâl, Robert Jones yw ei enw, a Nhad sydd yn torri ei farf yn ei salwch. Mae'n frawd i Glasynys medd fy nhad, ond nid wyf ddim callach. Mae Nhad yn mynd i'r tŷ ac yn cael ei lyncu yn ei dywyllwch. Arhosaf innau allan, a daw Nel, wyres Robert Jones, allan i chwarae efo mi. Mae ganddi wallt tew, hir sy'n cyrraedd i lawr tu isa i ganol ei chefn. Awn at y cwt mochyn, ac edrych ar y moch. Mae yno un mochyn bychan bach, ac yr wyf yn dotio arno. Wrth fyned adref yr wyf yn siarad gyda Nhad am y mochyn bach, ac mae Nhad yn dweud mai 'cwlin', neu 'fach y nyth', y maent yn galw moch bach felly.

* * *

Yr wyf yn bedair a hanner oed ac yr ydym yn mudo o Fryn Gwyrfai i Gae'r Gors ar draws y caeau. Y mae Mary Williams, sy'n dyfod i helpu Mam weithiau, yn cario Evan, y babi, yn y siôl, yn ei llaw mae Richard, fy mrawd arall, tair

1

I

Pictures

The doctor's horse is tethered by the gate, and the doctor walks along the path down to the house. He is a small man with a red beard, and he wears leather gaiters that shine like glass. He comes into the house and leaves his hat and gloves on the table. There is an anxious look on Mam's face as the doctor goes into the bedroom where my younger brother is very ill. I am afraid of the doctor, he is so strange and such a gentleman, with no sign of work on his hands. But he is going to mend my brother. He leaves a medicine smell behind him.

A few days later I am rolling Mari biscuits like hoops along the bedroom floor, without fear of a scolding, because my brother is lying on his side in bed watching me and the biscuits. He is laughing, and Mam is smiling.

* * *

It is a fine evening in May, and I am going to Bryn Gro holding my father's hand. A sick man lives there. Robert Jones is his name, and Dad is going to shave him. Dad says he's a brother to Glasynys, but I am none the wiser. Dad goes into the house and is swallowed in the darkness. I stay outside and Nel, Robert Jones's grand-daughter, comes out to play with me. She has thick hair which falls halfway down her back. We go to the sty to look at the pigs. There is one tiny pig in the sty and I love him. As we go home I tell Dad about the little pig and he tells me that a small pig like that is called a *'cwlin'*, or the 'runt' of the litter.

* * *

I am four and a half years old and we are moving from Bryn Gwyrfai across the fields to Cae'r Gors. Mary Williams, who sometimes comes to help Mam, is carrying Evan, the baby, in a shawl, holding Richard, my other brother, three years old,

oed, ac yr wyf innau'n cerdded wrth eu hochr ac yn cario sosban. Dyna fy help i yn y mudo. Mae dynion yn myned o'n blaenau yn cario'r dodrefn. Yn union o'm blaen mae dau ddyn yn cario gwaelod y cwpwrdd gwydr. Mae'r cwpwrdd yn neidio i fyny ac i lawr yn berffaith gyson. Nid wyf yn cofio cyrraedd Cae'r Gors na mynd i'm gwely am y tro cyntaf yn ein tŷ newydd. O dywyllwch i dywyllwch.

* * *

Y mae'n fore Sadwrn gwlyb, oer, diwrnod fy mhen blwydd yn chwech oed. Mae Mam newydd llnau tua'r tân, ac mae tân isel, coch yn y grât. Safaf innau wrtho, ac er y gwres, mae arnaf annwyd oherwydd y tywydd diflas. Yr wyf yn crio ac yn crio, ac ni wn am beth, ddim ond efallai am ei bod yn ddiwrnod annifyr. Yr wyf yn sicr nad am na chefais anrheg, oblegid nid ydym byth yn cael anrhegion pen blwydd. Mae Mam yn dweud bod y Brenin Mawr yn gofalu am anfon glaw ar ddydd Sadwrn am nad oes ysgol.

* * *

Y mae'r gwynt yn ubain o gwmpas y tŷ ac yn crio fel plentyn. Mae canghennau'r coed wrth y gadlas yn gwichian a chlywaf rai ohonynt yn torri'n gratsh. Ebwch mawr, tawel a llechen yn mynd oddi ar do'r beudy ac yn disgyn yn rhywle. Mae arnaf ofn i do'r tŷ fynd. Ond nid oes rhaid inni ofni, yr ydym yn ddiddos yn y gwely a Nhad a Mam wrth y tân o dan simdde fawr. Mae Duw yn y Nefoedd yn gorwedd ar wastad ei gefn ar y cymylau gwlanog, a'i farf yr un fath â'r gwlân. Y Fo sy'n maddau inni am wneud drygau ac yn gofalu na chawn fynd i'r tân mawr. Ond Nhad a Mam sy'n rhoi bwyd inni a tho nad yw'n syrthio.

* * *

Yr wyf yn saith a hanner oed, yn eistedd yn y lôn wrth ymyl y llidiart. Mae carreg fawr wastad yno, a dyna lle'r eisteddaf yn magu fy mrawd ieuengaf, Dafydd, mewn siôl. Yr wyf yn

3

by the hand, and I am walking beside her carrying a saucepan. That is my contribution to the move. Men have gone ahead carrying furniture. Just in front of me two men carry the base of the glass cupboard. The cupboard bounces up and down in perfect rhythm. I don't remember arriving at Cae'r Gors, or going to bed for the first time in our new house. From darkness to darkness.

* * *

It is a cold, wet Saturday morning, the day of my sixth birthday. Mam has just cleaned the hearth, and the fire is low, red in the grate. I stand close to it and its warmth. I have a cold because of the bad weather. I am crying and crying and I don't know why, except maybe because it is a miserable day. I'm not expecting a present because we never have birthday presents. Mam says that the Good Lord is careful to send rain on Saturday when there is no school.

* * *

The wind moans round the house wailing like a child. The branches of the trees round the yard creak and there's a noise as some break with a crash. A great gasp, silence, and a slate slips from the roof of the byre and lands somewhere. I am afraid that the house roof will go. But there is no need to be afraid, we are snug in bed and Dad and Mam are by the fire under the big chimney. God is in Heaven lying flat on his back on the fleecy clouds, and his beard is fleecy too. It is He who forgives us our sins and keeps us safe from the big fire. But it's Dad and Mam who give us food and make sure the roof doesn't fall down.

* * *

I am seven and a half years old, sitting in the lane by the gate. There is a big, flat stone there where I sit nursing my youngest brother Dafydd in a shawl. I sit just there because it's where

4

eistedd gymaint yno fel fy mod wedi gwneud twll hwylus i'm traed. Mae'n ddiwrnod braf. O'm blaen mae Sir Fôn ac Afon Menai, Môr Iwerydd yn ymestyn i'r gorwel, Castell Caernarfon yn ymestyn ei drwyn i'r afon a'r dref yn gorff bychan o'r tu ôl iddo. Mae llongau hwyliau gwynion, bychain yn myned trwy'r Bar, a thywod Niwbwrch a'r Foryd yn disgleirio fel croen ebol melyn yn yr haul. Nid oes neb yn mynd ar hyd y ffordd, mae'n berffaith dawel. Toc daw hen gar mawr y siop, rhywbeth ysgafnach na throl, yn cario nwyddau o'r dref, fel y gwna bob dydd. Mae gwyddau Jane Roberts, Glanrafon Hen, yn pori ar y dorlan ac estynnant eu gyddfau allan wrth fyned heibio i ddangos eu hawdurdod. Ond mae fy mrawd bach a minnau'n berffaith dawel ac yn hapus, yn gwneud dim ond edrych i lawr ar y môr a sbio o gwmpas a synfyfyrio. Yr ydym yn dal i synfyfyrio am hir er mwyn i Mam gael gyrru ymlaen efo'i gwaith, ond nid yw'n boen arnom synfyfyrio, oblegid mae mor braf yn y tawelwch. Mae gwallt melyn, sidanaidd fy mrawd yn cosi fy nhalcen, ac mor hyfryd yw ei gnawd tyner ar fy moch. Rhydd slap ar fy wyneb mewn afiaith weithiau, a chrycha ei drwyn wrth ddal i edrych ar y byd, y byd nad yw'n ddim ond rhywbeth i edrych arno i fabi a phlentyn saith oed.

* * *

Yr wyf yn naw oed yn eistedd wrth y ddesg yn yr ysgol yn gwneud syms. Mae'r athro wedi dangos inni sut i wneud syms newydd, a chawsom lyfrau gydag enghreifftiau, rhyw ddwsin i'r tudalen. Yn awr mae'n rhaid inni weithio'r problemau hyn yn ein llyfrau ysgrifennu. Mae'r hanner dwsin cyntaf yn hollol yr un fath â'i gilydd ac yn ddigon rhwydd. Mae'r seithfed yn ymddangos yn wahanol ac yr wyf yn methu gwybod beth i'w wneud. Mae arnaf ofn troi oddi wrth ffordd yr hanner dwsin cyntaf, rhag ofn imi wneud camgymeriad; yr wyf mewn penbleth mawr. Mae fy rheswm yn dweud nad yw'r sym hon yr un fath â'r lleill, ond methaf weld pam yr oedd yn rhaid rhoi sym wahanol yng nghanol pethau yr un fath. Penderfynaf ddilyn fy rheswm er bod arnaf ofn. Y fi oedd yr unig un i gael y sym

I've made a good hole for my feet. It's a fine day. Before me lie Anglesey and the river Menai, the Atlantic Ocean stretching to the horizon, Caernarfon Castle like a nose pointing at the river, the little body of the town behind it. Small white sailing boats are crossing the bar, and the sands of Newborough and Foryd shine like a light-bay foal's coat in the sun. Nobody goes by along the road. The silence is perfect. Soon, the big old shop car will come, a bit lighter than a cart, bringing goods from the town as it does every day. Jane Roberts's geese from Glanrafon Hen graze on the riverbank, stretching out their necks to show their authority as they go past. But my little brother and I are perfectly quiet and happy, doing nothing but gaze down at the sea and look about us, daydreaming. We muse for a long time so that Mam can get on with her work, but it's not hard to sit there dreaming because it is so fine and so peaceful. My brother's silky gold hair tickles my forehead, and his tender skin is delicious against my cheek. An occasional slack slap on my face in his liveliness, and he crinkles his nose at his view of the world, a world that is just there to be looked at by a baby and a seven-year-old child.

* * *

I am nine years old sitting at a desk in school doing sums. The teacher has shown us how to do new sums, and we have books with examples, about twelve to a page. Now we must work out the problems in our exercise books. The first half dozen are like each other and easy enough. The seventh is different, and I don't know what to do. I am afraid to do it differently from the first six, for fear of making a mistake. I am perplexed. My reason tells me this sum is not like the others, but I can't see why there should be a different kind of sum when the others were all alike. I decide to follow my reason in spite of my fear. And I am the only one to get the sum right. I am proud, not because of that but because I

hon yn iawn. Yr wyf yn falch, nid oherwydd hyn ond oherwydd imi benderfynu dilyn fy rheswm am y tro cyntaf erioed a chael fy mod yn iawn.

* * *

Yr wyf yn mynd i Bantcelyn, tŷ fy nain, mam fy mam, yn ystod gwyliau'r haf. Mae pwll o ddŵr cyn dyfod at y tŷ, lle bydd Nain yn oeri'r piseri llaeth ar ôl godro. Ar y chwith wrth droi at y tŷ mae gardd flodau fechan a blodau Adda ac Efa yn tyfu ynddi, a rhosod lliw hufen yn dringo o gwmpas y drws. Ar y dde mae seston lechen o waith fy nhaid i ddal dŵr glaw. Nid yw Taid yn fyw. Mae dyrnau pres y dresel yn fy wynebu fel rhes o lygaid gloywon. Oddi ar y mur mae dau ewythr yn edrych arnaf o dan aeliau trymion. Credaf eu bod yn gwgu arnaf. Mae cwrlid coch ar y bwrdd a Beibl mawr yn agored arno, sbectol ar y Beibl a'i breichiau wedi croesi fel coesau pry'. Mae Nain yn eistedd ar setl yn yr un dillad ag a fydd ganddi bob amser. Mae ganddi het bach wellt ddu am ei phen a chap o ffrilin du odani, a ruban bach piws ar y ffrilin wrth ben y clustiau. Mae'n gwisgo bodis du a rhes o fotymau mân yn ei gau, sydd yn gorwedd y tu allan i bais stwff. Mae'n gwisgo ffedog ddu. Mae'n mynd ati i hwylio te ac yn estyn torth o gwpwrdd y bwrdd mawr sydd wrth y ffenestr. Mae tyllau yn y dorth ac nid yw mor wyn â'n bara ni gartref. Mae Mam yn dweud mai blawd rhad mae Nain yn ei brynu. Ond yr wyf fi yn ei hoffi. Mae Nain yn dweud nad oes ganddi ddim teisen i de, dim ond caws. Dywedaf innau fy mod yn hoffi caws yn fawr, yn enwedig yr un crystyn coch. Mae hyn yn ei phlesio. Mae'n mynd i'r tŷ llaeth heibio i gefn y setl i nôl y menyn. Mae ei chorff yn ddel iawn a hithau mor hen. Af ar ei hôl, ond nid heb sbecian yn y Beibl yn gyntaf i weld beth y mae hi yn ei ddarllen. 'Yn nhŷ fy Nhad y mae llawer o drigfannau.' Mae hi'n meddwl am farw reit siŵr. Mae'r tŷ llaeth yn oer braf a'i loriau llechi yn llaith. Mae aroglau menyn a llaeth enwyn a lleithder yno, aroglau yr wyf i'w cofio am byth. Mae Nain yn cymryd pwys o fenyn caled oddi ar y llechen ac yn ei roi ar blât. Awn yn ôl i'r gegin a chawn de. Mae bara menyn Nain

decided to follow my reason for the first time ever and found I was right.

* * *

I am going to Pantcelyn, the house of my Nain, my mother's mother, in the summer holidays. There is a pool of water in front of the house where Nain cools the pitchers after milking. On the left as you face the house is a small flower garden where monkshood grows, and cream roses clamber round the door. On the right is a slate cistern which my Taid made to collect rainwater. Taid is not alive now. The brass knobs on the dresser look like a row of bright eyes. On the wall two uncles watch me from under heavy brows. I think they are frowning at me. There's a red cloth on the table, and the big Bible open on it, a pair of spectacles on the Bible with arms crossed like the legs of an insect. Nain sits on the settle in the clothes she always wears. She has a small black straw hat on her head with a frilled cap beneath it, and a little purple ribbon over her ears. The black bodice worn over her cloth petticoat is closed with a row of tiny buttons. She wears a black apron. She goes to make tea and takes a loaf from the cupboard to the big table by the window. There are holes in the loaf, and it is not as white as our bread at home. Mam says it's the cheap flour Nain buys. But I like it. Nain says there is no cake for tea, only cheese. I tell her I love cheese, especially the sort with a red rind. She is pleased. She goes out to the dairy past the settle to fetch the butter. Her figure is very neat, although she's so old. I follow in her footsteps, but not before glancing at the Bible to see what she's been reading. 'In my Father's house are many mansions.' She is thinking about death, that's for sure. But the dairy is nice and cold and the slate floors damp. There are smells of butter and buttermilk and dampness, smells I've known all my life. Nain takes a pound of firm butter from the slate slab and puts it on a plate. We go back to the kitchen to have tea. Nain's bread and butter is delicious enough, but she

yn ddigon o ryfeddod. Mae'n estyn pot o jam cwsberis o'r cwpwrdd, 'Roeddwn i wedi anghofio hwn,' meddai, 'Kate Bryncelyn gwnaeth o.' Mae aroglau sebon Vinolia Dewyth John yn dyfod oddi wrth y palis. Pan mae Nain yn cadw'r pethau ar ôl bwyta, yr wyf yn mynd i'r siambar i sbecian. Mae ganddi wely wensgot yno, a chyrtenni gwyn a blodau cochion arnynt o gwmpas y gwely. Nain a nyddodd y defnydd o lin, meddai Mam. Mae hen gist dderw yn y siambar a throell fach. Pan ddof yn ôl i'r gegin eisteddaf ar fy nghwrcwd i edrych ar y lluniau pysgod a gerfiodd Taid ar ochr y llwyfan lechen sydd o dan y dodrefn.

Gofynnaf i Nain a gaf fynd i weld yr ardd. Gardd ryfedd yw hi, wedi ei chau i mewn efo muriau a choed tal a dôr uchel yn cau arni fel na fedr neb weld i mewn iddi. Mae cychod gwenyn ar un ochr fel nifer o dai bychain twt, ond nid wyf i fod i fynd yn agos atynt. Trof i'r chwith ac af at y ffynnon. Edrychaf am hir i'w gwaelod clir, taflaf garreg fechan i mewn ac yna mae'n symud yn sydyn, ac yr wyf yn gweld rhywbeth tebyg i'r froetsh werdd a welais yn ffenestr y siop yn y dre yn symud yn lân yn y dŵr. Genau-goeg ydyw. Nid wyf yn ei hoffi. Ond mae'n ddiogel yn y dŵr. Nid oes ardd debyg i hon yn unlle. Mae fel llyfr wedi ei gau efo chlesbin.

Wedi mynd i'r tŷ gofynnaf i Nain, 'I beth ydach chi'n cadw genau-goeg gwirion yn y ffynnon?'

'I buro'r dŵr.'

Synfyfyriaf ar hyn.

'Faint ydy d'oed di rŵan?'

'Rydw i dest yn ddeg.'

'Roedd dy fam yn mynd i weini yn d'oed di.'

Trof y stori, achos mi wn beth sy'n dŵad.

'Y droell yna yn y siambar ydy'r un ddaru Mam dreio nyddu efo hi, a chael clewtan gynnoch chi am fusnesu?'

'Dydw i ddim yn cofio am y glewtan, ia, honna ydy'r droell.'

'Mae Mam yn cofio o hyd. Mae'n rhaid 'i bod hi'n brifo.'

'Mi roedd hi'n 'i haeddu hi reit siŵr. Wyt ti'n helpu dy fam?'

Nid wyf yn hoffi dweud 'Ydw' rhag ofn nad wyf yn gwneud digon.

takes a pot of gooseberry jam from the cupboard. 'I'd forgotten about this,' she said. 'Kate Bryncelyn made it.' The scent of Uncle John's Vinolia soap comes through the partition. When Nain puts things away after tea I go to peep in the chamber. There is a cupboard bed in there, and white curtains with red flowers to draw round the bed. Mam says that Nain span the cloth from flax. The old oak chest in the room has a little spinning wheel on it. When I go back to the kitchen I will squat down to look at the pictures of fish which Taid carved on the edge of the slate slab under the furniture.

I ask Nain if I can go out to see the garden. She has a lovely garden, enclosed by walls and a high wooden fence with a tall door to shut if you don't want anyone to look inside. There are beehives on one side like sweet little houses, but I'm not supposed to go near them. I turn to the left and go to the spring. For a long time I gaze down to the clear bottom of the spring, and I throw in a small stone and something suddenly moves, and I can see a thing like the green brooch I saw in a shop window in town moving along in the water. It is a newt. I don't like it. But it is safe in the water. There is no other garden like this one. It is like a book closed with a clasp.

When I go into the house I ask Nain, 'Why do you keep that silly newt in the well?'

'To purify the water.'

I muse about it.

'How old are you now?'

'I'm nearly ten.'

'Your mam went into service at your age.'

I change the subject because I know what is coming.

'Is that spinning wheel in the chamber the one Mam tried to spin with, and had a clout from you for interfering?'

'I don't remember the clout, but yes, that is the wheel.'

'Mam still remembers it. She must have been hurt.'

'I gave her what she deserved, certainly. Do you help your mam?'

I don't like to say 'Yes', in case what I do isn't enough.

'Mi wnes i smonath wrth helpu y diwrnod o'r blaen.'

Edrych Nain arnaf a'i llygaid fel dau lafn o ddur glas.

'Be wnest ti?'

'Golchi'r badell does efo chadach llestri ac mi aeth y toes i mewn i'r cadach i gyd a'i neud o fel tasa'i lond o o falwod.'

'Mi rwyt ti'n gwbod erbyn hyn mai crafu padell does efo dy winedd sydd eisio.'

'Ydw.'

Yr wyf yn ddigalon wrth gerdded adref – meddwl bod Nain yn meddwl nad wyf yn helpu digon ar Mam.

* * *

Mae hi'n ddydd byr yn niwedd blwyddyn ac yn nosi cyn i'r bobl gyrraedd adref o'r chwarel. Af allan i'r lôn mewn hanner ofn, hanner chwilfrydedd. Daethai murmur fod damwain wedi digwydd yn chwarel Cors y Bryniau ar fin caniad. Af yn wyliadwrus ofnus drwy'r llidiart a chyn gynted â'm bod wedi ei hagor mae trol yn myned heibio a chorff dyn arni. Mae sachau dros y corff ond y mae esgidiau hoelion mawr y dyn, sydd wedi eu gorchuddio â chlai, heb eu cuddio. Mae chwarelwr yn tywys y ceffyl a dynion eraill yn cerdded o boptu i'r drol gyda'u pennau i lawr. Rhedaf i'r tŷ wedi dychryn. Yr oedd y dyn yn fyw wrth basio ein tŷ ni i'r chwarel y bore yma; mae'n mynd adre heno ar drol, wedi marw. Mae'r peth yn rhy ofnadwy.

Yr ydym i gyd yn ddistaw uwchben ein swper chwarel. Mae Mam yn sôn am 'y criadur gwirion' yn dosturiol ac yn sôn am ei wraig. Ond mae Nhad yn ddifrif ac yn synfyfyrio ac yn ochneidio. Ysgwn i a fydd arno ofn mynd i'r chwarel yfory? Ni allaf fi gysgu heno. Yr wyf yn gweld yr esgidiau hoelion mawr, cleiog yn troi at allan, ac yn ceisio dychmygu sut olwg sydd ar y corff a'r wyneb llonydd o dan y sachau.

* * *

Yr ydym yn y seiat a'n trwynau'n rhedeg. Y mae un o'r blaenoriaid yn siarad. Yr ydym wedi dweud ein hadnodau ers meityn, ac mae'r blaenor wedi bod yn y llawr yn

'I made a mess helping the other day.'

Nain looks at me with eyes like two blades of blue steel.

'What did you do?'

'I washed the dough bowl with a dish cloth and I got the dough stuck in the cloth and it was like a pile of snails.'

'So now you know that you should scrape the bowl with your fingernails.'

'Yes.'

I am sad as I walk home – thinking that Nain thinks I don't help Mam enough.

* * *

It's a short day at the end of the year and darkening before people come home from the quarry. I go out to the road half afraid, half curious. There is talk of an accident at the end of the shift at Cors y Bryniau quarry. I go through the gate in watchful fear, and as it opens a cart appears with the body of a man on it. There are sacks over his body, but poking out are the man's big clay-covered hobnail boots. A quarryman leads the horse and other men walk on either side of the cart with their heads bowed. I run into the house in fear. The man passed our house alive this morning; he is going home tonight on a cart, dead. It is such a terrible thing.

We are all quiet over our quarry supper. Mam talks pityingly of 'the innocent creature' and speaks of his wife. But Dad is sad and thoughtful and he sighs. Will he be afraid to go to the quarry tomorrow? I won't be able to sleep tonight. I can still see those big clay-covered hobnail boots sticking out, and I try to imagine what the body looks like, and the still motionless face under the sacks.

* * *

We are in the 'seiat' and our noses are running. One of the deacons is speaking. We have said our verses a while ago, and the deacon has been down to hear the grown-ups' public

gwrando profiadau'r bobl mewn oed. Rhywbeth yn debyg yw eu profiadau bob tro, teimlo eu bod yn bechaduriaid mawr. Mae rhai yn crio wrth ddweud hynny a'r lleill yn sych. Mae'r blaenor yn awr yn siarad am y profiadau ac yn dweud eu bod wedi cael bendith i gyd. Mae un ochr i'w wyneb yn y goleuni a chysgod ar y llall. Yr ydym ni blant yn ddistaw fel llygod, ond mae ein traed yn oer, oblegid nid oes gwres yn y capel, ac yr wyf fi'n dyheu am gael mynd adre at dân cynnes. Ond mae blaenor arall yn codi oddi ar ei gadair o dan y pulpud – Owen Pritchard y Gaerddu. Nid yw ef yn symud at y lamp fel y blaenor arall, ond saif ger ei gadair. Mae ganddo dopcot ddu a choler felfet amdano, ac mae'n edrych fel pregethwr, ond nid yw'n siarad fel pregethwr. Mae ganddo wyneb tlws, a gwallt a barf fel aur. Mae'n siarad yn ddistaw. Coeth yw'r gair amdano, medd pawb. Mae fel petai'n siarad efo fo'i hun, a'i lygaid heb fod ar y gynulleidfa, ond fel pe baent yn edrych i rywle na welwn ni mono fo. Gwn ei fod yn siarad yn dda er nad wyf yn ei ddeall.

Mae'r lleuad yn ddisglair pan awn allan, ond mae golau disgleiriach na golau'r lleuad o'n blaenau. Mae dyn yn gwerthu llestri ar ochr y ffordd a chylch bychan o bobl o'i flaen. Mae ganddo fflamdorch swnllyd wrth ei ochr, ac mae ei wyneb ef i gyd yn y goleuni. Mae'n siarad fel melin ac yn lluchio'r platiau i'r awyr yn gylch, un ar ôl y llall, ac yn eu dal cyn iddynt ddisgyn.

'Faint amdanyn nhw?' medd y dyn, 'rhai ffres yn boeth o'r popty, mi gynhesan ych dwylo chi ar noson oer.'

'Hei,' wrthyf fi, 'hwda, gafael yn un ohonyn nhw, rwyt ti'n edrach yn ddigon piglwyd.'

Tybiaf ei fod am wneud imi brynu un a chiliaf o'r cylch.

Yr wyf yn meddwl tybed a wna fy mrodyr dreio'r tric yma o luchio platiau heb eu torri yfory, yr un fath â'r tric o luchio wyau hyd y cae heb eu torri, a Mam, wrth ffrio'r wyau, yn methu gwybod o ble daeth yr wyau wedi eu cymysgu yn y plisgyn ac yn eu lluchio i ffwrdd gan feddwl mai wyau drwg oeddynt. Ond nid yw lluchio platiau cyn hawsed â lluchio wyau ar gae, a mae mwy o wyau mewn blwyddyn nag o blatiau yn ein tŷ ni.

Ond mae'n rhy oer i sefyllian hyd yn oed i edrych ar

confessions. Their confessions are the same every time, feeling as if they are great sinners. Some weep as they tell these things, others are dry-eyed. The deacon is now talking about their experiences and says that all are blessed. One side of his face is in the light, the other in shadow. We children are quiet as mice, but our feet are cold because there is no heat in the chapel, and I look forward to going home to a warm fire. But another deacon rises from his seat beneath the pulpit – Owen Pritchard the Gaerddu. He does not go to stand beside the lamp like the other deacon, but stays beside his seat. He has a black topcoat with a velvet collar and he looks like a preacher, but he does not talk like a preacher. He has a sweet face and his hair and beard are like gold. He speaks quietly. Refined is the word for it, everyone says. It's as if he is talking to himself, and his eyes are not on the congregation, but as if gazing at something we can't see. I know he speaks well though I can't understand it.

The moon is shining as we go out, but there's a light brighter than moonlight before us. A man is selling dishes beside the road, with a small circle of people before him. There is a noisy flame-torch beside him, lighting his face. He's grinding talk like a mill and juggling the plates in a circle in the air one after another, and catching them before they fall.

'How much for these?' asked the man, 'new and hot from the kiln to warm your hands on a cold night.'

'Hey,' to me, 'take one. You look a bit peaky.'

I think he wants me to buy one and I retreat from the circle.

I'm wondering if my brothers will try this trick tomorrow, tossing plates without breaking them, like the trick of throwing eggs across the field without breaking them, and Mam wondering when she's frying eggs why they are addled in their shells and throwing them away because she thinks they are off. But it's not as easy to toss plates as to throw eggs in a field, and there are more eggs in a year in our house than plates.

But it's too cold to stand for long watching the show and

gampau a gwrando ar arabedd y gwerthwr. Rhedwn adref a'r ffordd yn diasbedain gan sŵn ein traed. Mae aelwyd gynnes a bwrdd siriol yn ein haros, ac ar noson oer mae hynny'n well na seiat nac ocsiwn lestri.

* * *

Y mae'r wers ar ddaearyddiaeth drosodd a'r dosbarth yn sefyll yn hanner cylch o gwmpas y desgiau yn lle bod yn eistedd ynddynt. Mae'r prifathro a'n cymerodd yn y wers yn cychwyn o'r ystafell (a alwn yn 'glasdrwm') i'r ysgol fawr i ganu'i bib i ddweud ei bod yn amser newid gwersi. Mae'n gofyn i mi, gan fy mod ar ben y cylch, sefyll o flaen y dosbarth i gadw cow arnynt tra fydd ef yn yr ysgol fawr. Pan mae ef yn y cyntedd tywyll sydd rhwng y ddwy ystafell, mae un o'r bechgyn yn lluchio pysen tuag ataf. Try'r ysgolfeistr yn ei ôl a gofyn i mi yn Saesneg pwy a'i taflodd. Dywedaf na wn, a rhoi fy nwy wefus ar ei gilydd yn dynn. 'Fe ddylech wybod,' medd ef, a rhoi dwy gansen giaidd i mi, un ar bob llaw, mor galed ag y gall. Ond nif wyf yn crio. Deil fy ngwefusau yn dynn ar ei gilydd. Y wers nesaf yw gwnïo ac mae grwym ar un llaw i mi ac y mae'n brifo'n enbyd. Mae'r athrawes sy'n dysgu gwnïo inni yn amau fod rhywbeth yn bod ac y mae'n garedig. Ond ni wiw iddi ddweud dim, ac ni wiw i minnau glepian ar y prifathro wedi mynd adref. Dyna reol ein cartref. Eithr mae fy nhu mewn yn gweiddi gan gynddaredd yn erbyn anghyfiawnder. Yr wyf wedi haeddu fy nghuro lawer gwaith, ond nid y tro hwn. Beth a all plentyn ei wneud yn erbyn cosb nas haedda? Yr ateb yw dim, ar hyn o bryd. Ond fe ddaw dydd dial, fel yr oedd y stori yn y papur newydd yn dweud.

* * *

Y mae'n fore Sadwrn braf ym mis Medi. Yr ydym i gyd, ac eithrio'r rhai sy'n gweithio yn y chwarel, yn y cowrt o flaen y tŷ. Yr wyf fi newydd orffen sgwrio'r ysgol, ac yr wyf wrthi'n awr yn llnau'r cyllyll drwy eu gyrru ôl a blaen ar styllen a lledr arni, a bricsen ar y lledr, gwaith nas hoffaf: mae'n gyrru'r

listening to the peddlar's patter. We run home and the road rings with the sound of our feet. A warm hearth and bright table await us, and on a cold night that's better than the *seiat* or an auction of dishes.

* * *

The geography lesson is over and the class is standing in a half circle around the desks instead of sitting at them. The headmaster who took the lesson is leaving the classroom (which we call a 'glasdrwm') to go to the big school to sound the hooter for the end of the lesson. As I'm in the front of the group he asks me to stand in front of the class to keep order while he's in the big school. When he reaches the dark hallway between the two rooms one of the boys lobs a pea at me. The headmaster turns back and asks me in English who threw the pea. I say I don't know, and keep my lips tight together. 'You should know,' he says, and he gives me two fierce strokes of the cane, one on each hand, with all his might. But I don't cry. I keep my lips tight shut. The next lesson is needlework, and I have a weal on one hand which hurts badly. The sewing teacher knows something is wrong and she is kind. But it wouldn't be right for her to comment, nor for me to tell tales on the head when I get home. That's the rule in our house. But inside I am raging against the injustice. I've often earned a beating, but not this time. What can a child do against unjust punishment? The answer is nothing, at the time. But the day of vengeance will come, as the story in the newspaper said.

* * *

It is a Saturday morning in September. We are all in the yard in front of the house with some of the men who work in the quarry. I have just finished scouring the loft ladder and now I am polishing the knives by driving them back and fore over a board covered with leather, with a brick on the leather, a job

dincod ar fy nannedd. Mae llechen lydan hyd ben y clawdd, ac arni mae fy mrodyr yn torri cnau. Buont yn y Bicall y bore yma yn hel cnau a mwyar duon. Mae Mam wedi rhoi'r mwyar duon ar hambwrdd mawr ar ben y wal. Mae'n gwisgo ei sbectol i'w harchwilio, fel y bydd yn archwilio fy mhen i weithiau. Mae cymaint o'r mwyar duon nes eu bod yn tonni'n fryniau dugoch yn yr haul. Cawn bwdin i swper heno.

Yn y munud dyna sŵn a adwaenwn yn dda, dyn yn gweiddi nerth ei ben, rywbeth tebyg i 'cra-a-a'. Mae'r effaith arnom yn syfrdanol. Chwalwn ymaith oddi wrth ein gorchwylion fel petai rhywun wedi taflu dŵr berwedig am ein pennau, y ni'r plant i'r lôn a Mam i'r tŷ i nôl dysgl a'i phwrs. Hugh Williams, Pen Lan, sydd yna efo'i drol bach yn gwerthu llysiau a ffrwythau. Daw fel hyn bob Sadwrn, a'r hyn a waedda ydyw, 'Carraits', ond ei fod yn swnio fel 'cra-a-a' o bell. Y dyn ffeindia'n bod, yn rhy wael ei iechyd i weithio ac yn mynd â'i drol ffrwythau o gwmpas. Ond mae Mam yn dweud nad yw'n gwneud fawr o elw am ei fod yn rhy ffeind a bod llawer o ddrwgdalwyr yn y byd. Mae Mam yn prynu hwde o bethau – bwndeli o foron, dau dalbo o eirin (bydd Nhad wrth ei fodd) a phwysi o afalau, ac y mae'n talu amdanynt. Yna cawn ni'r plant eirin ac afal bob un gan Hugh Williams, heblaw bod y ffrwythau a brynodd Mam yn llifo allan dros eu mesur. 'Yr hen frest yma ydy'r drwg, Catrin,' medd ef wrth Mam. 'Hugh druan,' medd Mam. Y mae'r byd yn llawn o bethau da ym mis Medi.

'Does dim amser i wneud cinio iawn heddiw,' medd Mam, ac wrthyf fi, 'rhed i'r siop i nôl dwy owns o goffi.' Dof adre efo choffi hyfryd, newydd ei falu. Mae Mam yn ei roi mewn jwg hir ac yn tywallt dŵr berwedig o'r tegell am ei ben a'i roi ar y pentan i gadw'n gynnes. Wrth ei ochr mae sosban a dŵr ynddi yn mudferwi. Mae'n rhoi lot o lefrith mewn jwg arall a rhoi'r jwg hwnnw i sefyll yn y sosban ddŵr poeth. Yna â ymlaen i ffrio cig moch ac wyau. Erbyn y byddant hwy'n barod bydd y llefrith wedi cynhesu digon i'w roi am ben y coffi yn y cwpanau, a bydd y dynion wedi dŵad adre o'r chwarel. Mae'r cwbl yn dda.

* * *

I dislike: the scraping sets my teeth on edge. There's a wide slate slab on top of the hedge, and my brothers are cracking nuts on it. They've been on the Bicall this morning collecting nuts and blackberries. Mam has put the blackberries in a big tray on top of the hedge. She is wearing her spectacles to examine them, as she sometimes inspects my head. There are so many blackberries that they flow in red-black hills in the sun. There'll be pudding for supper tonight.

A moment later comes a sound which I know well, a man shouting at the top of his voice, something like 'cra-a-a'. The effect on us is stupefying. We scatter from our tasks as if someone were pouring boiling water on our heads, we children to the lane, and Mam into the house to fetch a dish and her purse. Hugh Williams, Pen Lan, is there with his little cart selling fruit and vegetables. He comes like this every Saturday, as usual shouting 'Carrots', but it sounds like 'cra-a-a' from a distance. A lovely man, too poor in health to work, but able to take his fruit and vegetable cart around. But Mam says that there's not much profit in it because he's too kind and that there are too many bad payers in the world. Mam buys some things – bunches of carrots, two handfuls of plums (Dad will be pleased) and a few pounds of apples, and she pays for them. Then Hugh Williams gives us children a plum and an apple each, although the fruit Mam has bought overflowed the measure. 'This old chest is bad, Catrin,' he says to Mam. 'Poor Hugh', says Mam. The world is full of good things in September.

'There's no time to make a good dinner today,' says Mam. And to me, 'Run to the shop for two ounces of coffee.' I come home with beautiful coffee, freshly ground. Mam puts it into a tall jug and pours boiling water from the kettle on top of it and sets it on the hob to keep warm. Beside it is a saucepan of boiling water. She pours milk into another jug, and sets the jug to stand in the pan of hot water. Then she turns to frying bacon and eggs. By the time they are ready the milk will be hot enough to pour over the coffee in the cups, and the men will be home from the quarry. Everything is good.

*   *   *

18

Dyma'r diwrnod mwyaf stormus yn fy mywyd, gwynt a glaw na fu erioed eu math. Cawn ddyfod adre o'r ysgol yn gynnar. Mae Mam yn bur anesmwyth, meddwl am Nhad yn gweithio yn nannedd y creigiau. I Mam, yn nannedd y creigiau mae Nhad yn gweithio, pa un bynnag ai yn y siêd ai yn y twll y bydd yn gweithio. A wir, heddiw mae ganddi achos i bryderu. Daw Nhad adre a'i ben wedi ei lapio mewn cadachau gwynion. Daeth rhywun i'w ddanfon, ac ymhen tipyn daw'r meddyg i'w drin. Pan dynnwyd y rhwymynnau, yr oedd hollt fawr yn ei dalcen tua dwy fodfedd o hyd ac yn ddwfn iawn iawn, tua thri chwarter modfedd, rwy'n siŵr. Mae Mam yn cael gwasgfa, peth anghynefin iawn iddi hi, ac yr ydym ninnau i gyd yn crio. Mae wyneb Nhad fel y galchen, ond y mae'n dal yn ddewr. Nid oes lun ar ei swper chwarel heno, ac mae'n well gan Nhad gael paned o de cyn mynd i'w wely.

Yr oedd y gwynt mawr, nerthol wedi chwythu crawen a honno wedi hitio fy nhad yn ei dalcen pan oedd yn ei wal. Ond yr oedd gwaeth peth wedi digwydd yn y twll – yr oedd partner fy nhad, Wil Tom o Ben-y-groes, wedi ei anafu yn ddifrifol yn ei gefn. 'Mae wedi ei chael yn ofnadwy,' medd Nhad, 'mae arna i ofn y bydd yn gripil weddill 'i oes.'*

Wrth ddweud fy mhader, yr wyf yn gofyn am i Nhad gael mendio. Yna yr wyf yn diolch na frifwyd ef fel ei bartner, William Thomas, ac na ddaeth adref ar drol fel William Michael.

* * *

Yr ydym i gyd yn chwarae siglen adenydd y tu ôl i'r tŷ yn y coed sydd wrth ymyl y gadlas. Mae Jane Cadwaladr, fy nghyfnither, sy'n byw yn Rhostryfan rŵan, wedi dŵad i fyny atom. Mae hi'n glws iawn, ei gwallt fel aur, ei chroen fel y lili a'i llygaid yn las fel rhai fy nain. Mae newydd golli ei mam ac y mae'n cael llawer o sylw. Mae rhaff y siglen wedi ei chlymu am ddwy goeden, a'n nod yw hitio'r ffenestr bren sydd yn uchel ar dalcen y gadlas. Yr wyf wrth fy modd yn

---

* Fe wireddwyd hyn.

It's the day of the biggest storm of my life, wind and rain as we've never known before. We come home from school early. Mam is uneasy, thinking about our father working in the teeth of the rocks. To Mam, it is always in the teeth of the rocks that Dad works, whether he's working in the shed or down at the quarry bottom. Indeed, today she has cause to worry. Dad comes home with his head bound in white bandages. Someone accompanied him home, and in a while the doctor comes to treat him. When the bandages are removed, there is a big gash in his forehead almost two inches long and very, very deep, about three quarters of an inch I am sure. Mam has a fainting fit, a very rare thing for her, and we all start to cry. Dad's face is white as chalk, but he is brave. There's no sign of his quarry supper tonight, and Dad prefers to have just a cup of tea before going to bed.

A great gust of wind loosened a sharp rock which struck Dad on his forehead as he was working the quarry face. But worse happened in the pit below – my father's partner, Wil Tomos of Pen-y-Groes, has a serious injury to his back. 'He is terrible,' said my father, 'I'm afraid he'll be crippled for life.'*

When I say my prayers I ask for Dad to get better. Then I thank God he's not hurt like his partner, William Thomas, and isn't coming home on a cart like William Michael.

* * *

We are all playing on the swing in the trees around the yard behind the house. Jane Cadwaladr, my cousin, who lives in Rhostryfan now, has come up to our house. She is very pretty, with hair like gold, skin like a lily and eyes as blue as my Nain's. She has just lost her mother and she is getting a lot of attention. The rope of the swing is tied to two trees and our aim is to kick the window frame on the gable over the yard. I love playing on the swing, the farther I can swing the better,

* This turned out to be true.

chwarae siglen, a gorau gennyf po bellaf yr af, oblegid rhydd yr ofn mentrus ias o bleser i lawr fy nghefn wrth imi ddal fy anadl. Mae Jane yn cael mynd ar y siglen yn amlach na mi ac mae arnaf wenwyn ohoni am ei bod yn cael y fath sylw. Pan ddaw fy nhro fi i fynd ar y siglen, mae fy mrawd a'm cyfnither yn rhoi sgwd sydyn imi, ac wrth imi geisio 'nelu am y cocyn hitio ar dalcen y gadlas, rhydd y rhaff dro a syrthiaf ar ben pentwr o lechi toi sydd ar lawr yn pwyso ar wal y gadlas. Yr wyf yn meddwl fy mod wedi brifo'n ofnadwy, a rhedaf i'r tŷ dan weiddi crio. Mae Mam yn tosturio mwy nag arfer ac yn rhoi te imi ar fy mhen fy hun, fel ffafr, cyn i'r lleill ddyfod i'r tŷ. Ond nid wyf wedi brifo llawer, ac mae fy ngwenwyn yn llai wedi i Mam fy mhartïo.

* * *

Yr wyf gartref yn sâl, yn dechrau gwella ar ôl inffliwensa trwm. Daw ein cymdoges, a pherchennog ein tyddyn, Mary Jones, Bod Elen, i'r tŷ ac ôl crio mawr arni. Mae ei brawd, Dafydd Thomas, Pen Rhos, wedi marw'n sydyn. Trawyd ef yn wael ar y ffordd i'r chwarel, aeth i orwedd i'r caban bwyta, a bu farw yno. Yr wyf yn drist iawn. Ef yw fy athro yn yr ysgol Sul, ac y mae'n athro da, yr wyf yn ei hoffi'n fawr. Mae'n gofyn cwestiynau a lot o waith meddwl arnynt.

Mae'r dosbarth i fod i fynd i'r cynhebrwng, ac mae Mam yn pryderu a ddylwn i fynd a finnau heb orffen mendio. Ond y mae am fy lapio'n gynnes – tywydd oer dechrau'r flwyddyn yw hi. Mae'n mynd i brynu tomi-sianter du i mi, un rhad. Ond nid wyf yn ei hoffi cystal â'r un gwyn sy gennyf eisoes. Nid yw'n edrych yn dda am fy mhen; mae fy ngwallt mor dywyll. Fel mae diwrnod y cynhebrwng yn agosáu yr wyf yn mynd yn gynhyrfus, a chaf ias o bleser wrth feddwl fy mod yn cael wynebu peth mor ddychrynllyd â marw, a marw un yr wyf yn ei adnabod yn dda. Yr wyf yn cael fy nghodi i ryw entrychion dieithr ac edrychaf ymlaen at y peth anghyffredin hwn. Mae'r canu ar lan y bedd yn gyrru cryndod braf i lawr fy nghefn. Biti na fuasem yn canu 'Bydd myrdd o ryfeddodau' a Dafydd Thomas yn dŵad yn fyw wedyn.

because the cold tingle of pleasure down my spine takes my breath away. Jane has more turns on the swing than I do, and I'm jealous of her because of all the attention she's getting. When it's my turn to go on the swing, my brother and my cousin give me a sudden shove, and when I try to hit the target on the yard gable, the rope twists and I fall onto a pile of roof slates leaning against the wall of the yard. I think I am badly hurt and run into the house wailing. Mam takes more pity on me than usual, and as a special favour she gives me tea on my own before the others come into the house. But I am not badly hurt, and my pain is less when Mam fusses over me.

* * *

I am at home ill, recovering from bad influenza. Our neighbour, who owns our smallholding, Mary Jones, Bod Elen, comes to the house crying. Her brother, Dafydd Thomas, Pen Rhos, has died suddenly. He was taken ill on the way to the quarry, went to rest in the cabin, and died there. I am very sad. He is my Sunday school teacher, a good teacher, and I am very fond of him. He asks a lot of questions and there's much to think about.

The class is going to the funeral, and Mam is worrying about me going before I am better. But I am wrapped up warm – the weather is cold at the beginning of the year. She has bought me a black tam-o'-shanter, cheap. But I don't like it as much as the white one I had before. It doesn't suit me, my hair is so dark. As the day of the funeral draws near, I am excited, feeling a thrill of pleasure to think of myself facing something as frightening as death, and the death of someone I knew so well. I am strangely uplifted as I think about this mysterious thing. The singing at the graveside sends fine shivers down my spine. A pity we don't sing 'There will be many wonders', and then Dafydd Thomas would arise from the grave.

Ond ddydd Sul yr wyf yn ddigalon iawn wrth fynd i'r ysgol Sul a gwybod na fydd ein hathro ddim yno. Yr oedd efo ni y Sul diwethaf.

* * *

Mae hi'n nos Sadwrn yn y gaeaf a Mam wedi mynd i edrych am Nain Pantcelyn. Yr ydym ni'r plant a Nhad yn eistedd o gwmpas y tân yn ei disgwyl adref. Yr ydym wedi gwneud popeth y disgwylid inni ei wneud bron, megis dŵad â grug dechrau tân i'r tŷ, ac wedi dechrau hwylio swper, ond yr ydym wedi nogio ar y gwaith hwnnw am na wyddom yn iawn beth fydd y sgram a gawn, a bodlonwn ar osod y llestri ar y bwrdd yn unig a byw mewn gobaith. Gwna Nhad y gobaith hwn yn esgus i beidio â thorri brechdan. Ond y gwir yw ein bod yn methu â dygymod â bod heb Mam ar gyda'r nos fel hyn, ac yn syrffedu ar ein cwmni ein hunain. Mae Nhad yn dechrau canu inni. 'Gelert, ci Llewelyn' yw ei hoff gân a'i unig gân. Mae'n ei chanu dan deimlad mawr, yn enwedig ar y diwedd pan mae Llewelyn yn darganfod ei gamgymeriad, ac mae'r 'Achubaist di ei fywyd ef a lleddais innau di' yn hollti fy nghalon, a dim iws imi ddweud mai stori wneud ydyw hi, achos mae hi'n wir medd fy nhad. Nid yw'r gân yn codi llawer ar ein calonnau nac yn gwneud i'r amser fyned heibio yn gyflym. Ond dyna sŵn y drws yn agor a Mam yn rhoi ei phen heibio i'r palis cyn ei gau fel petai hi mewn brys i weld ein bod yn iawn. Yr wyf wrth fy modd gweld ei hwyneb llwyd, glân a'i gwallt wedi ei gribo yn dynn, ac yr wyf yn anghofio popeth am Llewelyn a'i gi. Mi gawn swper a sgwrsio, achos yr ydym wedi cael ein 'molchi drostom' yn y badell fawr neithiwr. Ond mae Mam yn edrych yn siomedig wrth ben y bwrdd, 'Hyn bach o hwylio swper sydd wedi bod,' medd hi, 'a finna bron â llwgu.' Yr ydym i gyd yn rhedeg i nôl y dorth a'r menyn ac y mae hithau yn cynhyrchu brôn o rywle, a chawn swper yn reit fuan. Nid oes neb yn gofyn sut mae Nain, achos mae hi'n iach bob amser, ond mae ar Nhad eisiau gwybod a glywodd hi ryw newydd. Na, nid oedd dim wedi digwydd yn unlle. Yr ydym yn mwynhau ein swper, ac yn eistedd am dipyn o flaen y tân wedyn a'n hwynebau yn

But on Sunday I am very upset going to Sunday school, knowing that our teacher won't be there. He was with us last Sunday.

* * *

It's a Saturday night in winter and Mam has gone to see Nain Pantcelyn. We and Dad are sitting round the fire expecting her home. We children have done almost everything we are expected to do, such as bringing into the house the heather for kindling, and beginning to prepare supper, but we jib at the work not knowing what we can have for supper, so we simply put the dishes on the table and live in hope. Dad knows this hope is an excuse not to cut sandwiches. But the truth is that we can't bear working without Mam on a night like this, and are getting tired of our own company. Dad begins to sing to us, 'Gelert, Llewelyn's dog', his favourite and his only song. He sings it with great feeling especially at the end when Llewelyn realises his mistake, and sings 'You saved his life and I have killed you' with all his heart, and it's no use telling me it's only a story, because it's true says my father. The song doesn't do much to raise our spirits or make time pass more quickly. But here comes the sound of the door opening, and Mam puts her head round the partition before closing the door as if she's impatient to check we are all safe. I am happy to see her pale face, clean, her hair tightly combed, and I forget all about Llewelyn and his dog. We can just have supper and chatter tonight because we had our all over wash in the big tub last night. But Mam looks disappointed at the head of the table, 'You haven't made much headway getting supper ready', she says, 'and me almost starving.' We all run to fetch the loaf and the butter and she produces brawn from somewhere, and quite soon we have supper. Nobody asks about Nain because she is always well, but Dad wants to know whether she has heard any news. No, nothing has happened anywhere. We enjoy our supper and sit for a while by the fire,

gochion oddi wrth y gwres. Dechreuwn bendympian, mae Huwcyn wedi dyfod, ac wythnos ddiddigwydd arall wedi dyfod i'w therfyn. Ond cyn mynd i'n gwelyau mae Mam yn dweud y cawn un gêm o 'Nadroedd ac Ysgolion' (yr ydym wedi blino ar 'Ludo' erbyn hyn). Mae Nhad a Mam yn chwarae efo ni. Mae Nhad yn ennill ac wedi cyrraedd y top o flaen neb. Yn fanno mae neidr fawr a'i cheg yn barod am y dis. Ysgwn i fedr Nhad osgoi ei cheg. Na fedr. Mae'r dis arni a Nhad druan yn gorfod mynd reit i'r gwaelod. Dyna esgus iawn dros gael gêm arall, er mwyn i Nhad gael gwell lwc y tro nesaf.

* * *

Mae hi'n fore poeth ym mis Gorffennaf, diwrnod cario gwair. Bydd Nhad a ffrindiau o'r chwarel yn dyfod adre tua hanner dydd, ac mae tipyn o gymdogion wedi dŵad yn barod ac wedi dechrau troi'r gwair. Yr wyf yn clywed sŵn y cribiniau yn mynd yr un amser â'i gilydd i gyd a'r gwair yn gwneud sŵn fel papur sidan. Cyn mynd allan i'r cae yr wyf yn mynd i'r tŷ llaeth unwaith eto i gael sbêc ar y danteithion. Mae rhesiad hir o ddysglau cochion ar y bwrdd yn llawn o bwdin reis a digonedd o wyau ynddo, ac wyneb y pwdin yn felyn ac yn llyfn fel brest y caneri sydd yn ei gaets wrth ben y bwrdd. Mae ei oglau a'i olwg yn tynnu dŵr o'm dannedd. Yr wyf yn meddwl tybed a fydd digon i bawb. Nid ydym i fod i ofyn am ragor o flaen pobl ddiarth. Wedi mynd i'r cae yr wyf yn treio troi efo chribin, ond mae'r gribin yn rhy fawr, ac mae fy nhroad yn flêr. Mae breichiau'r merched i gyd yr un fath ac yn symud efo'i gilydd, ac y maent yn mynd i lawr ac i lawr i waelod y cae cyn troi a dyfod i fyny ac i fyny wedyn, yr un fath a'r un amser a'r un sŵn dyd-dyd o hyd. Yr wyf yn eistedd ar ben y wal yn ymyl y coed llus ac yn edrych arnynt. Yn sydyn, dyma boen. Yr wyf yn cofio am y llynedd. Bore fel hwn yn union, bore cario gwair, a'r llo yn cael ei gymryd yn sâl ac yn marw cyn i Nhad gyrraedd adref o'r chwarel. Yr oedd Mam wedi treio pob dim, wedi rhoi llefrith cynnes iddo, ac wedi gyrru am John Jones y Gaerwen, ond marw wnaeth o, a Mam yn crio. Sôn am y golled yr oedd hi, yr oedd o'n llo mawr, nobl. Meddwl am y llo druan yn marw

our faces reddening in the heat. We begin to doze, and nod off and another quiet week comes to an end. But Mam says before going to bed we must have a game of 'Snakes and Ladders' (we are tired of 'Ludo' by now). Dad and Mam play with us. Dad is winning and he gets to the top before anyone else. There is a big snake with his mouth ready for the dice. I wonder if Dad can avoid his jaws. He can't. The dice poor Dad throws sends him right to the bottom. That's our excuse to have another game, so that Dad might have better luck next time.

* * *

It's a hot morning in July, haymaking day. Dad and his friends will be home from the quarry at noon, and a few neighbours have arrived already and have started turning the hay. I can hear the sound of the rakes moving together and the hay whispers like paper silk. Before going out to the field I go into the dairy once more to peep at the feast. There's a long row of red dishes on the table full of rice puddings with plenty of eggs in them, their skins as yellow and smooth as the breast of the canary in its cage at the head of the table. The sight and smell of it makes my mouth water. I wonder if there'll be enough for everyone. I am not supposed to ask for more in front of strangers. I go out to the field and try turning the hay with a rake, but the rake is too big, and my sweep too short. The women's arms move together as one, going down and down to the bottom of the field before turning and then coming up and up in the same way and at the same time still making the 'dyd-dyd' sound. I sit on the wall at the edge of the bilberry bushes watching them. I feel a sudden pain. I remember last year. A morning exactly like this, a morning haymaking, and the calf fell ill and died before Dad arrived home from the quarry. Mam tried everything, gave it warm milk, and went to fetch John Jones the Gaerwen, but the calf died and Mam cried. She talked about the loss, for it was a fine big calf. I think about the poor calf dying in the dark byre

mewn beudy tywyll yr oeddwn i a ninnau yn cael hwyl a chadw reiat yn y gwair. Ond llo rhy fawr oedd o, meddai pawb, a'i fam hefyd, yn rhy rywiog i dir mynydd. Byddai'n rhaid gwerthu ei fam. Ond nid oes gennym lo bach eleni.

Yr ydym wedi cael cinio ac y mae'r cario yn dechrau o ddifri, a phawb wrthi yn gwneud y gwair a drowyd y bore yn rhenciau. Daw trol Tŷ Hen yma, ac mae'r dynion a rhai o'r merched yn codi'r gwair efo phicwyrch i'r drol. Mae fy mrodyr yn cael cario beichiau ar eu pennau a barclod gwyn am ben pob un: maent fel y proffwydi yn y Beibl lluniau. Mae'r plant lleiaf yn cael mynd ar ben y drol. Mae'r das yn mynd yn uwch ac yn uwch, ac yr wyf fi a'r plant eraill yn cael mynd ar ei phen i ddawnsio arni er mwyn iddi fynd i lawr a chael lle i ragor o wair. Yr ydym bron yn ymyl y to, ac mae'r byd i lawr odanom. Er ein bod yn dawnsio ar y gwair, a'r dynion yn siarad, mae hi'n ddistaw iawn ar ben y das. Mae hi fel nos Sul y Cymun yn y capel. Edrychwn draw ar y drol yn dŵad, a chynhinion o wair yn hongian ar ei hochrau, yr un fath â'm gwallt i pan fydd o'n flêr. Yr ydym reit wrth y to a bron â mygu, ond dyma'r llwyth olaf. Awn i lawr yr ysgol a theimlo gollyngdod. Mae'r dynion a'r merched yn dŵad trwy'r adwy tuag at y tŷ i gael te ac y maent yn cael hwyl fawr. Mae fy mrodyr yn dweud wrthyf, cyn inni fynd i'r tŷ, fy mod wedi colli hwyl wrth fod ar ben y das. Yr oedd hi wedi bod yn ddadl fawr yn y cae ar y ffordd orau i gario gwair, a J.J., a oedd wedi bod yn y Mericia am sbel, yn dweud o hyd ac o hyd, 'Fel hyn y byddem ni'n gwneud yn y States.' 'Gwrandwch chi ar y *Statesman*,' meddai K.J., gwraig lib ei thafod. A meddai J.J. wrth y wraig, 'A gwrandwch i gyd ar yr *Herald Gymraeg.*'

Mae'r gwair i gyd yn y gadlas a daw oglau da oddi wrtho i'r tŷ. Mae pawb wedi mynd adre ac yr ydym yn eistedd yn y gwres tu allan i'r drws. Fe gawsom sbâr y tuniau ffrwythau i swper. Mae'r haul fel pellen o dân coch yn mynd i lawr dros Sir Fôn. Mae'n anodd mynd i'r tŷ. 'Diolch byth,' medd Mam, 'mae'r gwair i gyd mewn am 'leni eto.' 'A gwair siort ora,' medd Nhad.

* * *

while we enjoyed ourselves in the hay. But the calf was too big, everyone said so, and so was its mother, too fine for mountain land. His mother would have to be sold. We don't have a calf this year.

We have dinner and the carrying begins in earnest, everyone getting the hay they turned in the morning into rows. Tŷ Hen's cart is here, and the men and some of the women lift the hay with pitchforks onto the cart. My brothers carry loads on their heads, a white apron on each one of them like prophets in Bible pictures. The youngest children ride on the cart. The stack grows higher and higher, and I and the other children climb up to dance on it so that it goes down and makes room for more hay. We are close to the roof and the world is below us. Although we dance on the hay, and the men talk, it is very quiet on top of the stack. It is like Sunday communion in chapel. We watch the cart coming, strands of hay hanging from its sides, like my hair when I haven't combed it. We are right up close to the roof and almost choking, but here comes the last load. We climb down the ladder feeling relieved. The men and women come through the gap to the house to have tea and they are having great fun. My brothers tell me before we go into the house that I missed out on the fun by being on the stack. There had been a big argument in the field about the best way to carry the hay, with J.J., who spent some time in America, saying over and over again, 'As we used to do in the States.' 'Listen to him the Statesman,' says K.J., a woman with a glib tongue. And J.J says to the woman, 'And listen all of you to the *Welsh Herald*.'

All the hay is in the stack yard and the sweet smell carries into the house. Everyone has gone home, and we sit in the warmth outside the door. We have what's over from a tin of fruit for supper. The sun is like a red ball of fire going down over Anglesey. We're in no hurry to go inside. 'Thank goodness,' says Mam, 'this year again all the hay is in.' 'And the best hay,' says Dad.

* * *

Mae Mam a'r hogiau a finnau yn mynd i Fryn Ffynnon, tŷ Taid a Nain, i gario gwair. Yr ydym yn dringo ac yn dringo nes cyrraedd Pen 'Rallt Fawr. Yr ydym yn stopio ac yn edrych yn ôl. Mae mwy o Sir Fôn i'w weld nag o'n tŷ ni. Yr ydym yn gweld reit at Bont y Borth, ond yn gweld peth arall na fedrwn byth ei weld o'n tŷ ni – y Lôn Wen, sy'n mynd dros Foel Smatho i'r Waun-fawr ac i'r Nefoedd. Mae hi'n mynd rhwng y grug ac yn cyrraedd llidiart y mynydd cyn disgyn i Alltgoed Mawr. Ni welwn hi wedyn. Mae llawer iawn o bobl yn y cae gwair a llawer o blant, fy nghefnder a'm cyfnitherod, ac ni chawn fynd ar ben y das wair. Nid ydym yn neb yn y cario gwair yma, ac nid oes neb yn cymryd sylw ohonom. Mae'r genod yn mynd hyd y cloddiau i hel llus. Cymeraf fi flewyn a rhoi'r llus arno fel myclis. Wedi ei lenwi, rhof un pen yn fy ngheg a bwyta'r llus nes mae fy ngwefusau'n biws. Mae'r blewyn yn rasbio fy nhafod.

Mae'r bobl yn dechrau mynd i'r tŷ i gael te, ac mae arnaf eisiau bwyd. Maent yn hir iawn, ac mae byrddaid arall yn mynd. Yr wyf yn sylwi ar y gwair; mae'n deneuach na'n gwair ni ac mae'r gwynt yn ei chwythu. Rhaid iddynt frysio neu mi fydd wedi ei chwythu i'r mynydd. Toc mae galwad i'r plant fynd i nôl te: mae'r tŷ yn dywyll ar ôl bod yn yr haul. Mae tegell mawr haearn yn canu ar y pentan ac mae goleuni yn dyfod i lawr drwy'r simnai. Mae dau fwrdd, a llieiniau gwyn, glân wedi eu startsio arnynt, un sgwâr ar ganol y llawr ac un crwn yn y gornel o dan y cwpwrdd cornel. Mae dwy sêt fel sêt capel o gwmpas y bwrdd crwn ac yr wyf yn ei gwneud hi am le wrth y bwrdd yma o flaen pawb, ac yn gwybod ynof fy hun fy mod yn ddiawl bach. Mae Nain yn dal ac yn mynd reit at ymyl y cloc i weld beth yw hi o'r gloch, ac mae'n ymbalfalu am yr efail siwgr wrth roi siwgr yn y cwpanau. Mae ei golwg yn ddrwg, ac mae'n edrych wedi blino. Mae ganddi deisen ar blat sy'n well na dim teisen a gefais erioed. Rhwng y crwst mae cwstard wy a chyrraints a chandi lemon. Dim ond Nain Bryn Ffynnon sy'n gwneud y deisen yma. Yr ydym yn bwyta lot. 'Dyna chi rŵan, 'y mhlant i,' medd Nain wedi inni orffen. Nid wyf yn gweld Nain yr un fath yng nghanol fflyd o blant fel hyn, mae hi fel dynes ddiarth wrth ben plant yn yr ysgol. Rhyw

Mam and the boys and I are off to Bryn Ffynnon, Nain and Taid's house, to get the hay. I climb and climb to the top of Pen 'Rallt Fawr. We stop to look back and can see more of Anglesey than from our house. We can see right to Bont y Borth, and something else which I could never see from our house – The White Lane, which crosses Foel Smatho to Waun Fawr to Heaven. It goes through the heather and reaches a mountain gate before descending to Alltgoed Mawr. I can't see it after that. There is a crowd of people in the hayfield and a lot of children, my cousins, and we are not allowed to go onto the stack. We are nobodies gathering hay and no one takes any notice of us. The little girls go along the hedge collecting bilberries. I get a stalk and put the berries on it like a necklace. When it is full I put the top one into my mouth, and I eat bilberries until my lips are purple. The stalk rasps my tongue.

People are beginning to go to the house for tea, and I am hungry. The queue takes a long time and another tableful goes in. I'm looking at the hay. It's thinner than our hay and the wind is blowing it about. They'd better hurry or the hay will have blown away to the mountain. Soon there's a call for the children to go for tea. The house is dark after the sun. The big iron kettle sings on the stove and light shines down through the chimney. There are two tables with clean white starched cloths, one square table in the centre of the room and a round one in the corner under the corner cupboard. There are two seats like chapel pews at the round table, and I head for a place at that table before the others, and I know within myself that I'm a little devil. Nain is tall and she goes close to the clock to see what time it is, and gropes for the sugar tongs to put sugar in the cups. Her sight is bad and she looks tired. She has a cake on a plate that's the best cake I've ever tasted. Between the layers are egg custard and currants and candied lemon. No one but Nain Bryn Ffynnon makes a cake like it. We eat it all up. 'There you are then, children,' says Nain when we're finished. I don't see the same Nain when she's surrounded like this by so many children, like a stranger in charge of children at the school. One day I'll come by myself

ddiwrnod mi ddof i fyny ar fy mhen fy hun a chael te bach
efo Nain o dan y simdde fawr, ac mi gaf gyflaeth ganddi, a
hanesion am ers talwm. Mae hi wedi gweithio'n galed heddiw.

* * *

Un diwrnod yr wyf yn agor drws y cwpwrdd gwydr, a
dyma'r gath yn neidio allan heibio i mi fel mellten ac yn
rhedeg yn union yr un fath â'r dywediad 'cath i gythraul'.
Methaf ddeall sut yr aeth i'r cwpwrdd; ni wnaeth hyn erioed
o'r blaen. Rhaid bod rhywun wedi agor drws y cwpwrdd, a
hithau wedi mynd i mewn a rhywun wedi ei gau heb wybod
ei bod yno. Mae rhywbeth yn fy mhlycio; agoraf ddrws yr
ochr chwith i weld sut mae fy het. O! olygfa. Mae fy het
orau, grand wedi ei difetha. Mae'r gath wedi bod yn
gorwedd arni, a gwaeth na hynny. Yr wyf bron â thorri fy
nghalon. Het Leghorn oedd hi, a gwelltyn ysgafn fel ruban
cul wedi ei blygu'n ddwbl o gwmpas ei hymyl. Yr oedd wedi
ei thrimio efo ruban llydan, symudliw o felynion gwahanol.
Daw Mam i'r tŷ a gweld yr alanas.

'Yr hen gnawes iddi,' medd Mam am y gath.

'Naci,' meddaf innau, 'beth tasa rhywun wedi'ch cau chi
mewn cwpwrdd am oriau.'

Mae Mam yn chwerthin dros bob man ac yn dweud, 'Hitia
befo, dim ond het ydy hi; mi geith Jane fynd i'r dre i brynu
un arall iti.'

Y mae fy hanner chwaer gartref am dro ar y pryd. Yr wyf
yn cael het newydd, un wen efo phluen ynddi, ond nid wyf
yn ei hoffi, ac fe wnâi'r tro yn iawn i rywun deugain oed.
Ond treiaf edrych fel pe bawn yn ei hoffi. Ni waeth imi heb
na dangos fy siom, neu mi rydd rhywun drwyn y gath
mewn pupur. Fel yna mae hi, rhaid i rywun guddio un peth
er mwyn osgoi peth arall.

* * *

Mae pryder mawr wedi dyfod i'n tŷ ni; y mae'n gorwedd
dros bob dim ac wedi gafael ymhob un ohonom. Mae
Dafydd, fy mrawd ieuengaf, sy'n ugain mis oed, yn sâl iawn

to have tea with Nain under the big chimney, and she'll give me toffee and I'll hear stories of the olden days. She has worked hard today.

* * *

One day I open the door of the glass cupboard, and the cat jumps out like lightning past me, and runs, as the saying goes, like 'a cat out of hell'. I try to work out how it got into the cupboard. It has never happened before. She must have gone in when someone opened the cupboard door and then closed it without realising she was inside. Something occurs to me: I open the left-hand door to see how my hat is. And, Oh, what a sight! It's my best smart hat, destroyed. The cat's been lying on it and worse. My heart is nearly broken. It was a Leghorn hat with fine straw like narrow ribbon double-plaited round the brim. It was trimmed with a wide ribbon of shot silk in different tones of gold. Mam comes into the house to see the massacre.

'The little bitch,' says Mam about the cat.

'No, she's not,' I say. 'What if someone shut you in a cupboard for hours.'

Mam laughs all over the place and says, 'Listen, it's only a hat: Jane can go to town to buy you another one.'

My half sister is home for a while at the moment. I get a new hat, a white one with feathers, but I don't like it. It would suit someone forty years old very well. I try and look as if I like it. I might as well hide my disappointment, and not look like a cat who's sniffed the pepper. It's like this, we must hide one thing to avoid another.

* * *

There is great anxiety in our house. It lies over everything and has its grip on all of us. Dafydd, my youngest brother, twenty months old, is very ill with a high fever. The doctor has been

32

dan yr infflimesion. Mae'r doctor wedi bod ac yn dweud ei fod mewn perygl mawr. Mae tân yn y siambar, tecell tun yn berwi arno ac ager yn mynd ohono i gyfeiriad y gwely. Mae arnaf ofn mynd i'r siambar i weld Dafydd, ond yr wyf yn medru gweld y tecell a'r ager. Mae'r tŷ hefyd fel petai'n berwi, a phawb yn methu gwybod beth i'w wneud. Toc, dyma ddweud wrthyf fi am fynd i nôl dŵr soda i siop ym Mhen y Ffridd. Mae hi'n naw o'r gloch y nos, ac er bod lleuad llawn, mae arnaf ofn. Nid ofn bwgan, ond ofn, ofn i rywbeth ddigwydd, ofn na chaf y dŵr soda, ofn yn llenwi'r ffordd a'r nos, fel yr oedd yn llenwi'r tŷ gynnau. Yr wyf yn treio rhedeg i goncro'r ofn, ond mae fy nhraed fel petaent yn mynd yn ôl yn lle ymlaen. Yr wyf yn cyrraedd pant Pen Rhos, ac yno yn y cae, ar y chwith imi, mae rhes o ysbrydion mewn dillad gwynion yn gafael yn nwylo'i gilydd. Safaf yn stond, ac mae fy nghalon wedi sefyll. Yr wyf bron â mygu. Ni allaf byth eu pasio ac y mae'n rhaid imi gael y dŵr soda. Yr wyf bron â throi'n ôl i ofyn i rywun arall fynd, ond mi gollwn lot o amser, ac mae eisiau'r dŵr soda ar unwaith. Beth petai Dafydd bach yn marw am fy mod i wedi bod yn hir? Yr wyf yn gafael yn fy ngwddw ac yn treio symud. Mae fy nghoesau'n teimlo fel petaent am grychu i'w gilydd fel consertina, ond dyma fi'n symud un troed ac yn symud y llall a gweld fy mod yn medru rhedeg. Wedi mynd ychydig o lathenni, yr wyf yn mentro edrych yn ôl i weld cefnau'r ysbrydion. Cefnau glas sy ganddynt, ac wrth gwrs, rhes o bileri llechi ydynt wedi eu clymu wrth ei gilydd efo weiren. Y lleuad yn disgleirio arnynt oedd wedi eu gwneud yn ysbrydion. Caf y dŵr soda, ac nid oes arnaf ofn mynd adre. Mae'r feddyginiaeth gennyf a'r ysbrydion wedi diflannu.

*　*　*

Yr ydym, griw ohonom, yn cerdded ar hyd y Lôn Wen gyda'r nos ym mis Ebrill: mynd yr ydym i bractis côr plant i gapel bach Alltgoed Mawr. Mae'r hogiau'n cychwyn coelcerthi yn y grug ar ochr y ffordd ac yn tagu wrth fynd yn rhy agos atynt. Mae oglau mwg arnom yn cyrraedd y capel. Yno yn ein disgwyl mae'r arweinydd a phlant yr

and says he is dangerously ill. There's a fire in the room, a tin kettle boiling on it and the steam moves from it towards the bed. I am scared to go into the room to see Dafydd, but I can see the kettle and the steam. It's as if the house itself were boiling and no one knows what to do. I am sent to fetch soda water from the shop in Pen y Ffridd. It's nine o'clock at night, and in spite of the full moon I am afraid. It's not fear of the bogeyman, but fear, fear of something happening, fear that there'll be no soda water, fear filling the road and the night, as it filled the house a moment ago. I try to run to defeat the fear, but it's as if my feet go back instead of onwards. I reach Pen Rhos hollow, and there in the field, to my left, is a row of ghosts in white garments holding hands. I stand still and my heart stops. I almost suffocate. I can't pass them but I must to get the soda water. I almost turn back to ask someone else to go, but I'd waste a lot of time, and the soda water is needed immediately. What if little Dafydd dies because I'm taking too long? I hold my throat and try to move. My legs feel as if they are buckling like a concertina, but I move one foot and then move the other to see if I can run. After going a few yards I venture a backward glance to see the ghosts' backs. Their backs are blue, and of course, it's a row of slate posts secured to each other with wire. The moon shining on them turned them into ghosts. I get the soda water, and am not afraid going home. I have the medicine, and the ghosts have disappeared.

* * *

A few of us are running along the White Lane one night in April: we are going to children's choir practice at the little chapel at Alltgoed Mawr. The boys start bonfires in the heather at the roadside, choking as they go too close to them. We smell of smoke when we arrive at the chapel. Then we notice the choirmaster and children of Alltgoed Mawr, almost

34

Alltgoed Mawr, plant o'r un teulu bron i gyd. Plant Jac yr Hen Gyrn yr ydym yn eu galw. John Evans, un o deulu'r Cyrnant, yw eu tad – felly *Gyrn* yr un fath ag *yn* yw'r gair. Hwy yw'r ail sopranos: byddant hwy'n dyfod atom ni weithiau a ninnau'n mynd atynt hwy dro arall, yr un fath â heno. Maent i gyd yr un fath â'i gilydd, gwallt cyrliog, du gan bob un ohonynt, a llygaid duon fel eirin. Maent yn canu ddigon o ryfeddod, ac mae'r arweinydd yn edliw i ni blant Rhosgadfan gymaint gwell yw plant yr Alltgoed Mawr.

'Jeriwsalem fy nghartref gwiw' yr ydym yn ei ganu, 'cartrefle Duw a'r Oen'. Yr ydym wrth ein bodd yn gweiddi,

'Bryd, bryd, caf fi orffwys ynddi hi,
Yn ia-a-a-ch, etc.'

Yr ydym yn dallt y geiriau yn iawn, ond nid ydym yn meddwl am farw o gwbl. Mae pawb yn rhuthro allan o'r capel wedi inni orffen, ond yr wyf fi'n loetran er mwyn cael edrych ar y plant tlysion, pryd tywyll yma. Mi hoffwn gael siarad efo hwy, ond yr wyf yn rhy swil a rhedaf ar ôl y lleill.

Wedi cyrraedd y Lôn Wen eto, clywn oglau'r coelcerthi sydd wedi diffodd erbyn hyn a gadael clytiau duon yn y grug, ac ymylau gwynion iddynt. Mae ymylau gwynion o raean i'r lôn hefyd. Mae'r oglau yn ein dilyn, a ninnau'n canu,

'Bryd, bryd caf fi orffwys ynddi hi?'

Mae'r arweinydd ymhell ar ôl. Mae bron wedi gorffen tywyllu erbyn hyn, ond bod afon Menai yn rhimyn golau rhwng tywyllwch Sir Fôn a'n sir ni, a goleuadau Caernarfon yn wincio. Yna, mae un o'r hogiau mwyaf yn dechrau llibindio'r genod a rhedeg ar ein holau. Nid wyf fi'n licio'r hogyn yma o gwbl, a phan mae'n treio gafael ynof fi rhof wth iddo a rhedeg am fy mywyd. Mae'n gweiddi rhywbeth sbeitlyd ar fy ôl, fy mod i'n meddwl mod i'n well nag o, ac yn rhy lartsh i gadw reiat. Ni chymeraf sylw ohono ond dal i redeg. Nid wyf am fynd i'r practis pan fydd yn yr Alltgoed Mawr eto, a gwn rŵan pam nad yw Mam yn hidio rhyw lawer am inni fynd cyn belled. Yr wyf yn teimlo yr un fath â

all of them the children of one family. Jac of Hen Gyrn's children as they are known. John Evans, one of the Cyrnant family, is their father, so '*Gyrn*' is the word. They are the second sopranos: they come over to us sometimes and we go to them at other times, like tonight. They are all alike, every one of them with black, curly hair and eyes as black as plums. Their singing is quite a wonder, and the choir leader rebukes us children of Rhosgadfan with how much better are the children of Alltgoed Mawr.

We sing 'Jerusalem my fine home, home of God and the Lamb'. We're in our element singing at the top of our voices,

> 'When, when will I have my resting-place,
>   In healing . . .'

We understand the words, but we don't think about death at all. Everyone rushes out of the chapel when we've finished. I dawdle hoping to catch a glimpse of the pretty, dark-complexioned children. I want to talk to them, but I am shy and I run after the others.

Having reached the White Lane once more, I can smell the bonfires which have by now gone out, leaving black patches with white borders in the heather. The lane too has white borders of gravel. The smell follows us as we sing,

> 'When, when, will I have my resting place?'

The choir leader is far behind us. It's almost dark now, but the river Menai is a rim of light between the darkness of Anglesey and our county, and the lights of Caernarfon are twinkling. Then one of the biggest boys begins to fool about with the girls and to chase them. I don't like the boy at all, and when he tries to catch me I shove him and run for my life. He calls something nasty after me, that I think I am better than him and I'm too proud to make a fuss. I take no notice of him but keep running. I'm not going to choir practice again in Alltgoed Mawr, and I know now why Mam is not too keen for us to wander too far. I feel as if I have drunk wormwood water.

phe bawn wedi yfed dŵr wermod. Mae arnaf eisiau aros wrth y genod sy'n ffrindiau efo mi, ond mae arnaf ofn y byddant hwythau'n cael hwyl am fy mhen. Fiw imi ddweud gartref pam yr wyf wedi cyrraedd o flaen y lleill. Rhaid imi lunio rhyw stori. Yr oedd hi mor braf pan gerddem dros y mynydd ddwyawr yn ôl.

* * *

Yr wyf yn aflonydd, yn anfodlon, yn symud o gadair i gadair, o un gongl i'r bwrdd i'r llall. Ni allaf ddysgu. Yr wyf yn bymtheg oed ac yn yr Ysgol Sir, ac yn ceisio dysgu'r bedwaredd bennod ar ddeg o'r *Hyfforddwr* ar gyfer cael fy nerbyn. Mae ein gweinidog wedi dweud wrthym peth mor ddifrifol ydyw, ac yr wyf yn teimlo hynny. Mae cyfrannu o'r Cymun cyntaf yn pwyso arnaf. Yr wyf yn mynd i fyd newydd, byd difrif, di-chwarae; ni chaf hitio marblis ar y lôn eto, na chwarae london, na rhedeg ras wrth y pwll trochi defaid. Bydd fy sgert yn is a'm gwallt yn uwch ar fy mhen. Ni chaf ddweud fy adnod na phennau'r pregethau efo'r plant lleiaf yn y seiat byth eto. Bydd yn rhaid imi gymryd pethau o ddifrif. Ond y munud yma y bennod sydd yn fy mhoeni; ni allaf ei rhoi ar fy nghof. Nid yw'r geiriau yn mynd oddi ar y tudalen i'm meddwl, ac y maent yn codi ofn arnaf. 'Canys yr hwn sydd yn bwyta ac yn yfed yn annheilwng, sydd yn bwyta ac yn yfed barnedigaeth iddo ei hun, heb iawn farnu corff yr Arglwydd.' Pum mlynedd yn ôl buaswn yn dysgu hwnna fel ruban ac yn ei gofio heb ei ddeall na meddwl amdano. Ond heddiw, yr wyf yn deall y gair 'annheilwng', ac y mae yn fy mhigo yn rhywle. Nid wyf yn hapus. Ceisiaf wneud esgus drosof fi fy hun, fod gennyf lawer o waith dysgu yn yr ysgol. Ond efallai wrth ddechrau *meddwl* am bethau, nad wyf yn gallu cofio cystal. Rhof un cynnig arni eto, ond ni allaf ddysgu. Af ar ben y bwrdd ac eistedd arno a'm coesau wedi eu croesi fel teiliwr. Mae'n well fel hyn, a dechreua'r geiriau fyned i'r cof. Ond ni fydd pethau yr un fath. Yr wyf yn peidio â bod yn blentyn ac yn dechrau mynd yn ddynes. Mae'n deimlad ofnadwy fod unrhyw beth yn peidio â bod am byth.

I want to be with the girls who are my friends, but I'm afraid they will make fun of me. I dare not say at home why I've arrived before the others. I'll have to make up some story. How lovely it was when we walked over the mountain two hours ago.

* * *

I am restless, unsettled, moving from chair to chair, from one end of the table to the other. I can't concentrate. I am fifteen years old and in the County School, trying to learn chapter fourteen of the Instruction book in order to be accepted. Our minister has told us how serious it is, and I feel it. Taking my first communion is important to me. I am moving on to a new life, a serious life, not playful; I won't play marbles in the lane again, or play 'On the way to London', or run races to the sheep-dip pool. My skirt hem will go down and my hair will go up on my head. I won't have to say my verses or sermon headings to the preacher with the little children in the *seiat* ever again. I must take things seriously. But at this moment this is the chapter that's worrying me, I just can't hold it in my memory. The words won't go from the page into my memory, and I'm getting scared. 'Wherefore whosoever shall eat this bread and drink this cup of the Lord unworthily, shall be guilty of the body and blood of the Lord.' Five years ago I would have learned it by rote and memorised it without understanding or thinking about it. But today I understand the word 'unworthy', and it is needling me. I am not happy. I try to excuse myself, that I have too much schoolwork to do. Perhaps now that I've begun to think about things, I can't memorise as well as I used to. I try again, but I can't learn it. I get up on to the table and sit on it with my legs crossed like a tailor. It's better like that, and the words begin to stay in my memory. But things won't be the same. I will no longer be a child, but will start becoming a woman. It's a terrible feeling that something is ending forever.

II

Fy Ardal

Mae pentref Rhosgadfan, lle y ganed fi, ryw bedair milltir i'r de-ddwyrain o dref Caernarfon. Pentref gweddol ifanc ydyw, rhyw ymestyniad o bentref Rhostryfan, sydd filltir yn nes i'r dref. Nid oes dafarn nac eglwys yno, dau beth sy'n rhoi argraff henaint ar bentref. Mae pentref Rhostryfan dipyn yn hŷn, mae yno eglwys, eglwys braidd yn ifanc mae'n wir, yn ôl fel y mae oed eglwysi. Ond mae yn Rhostryfan heddiw bobl sy'n gallu olrhain eu tras i hen deuluoedd a fu'n byw yno er o leiaf ddau can mlynedd, megis teuluoedd y Gaerwen a Chae Haidd. Credaf fod llai na chan mlynedd er pan alwyd ein pentref ni yn Rhosgadfan ac, i bobl o'r tu allan, ardal Rhostryfan oedd y cwbl. Rhywdro o gwmpas 1880, dywedodd y Parchedig Robert Owen, y Rhyl (Apostol y Plant), mewn llythyr, mai yn Rhos-y-gadfa y buasai'n pregethu y tro olaf. Mae tŷ o'r enw Rhosgadfan yn y pentref, tŷ hen iawn, a digon posibl mai ar ôl enw'r tŷ y galwyd pentref, er na ellir bod yn ddigon sicr o hynny.

Ar lechwedd bryniau Moeltryfan a Moel Smatho y gorwedd yr ardal, a thu hwnt i'r ddau fryn yma y mae Mynyddmawr (ynganer fel un gair a'r acen ar y sillaf olaf ond un), yr eliffant hwnnw o fynydd sydd â'i drwnc yn y Rhyd-ddu. Tu hwnt i hynny mae'r Wyddfa. Ar y chwith, rhyw bymtheng milltir i ffwrdd, ymestyn yr Eifl i'r môr. Ar y dde, rhed y gwastadedd i gyfeiriad Bangor ac ymdoddi'n un â Sir Fôn, i'r llygad beth bynnag. O'n blaenau mae Môr Iwerydd, Afon Menai a Sir Fôn, ac yn nes atom na hynny, Traeth y Foryd, Dinas Dinlle a thref Gaernarfon, a phant o dir rhyngom a hwy. Ar ddyddiau clir gellir gweled bryniau Iwerddon.

Ar dir comin y codwyd pentref Rhosgadfan, a phan ddechreuodd pobl weithio yn y chwareli, caeasant ddarnau o'r comin i mewn i adeiladu eu tai, y cabanau unnos, i fyw ynddynt. Gan Arglwydd Niwbro yr oedd yr hawl ar y tir hwn, ac yn y flwyddyn 1826, apeliodd ef ac eraill am ddeddf i gau'r tir, a'r chwarelwyr wrth olau lleuad yn adeiladu eu cabanau unnos, gan gredu (yn anghywir) os caent fwg drwy'r

II

My Neighbourhood

The village of Rhosgadfan where I was born is about four miles south-east of Caernarfon. It's a relatively young village, more of an extension to Rhostryfan, which is a mile closer to the town. There is no public house and no church there, both of which add an air of age to a village. Rhostryfan is considerably older, there is a church there, a relatively young one as churches go. But there are in Rhostryfan people who can trace their roots to old families which have lived there at least two hundred years, such as the Gaerwen and the Cae Haidd families. I believe it is less than a hundred years ago that our village was named Rhosgadfan, and to outsiders it was all Rhostryfan. In about 1880 the Reverend Robert Owen of Rhyl (the Children's Apostle), wrote in a letter that it was in Rhos-y-gadfa that he had preached for the last time. There is a house called Rhosgadfan in the village, an ancient house, and it is possible that the village was named after it, though we can't be certain of it.

The place lies on the slopes of Moeltryfan and Moel Smatho, and beyond these two hills lies Mynyddmawr (pronounced as one word with the stress on the penultimate syllable), an elephant of a mountain with its trunk in Rhyd-ddu. Beyond it is Snowdon. To its left, about fifteen miles away, Yr Eifl stretches to the sea. To its right, flat land runs towards Bangor to dissolve and merge into Anglesey, or so it seems to the eye. Before us lie the Atlantic Ocean, the Menai Straits, Anglesey, and closer, Traeth y Foryd, Dinas Dinlle and Caernarfon town, and between us and them, a dip in the land. On a clear day you can see the Irish hills.

Rhosgadfan was built on common land, and when people began working in the quarries they enclosed tracts of the common to build one-night cabins to live in. Lord Newborough owned the rights to this common land, and in 1826 he and others with land-rights went to law to appeal for permission to enclose the land which the quarrymen wrongly believed was lawfully theirs as long as they were built overnight by

40

corn cyn i neb eu dal, eu bod yn ddiogel rhag y gyfraith. Dywed yr Athro Dodd yn ei lyfr, *The Industrial Revolution in North Wales*, fod yna gymdeithas o bobl a 140 o dai a thri chapel yn Rhostryfan erbyn y flwyddyn 1826. Mae'n sicr gennyf mai sôn am y tyddynnod bychain, 'lle i gadw buwch' a ddygwyd o'r comin, a wna'r Athro, ac nid am y ffermydd hŷn a oedd yn Rhostryfan. Yn ôl Mr W. Gilbert Williams, a 'sgrifennodd hanes hen deuluoedd plwyf Llanwnda, yr oedd ffermydd go dda yn Rhostryfan ymhell cyn 1826. Digon tebyg y cyfrifid rhai o dai cyntaf Rhosgadfan ymhlith y saith ugain tŷ yma, a hefyd yr hen dai ar ochr Moeltryfan sy'n wynebu ardal Bron y Foel (Cesarea heddiw), oblegid o'r cyfeiriad hwnnw, o Ddyffryn Nantlle ac o Lŷn, y symudai llawer o bobl i weithio i'r chwareli.

Ni wn pa mor isel i lawr y cyrhaeddai'r comin, ond hyd ychydig ar ôl y Rhyfel Byd Cyntaf, yr oedd llidiart ar draws y ffordd, rhwng Rhostryfan a Rhosgadfan, a elwid y Llidiart Coch, i gadw'r defaid rhag crwydro i lawr o'r mynydd. Am y tai, tai bychain iawn oeddynt, tai unllawr o gegin, tŷ llaeth neu gilan, dwy siambr a thaflod. Mae ambell un yno heddiw heb lawer o wahaniaeth rhyngddynt a'r pryd yr adeiladwyd hwynt. Ar y cychwyn, traed y gwelyau wensgot oedd y pared rhwng y siambar a'r gegin, ond newidiwyd hynny a gwneud pared o goed neu o gerrig. Simdde fawr a oedd iddynt a'i lled yn ddigon helaeth i gadair freichiau. Nid wyf fi'n ddigon hen i gofio'r lle tân hen ffasiwn na'r llawr pridd, ond gadawsid y twll mawn o dan y simdde fawr yn fy hen gartref i heb ei orchuddio, ac yr oedd yn lle hwylus i eirio dillad. Erbyn fy amser i yr oedd grât a phopty bach ar un ochr iddo, a boiler a feis i dwymo dŵr poeth ar yr ochr arall. Wrth ochr y boiler yr oedd popty mawr a ymestynnai gryn lathen neu ragor i'r wal, a lle i roi tân odano. Âi cryn dipyn o lo i dwymo'r popty, ond wedyn gellid rhoi nifer da o fara i mewn, ac wedi i'r popty dwymo, ni fyddai eisiau llawer o lo arno wedyn. Erbyn hyn mae'r poptái yma wedi diflannu o lawer o'r tai, a gratiau ffasiwn newydd wedi eu dodi yn eu lle, ac ni chrasa fawr neb fara cartref.

moonlight and had smoke rising in the chimney before they were caught. In his book, *The Industrial Revolution in North Wales*, Professor Dodd says that by 1826 there was a community of people, a hundred and forty houses and three chapels in Rhostryfan. He must have been referring to the little smallholdings, 'a place to keep a cow', retrieved from the common land, and not the old farmhouses in Rhostryfan. According to Mr W. Gilbert Williams, who wrote a history of the old families of the parish of Llanwnda, there were good farmhouses in Rhostryfan well before 1826. Some of those old farms were probably included in the hundred and forty houses, as well as the old dwellings on the slopes of Moeltryfan facing Bron y Foel (known as Cesarea today), because it was from there, from Dyffryn Nantlle and from Llŷn, that many moved to work in the quarries.

I don't know how far down the common land extended, but until just after the First World War there was a gate across the road between Rhostryfan and Rhosgadfan, called the Red Gate, to keep the sheep from straying down from the mountain. And the houses, they were very small, single-storey dwellings with a kitchen, a dairy or scullery, two rooms and a loft. There are some left today hardly changed from the day they were built. Originally the wainscot foot of the bed was used to form the partition between the bedroom and the kitchen, but later this changed, when partition walls of timber or stone were built. The great chimney nook was wide enough for an armchair. I am not old enough to remember the old-fashioned fireplace nor the earth floor, but the turf hole under the big chimney in my old home had not been covered over, and it was a good place to air clothes. By my time there was a grate with a small oven on one side, and a boiler with a tap to heat water on the other side. Beside the boiler was a big oven that reached a good yard or more into the wall with room beneath it to make a fire. A great deal of coal was needed to heat the oven, but there was room inside it for plenty of loaves, and once the oven was hot it didn't need much more coal. Now the ovens have disappeared from many of the houses, replaced by modern grates, and few bake homemade bread.

Chwareli a roes fod i'r ardal, chwareli bychain o'u cymharu â rhai Bethesda, Llanberis a Ffestiniog. Mae'r chwareli bychain hyn yn ymestyn o Ddyffryn Nantlle hyd Ryd-ddu. Gwn am un llyfr sy'n rhoi hanes y chwareli yma yn weddol fanwl, ond ni allaf ddweud a ydyw ei ffeithiau'n gywir ai peidio. Cafodd y llyfr ei wobrwyo yng Nghylchwyl Lenyddol Rhostryfan yn 1889. Mr John Griffith, Bodgadfan, Rhosgadfan, goruchwyliwr ar un o'r chwareli, oedd yr awdur, ac ychydig flynyddoedd yn ôl cyhoeddwyd ef gan Mr John Thomas, Kendal, brodor o Rostryfan. Cychwynnwyd gweithio'r rhan fwyaf o'r chwareli gan nifer bychan o ddynion a dalai swm bychan o arian am y tir, a chael les arno. Er i mi chwilio llawer i'r mater, nid wyf yn hollol sicr i bwy y telid y rhent am y tir bob amser. Dywed John Griffith mai i'r meistr tir y talai rhai, a bod y meistr tir yn fwy hoff o osod y tir i'w ddenantiaid na neb arall. Credaf imi glywed hefyd fod rhai yn talu am yr hawl i'r Goron. Modd bynnag, byddai'r gweithwyr hyn yn gweithio'r llechi, yn eu hanfon i ffwrdd ar y cychwyn mewn cewyll ar gefn mulod i Draeth y Foryd, ac oddi yno i Borthmadog a lleoedd eraill, a'u hanfon wedyn mewn llongau i wledydd eraill. Rhannu'r elw y byddai'r chwarelwyr, a chredaf mai dyma ddechrau'r dywediad, 'gweithio ar y cyd'. Yn ddiweddarach fe osodwyd y chwareli i bobl a chanddynt fwy o arian i'w gweithio mewn dulliau gwell: ac efallai i ddynion a allai dalu mwy am y tir. Erbyn yr amser y dechreuodd fy nhad weithio yn y chwarel, tua 1861, yr oedd gweithio ar y cyd wedi hen orffen, a pherchenogion cefnog yn gweithio'r chwareli.

Mae arnaf flys yn y fan yma roddi enghreifftiau o dermau'r chwarel a geir yn llyfr John Griffith: 'cymerwr', 'llygaid glanach o dan y gwythiennau', 'y graig yn llawn o doriadau', 'y sidan coch', 'traed gwastad', 'cerrig budron'. Sut y buasai neb yn cyfieithu hwn i'r Saesneg? Prif fai y lle oedd tipyn o grychod a gwniadau â brig trwm. Yr oedd bonau gwastad yn yr ochr orllewinol wrth agosáu at y wenithfaen, a oedd yn yr ochr honno, ond yr oedd rhyw lwgr rhyfedd yn eu canlyn; byddai o un i dair modfedd o fordor bwdr yn canlyn y bôn, fel na thalai yn fantais i hollti y clwt lle y byddai. Galwai'r chwarelwyr ef yn 'rhew'. Haws fyddai i chwarelwr esbonio hwnyna na'i gyfieithu.

It is the quarries that gave rise to our neighbourhood, small quarries compared with those at Bethesda, Llanberis and Ffestiniog. These small quarries extend from Dyffryn Nantlle to Rhyd-ddu. I know of a book which tells the history of the quarries in some detail, but I can't say whether the facts are true or not. The book won a prize at the Rhosgadfan Annual Literary Meeting in 1889. The author was Mr John Griffith of Bodgadfan, Rhosgadfan, a supervisor at one of the quarries, and it was published a few years ago by Mr John Thomas, Kendal, a native of Rhostryfan. At most of the quarries the work was started by a small group of men who paid a modest sum to purchase the lease on the land. Although I have researched the matter, I am not certain to whom the rent was paid each time. John Griffiths says that some paid the landowner, and that the landowner preferred to rent to his own tenants than to other people. I think that I heard that some paid the Crown for the right. Whatever the truth, the men worked the slate, and sent it away, first in baskets on the backs of donkeys to Traeth y Foryd, and thence to Porthmadog and other places, and finally by ship to other countries. The quarrymen would share the profits, and I believe this to be the origin of the phrase, *'gweithio ar y cyd'*, working together. Later the quarries were let to those who had the means to work them more efficiently, and perhaps to those who could pay more for the land. By the time my father started working in the quarry, in about 1861, *'gweithio ar y cyd'* had long gone, and wealthy owners worked the quarries.

Here I'd like to offer examples of quarrying terms used in John Griffiths' book: 'taker', 'eyes cleaner under the seams', 'rock full of breakages', 'the red silk', 'flat feet', 'dirty stones'. How can you translate that into English? The main fault in the place was caused by some creasing and seaming with a heavy crest. There were flat basal rocks on the western side leading to the granite on the same side, but there was some unexpected damage in their wake; there was between one and three inches of scree or degraded edge following the rock base, so they could not cleave the rock (*'clwt'*) in that patch. The quarrymen called it *'rhew'* (ice). Easier for a quarryman to explain than translate it.

44

O chwareli Dyffryn Nantlle, dywedir mai'r Cilgwyn yw'r hynaf. Rhydd John Griffith y traddodiad ddarfod i Edward I aros mewn tŷ a elwid 'Nantlle', ar waelod y Nant, ger Baladeulyn, a dywed mai o'r Cilgwyn y cafwyd llechi i doi'r tŷ hwn. Eithr dywed yr awdur nad llechi fel y rhai a geir heddiw oedd y rhai hyn, eithr llechi y gellid eu tynnu o'r pridd bron â'r dwylo. Darllenais innau yn rhywle mai llechi o'r Cilgwyn a roed ar Eglwys Llanelwy dri chan mlynedd yn ôl. Mae hyn o ddiddordeb i mi, oblegid yn chwarel y Cilgwyn y bu fy nhad yn gweithio am saith mlynedd a deugain.

Yr oedd gan lawer o'r chwarelwyr fymryn o dir gyda'i dŷ, digon i gadw rhyw ddwy neu dair buwch a dau fochyn. 'Tŷ moel' y gelwid tŷ heb dir wrtho. Fel y gellid disgwyl, tir sâl oedd y tir a gaewyd o'r mynydd, ac nid oedd pwyllgor amaethyddol i roddi benthyg peiriannau i'w drin y pryd hynny. Saethid y cerrig o'r tir, gwaith cynefin i chwarelwr, ac mae'n bur bosibl ddarfod defnyddio'r cerrig hyn i ail-adeiladu'r tai ar ôl y rhuthr cyntaf i gael y mwg drwy'r corn. Caib a rhaw wedyn, a thraed i sathru'r tyllau. Cloddiau pridd oedd y cloddiau rhwng y caeau a'i gilydd, ond rhwng y caeau a'r ffyrdd, waliau cerrig. Yn yr haf pan geid llus, grug ac eithin ar y cloddiau pridd, yr oeddynt yn hardd iawn. Yr oedd yn rhaid dal i diltran a thrin y tir gwael hwn, neu buan iawn y troai'n ôl yn gors o frwyn. Gwaith caled oedd hyn i'r tyddynwyr cyntaf, pan weithient yn y chwarel o olau i olau, a phan fyddai'n rhaid iddynt gychwyn i'r chwarel tua phedwar y bore ar y Sadwrn, eu hanner dydd gŵyl. Nid oedd lawer o fantais ariannol o gadw tyddyn, gan fod bwyd anifail mor ddrud, ond fe gaem ddigon o fenyn, wyau, a llaeth enwyn, a llaeth enwyn rhagorol ydoedd, gan na wahenid yr hufen oddi wrth y llefrith y pryd hynny. Yr oeddem ni'n saith o deulu a thorrai fy mam bwys o fenyn bob dydd. Byddai ganddi ryw un neu ddau gwsmer o deuluoedd bychain i brynu gweddill y menyn. Rhoddai hi ddwy owns ar bymtheg ymhob pwys, gan ei fod yn mynd yn llai wrth ei gadw, meddai hi. Gwerthai pawb laeth enwyn yn ôl wyth chwart am geiniog, pedwar chwart am ddimai. Ffurf yn unig oedd hyn, gan na ddeuai pobl i'w nôl heb gael talu rhywbeth.

Of all the Dyffryn Nantlle quarries they say Cilgwyn is the oldest. According to John Griffiths, tradition says that Edward I stayed in a house called 'Nantlle', at the bottom of Nant, near Bala-deulyn, and slates were brought from Cilgwyn to roof that house. The author explains that the slates were not like those used today, but slabs that could be almost pulled from the earth by hand. I have read somewhere that it was slates from Cilgwyn that were used for the church at Llanelwy three hundred years ago. This interests me because it was at the Cilgwyn quarry that my father worked for forty-seven years.

Many quarrymen had a little land with the house, enough to keep two or three cows and two pigs. A house without land was known as '*tŷ moel*', a bare house. As expected, land enclosed from the mountain was poor land, and in those days there was no agricultural board to hire out machines to cultivate it. Stones were blasted from the land, familiar work for a quarryman, and it is quite likely that those stones were used a second time, to build houses after the first rush to get smoke through the chimney. Pick and shovel then, and feet to tread the holes. The hedges between the fields were earth banks, but between the fields and the roads were stone walls. In summer, when bilberries, heather and gorse bloomed on the earth walls, they were beautiful. You had to keep tilling and cultivating this poor land to prevent it reverting to bog and rushes. It was hard work for the first smallholders, working in the quarry dawn till dusk, and they had to begin at the quarry at four in the morning on a Saturday, their half day. There was little money to be made from keeping a smallholding, when animal feed was so expensive, but we had enough butter, eggs and buttermilk, and delicious buttermilk it was as the cream was not skimmed from the milk in those days. We were seven in the family, and my mother cut a pound of butter every day. She had one or two customers from small families to buy the rest of the butter. She weighed seventeen ounces to the pound, as she said it shrank with keeping. Everyone sold buttermilk at eight quarts a penny, four quarts a halfpenny. It was just a token. People wouldn't accept it unless they could pay something.

Pentref amlwg, digysgod oedd Rhosgadfan, y mynydd-oedd i'r de inni a'r môr i'r gogledd. Wynebem wynt y gogledd a gwynt y gorllewin; yr oeddem o fewn tair milltir i'r môr, yn ddigon agos i'w heli lynu yn ein ffenestri pan chwythai o'r cyfeiriad hwnnw. Caem fwy o eira na'r lleoedd rhyngom a'r môr, a chryfach glaw a gwynt. Gwynt oer a daear lwyd yn y gaeaf. Disgrifiais yn *Traed Mewn Cyffion* gyflwr llaith y tai. Cofiaf fel y byddai fy nhad yn mynd i ocsiynau i brynu hen welyau wensgot, er mwyn cael y coed i goedio muriau'r tŷ llaeth a'r siambar gefn, a Mam yn gwneud cwrlidau o hen ddefnyddiau i'w rhoi ar y gwelyau pan fyddai'n rhewi ac yn barugo, pan syrthiai'r diferynnau o'r nenfwd ar y gwely; byddai'n well gennym law na rhew. Ni ddeuai'r glaw hyd atom beth bynnag. Ond yr oedd gennym gegin fawr, gysurus, a digon o dân bob amser. Efallai mai dyna paham, yn hollol anymwybodol, yr wyf wedi sôn cymaint o bryd i'w gilydd am gysur aelwyd. Eto i gyd, byddai'n hyfryd iawn yn yr haf; ni cheir gwell golygfa o unman nag a geir o'r llechweddau hyn. Pentref hyll yw'r pentref ei hun, er na feddyliem ni am bethau felly pan oeddem yn blant, ac ni fyddai arnom byth eisiau ei adael. Nid i'r dref y byddai ein tynfa, eithr i'r mynydd ac ar draws y llechweddau. Hel grug i'w roi dan y das yn yr haf, hel llus a gruglus, tynnu llathenni o gorn carw o'r grug ac addurno ein pennau ag ef. Hel nythod cornchwiglod y byddai'r bechgyn, pysgota yn y ffrydiau, dal silidons a dal adar. Mae enwau'r tai yn dystion i'r tir a'r tywydd. Y Manllwyd, Glan y Gors, Cae'r Gors, Y Gors, Y Gors Goch, Hafod y Rhos, Bryn Crin, Pen y Ffridd, Tŷ'n y Fawnog, Bryn y Gwynt, Y Gors Dafarn. Byddaf yn gweld rŵan ryw hen lyn yn y gors o dan gapel y Foel, wedi rhewi'n gorn yn y gaeaf, ambell dusw o frwyn ar ei wyneb, y gwynt wedi chwythu graean drosto, a chlywaf yr un gwynt yn chwibanu drwy'r brwyn. Pan ddarllenais *Wuthering Heights* gyntaf, am fy mro enedigol y meddyliais yn syth. Ond os digwyddwch fod yng Nghaernarfon ar gyda'r nos o haf, ac edrych i'r bryniau drwy'r bwlch sydd rhwng y Post a'r Cei, fe welwch yr haul wrth fachlud yn taro ar ffenestri'r llechwedd a'u troi yn 'Ffenestri Aur' mewn gwirionedd.

Rhosgadfan was an exposed and shelterless village, the mountains to the south and the sea to the north. We faced the north and the west winds; we were within three miles of the sea, close enough for salt to stick to our windows if the wind blew from that direction. We had more snow than places between us and the sea, and stronger rain and wind. Cold winds and a bleak land in winter. In *Traed Mewn Cyffion* (Feet in Chains) I described the damp conditions in the houses. I remember my father going to auction to buy old wainscot beds to use the timber to line the walls of the dairy and the back bedroom, and Mam making quilts out of old fabrics to put on our beds when it was icy and perishing, when drips fell from the ceiling onto the beds; we preferred the rain to the ice. The rain could not reach us anyway. But we had a big, comfortable kitchen, and always enough fire. Maybe that is why, quite unconsciously, I have so often talked of the comfort of the hearth. Despite all this, it is beautiful in summer; you could have no lovelier view anywhere than from these slopes. The village itself is an ugly village, though we didn't think of it like that when we were children, and we never wanted to leave it. We were not drawn to the town, but to the mountain and over the slopes. Collecting heather to place under the stack in summer, gathering bilberries and heath-berries, pulling yards of stagshorn moss from the heather and adorning our heads with it. The boys would be looking for lapwings' nests, fishing in the streams, catching minnows and trapping birds. The names of the houses bear witness to land and weather. Y Manllwyd, Glan y Gors, Cae'r Gors, Gors Goch, Hafod y Rhos, Bryn Crin, Pen y Ffridd, Tŷ'n y Fawnog, Bryn y Gwynt, Y Gors Dafarn. I can see now some old lake in the bogland below Foel chapel, frozen hard in winter, a few clumps of rushes, wind-blown grit on its surface, and I hear that wind wail through the reeds. When I first read *Wuthering Heights*, I thought at once of my birthplace. But if you happen to be in Caernarfon on a summer evening, and you glimpse the hills through the gap between the Post and the Quay, you will see the setting sun strike the windows of the slope, turning them, truly, into Golden Windows.

III

Diwylliant a Chymdeithas

Clywir llawer iawn o sôn am y gymdeithas glòs a oedd yn bod ar un adeg yng Nghymru. Ni allaf siarad ond am fy ardal fy hun, ac yr oedd y gymdeithas yno yn glòs ac yn ymddibynnol. Un peth sy'n gwneud cymdeithas yn glòs ydyw ei bod yn aros yn ei hunfan o genhedlaeth i genhedlaeth heb grwydro. Rhaid i ddynion gael diddanwch, ac yr oedd diddanwch pobl ddigrwydro y naill yn y llall. Nid awn i dai ein gilydd cyn amled heddiw am fod gennym bethau o'r tu allan i ni ein hunain i'n diddanu. Mae'n debyg hefyd fod dynion na allai ddarllen yn myned yn amlach i dai ei gilydd na'r rhai a fedrai ddarllen. Mae llyfr yn beth sy'n eich cadw ar eich aelwyd eich hun, ac mae'n debyg fod dyfod llyfrau yn dechrau bywyd anghymdeithasol.

Credaf fod chwarelwyr fy hen ardal i yn ddibynnol iawn ar ei gilydd. Ar gymwynasgarwch yr oeddem yn byw. Y tyddynnwr a chanddo drol yn rhoi ei benthyg i gario gwair a theilo i'r un nad oedd ganddo un. Chwarelwr yn colli hanner diwrnod o waith i fynd i helpu chwarelwr arall i gario gwair. Colli hanner diwrnod i fynd i gladdu cymydog. Gwneud cyngerdd neu ddarlith i ddyn a gollasai ei anifail neu ei waith trwy waeledd am amser hir. Daeth y bobl yma o leoedd eraill i dir gwyryf sâl ei ansawdd. Yr oeddent yn gynefin â thir gwell cyn hynny. Gallech eu cymharu bron ag ymfudwyr Prydeinig i'r trefedigaethau. Felly yr oedd yn rhaid iddynt ymddibynnu llawer ar ei gilydd. Ni cheir cymwynasgarwch heb fod angen amdano. Hawdd dychmygu hefyd bod llawer o ddiffyg hyder mewn cymdeithas ifanc, a'u bod yn eu cael eu hunain o hyd ac o hyd mewn amgylchiadau newydd a dieithr.

Rhof un enghraifft, a dim ond un o lawer ydyw, o gymwynas a gawsom ni mewn pryd. Diwedd 1897 ydoedd, a thri ohonom o dan y clefyd coch (*scarlet fever*). Cefais i ef yn drwm iawn, fy mrawd Richard yn ysgafn, a'r diwrnod dan sylw daeth fy nhad adref o'r chwarel wedi ei daro â'r un clefyd yn weddol drwm. Yr oeddem ein tri yn ein gwahanol

III

Culture and Community

There is much talk of the close community that once existed in Wales. I can only speak for my own neighbourhood, and that community was close and self-reliant. One way for a community to be close is by generation after generation remaining in a place without wandering. People need entertainment, and settled people find entertainment in each other. We don't visit each other's houses so much these days, because there are things outside ourselves to amuse us. People who could not read were more likely to visit each other's houses than those who could read. A book keeps you on your own hearth, and probably it was the coming of the book which made life less sociable.

I think the quarrymen of my old neighbourhood were very dependent on each other. We lived on that willingness to help. The smallholder with a cart lending it for carrying hay or dung to one without. A quarryman sacrificing half a day's pay to help another get his hay. Giving up half a day to bury a neighbour. Arranging a concert or a lecture for a man who'd lost an animal, or his work through long illness. The people came from elsewhere to poor virgin land. They had known better land. They were almost like British emigrants to the colonies. Therefore they had to depend a great deal on each other. Helpfulness does not happen without need. It's easy to imagine that there was a great lack of confidence in a young society, and how time and again they found themselves facing something new and strange.

I offer an example, one of many, of timely help we received. It was the end of 1897 and three of us with scarlet fever. I had it very badly, my brother Richard less so, and that day my father came home from the quarry very ill with the same infection. There were three of us in our beds by nightfall, and

welyau gyda'r nos, a'm brawd John yn dioddef oddi wrth dân iddwf ar ei lygad. Yr oedd hyn ryw bum mis cyn geni fy mrawd ieuengaf. Aeth fy mam i odro, ac oherwydd ei nerfusrwydd, mae'n debyg, oblegid mae gan wartheg reddf i deimlo peth felly, rhoes y fuwch gic iddi yn ei choes. Yr unig un iach yn y tŷ ar y pryd oedd fy mrawd Evan, y ddyflwydd a thri chwarter oed, ac yn rhy ifanc i fynd allan i'r tywyllwch. Dyna le'r oeddem heb neb i fynd i alw ar gymydog, a chan nad oedd neb o'n cwmpas ni yn gweithio yn yr un chwarel â Nhad, ni wyddai neb ei fod ef yn sâl. Toc galwodd ein cymydog agosaf, William Williams, Tŷ Hen; gwyddai ef ein bod ni blant yn cwyno. Gwnaeth bob dim a allai i'n helpu, ond ni chofiaf pa un ai ef ai ewythr imi a alwodd wedyn, a gynghorodd Mam i roi powltris bran bras a finegr ar ei choes, yr hyn a wnaeth, ac yr oedd hi, a dendiai arnom i gyd, yn holliach erbyn y bore, ac wedi cysgu drwy'r nos ar glustogau ar lawr y siambar orau. Allan o gyd-ymddibyniaeth fel yna y tyfodd rhyw fath o ffyddlondeb a theyrngarwch a chyfeillgarwch. Wrth edrych ar dorf o chwarelwyr ar Faes Caernarfon yn yr amser a fu, ni fedrwn yn fy myw beidio â meddwl am gi ffyddlon sy'n edrych i fyw llygad ei ffrind gorau am ei fod yn gorfod ymddibynnu arno.

Peth arall a ddywedir o hyd ac o hyd heddiw ydyw mai'r capel oedd y canolfan cymdeithasol yn yr amser a aeth heibio. Aethom i'w gredu trwy ei ddweud o yn aml. Ond nid yw hynyna yn wir i gyd. Mae'n wir eich bod yn gweld eich gilydd yn y capel, ond nid oedd cymdeithasu yno. Nid oedd festri yng Nghapel Rhosgadfan hyd 1901, na dim moddion cynhesu'r capel. Wedyn, mynd adre ar eu hunion a wnâi pawb, ac eithrio'r bobl ifainc, ar ôl y bregeth. Fe gynhelid cyfarfodydd fel cymdeithasau llenyddol, cyfarfodydd darllen a chyfarfodydd plant yng nghanol yr wythnos, ond pobl ieuainc a fynychai'r rhai hyn. I'r cyfarfod gweddi a'r seiat yr âi'r bobl mewn oed. Yn y tai yr oedd y gymdeithas. Nid âi pobl i dai ei gilydd bob nos, ond yr oedd yn arferiad gan gymydog daro i mewn yn nhŷ cymydog yn bur aml ac aros yn lled hwyr weithiau. Nid oedd pellter ffordd na thywyllwch nos yn rhwystr i'r ymweliadau hyn. Deuent gyda llusern. Cofiaf Prosser Rhys yn dweud bod yr un peth yn bod yn

my brother John suffering from an inflammation of the eye. It was about five months before the birth of my youngest brother. My mother went to do the milking, and probably due to her anxiety, and because cows are sensitive to such things, the cow kicked her on the leg. The only one in the house who wasn't ill was my brother Evan, two and three quarter years old and too young to go out in the dark. There we were with no one to go and fetch a neighbour, and as no one near us worked in the same quarry as Dad, nobody knew he was ill. Then, our nearest neighbour, William Williams, Tŷ Hen, called in, knowing the children were ill. He did everything he could to help, but I don't remember if it was he, or my uncle who called later, who advised Mam to put a poultice of coarse bran and vinegar on her leg, which she did, and she, who tended us all, was completely well by morning having slept all night on cushions on the floor of the best room. From such inter-dependence grew a kind of trust, loyalty and friendship. Looking at the quarrymen together on the Maes in Caernarfon in the old days, I couldn't help thinking of a faithful dog gazing into the eyes of its best friend because it depended on him.

Another thing said time and again today is that the chapel was the social centre in times past. We said this so often we came to believe it. But it is not quite true. It is true that you saw each other in chapel, but not that you socialised with each other there. There was no vestry in Rhosgadfan until 1901, and no way of heating the chapel. So everyone except the young people went home straight after the sermon. There were meetings like the literary meeting, reading and children's meetings midweek, but it was young people who went to them. It was the prayer meeting and the *seiat* that older people attended. It was at home that people got together. People didn't visit each other every night, but it was common to call in to a neighbour's house and at times to stay late. Neither distance nor darkness prevented these visits. They brought a lantern. I recall Prosser Rhys saying that it was

Llangwyryfon. Ein pryd mawr ni oedd swper chwarel, ac yr oedd hwn yn fath o ginio, o datws a chig a llysiau. Anaml y byddem yn cael pwdin ac eithrio ar ddiwrnod pobi, ac ar y Sul wrth gwrs. Tua chwech y byddem yn cael y pryd yna. Wedyn byddai'n rhaid mynd i odro. Caem bryd bychan wedyn rhwng wyth a naw, te a bara menyn gyda rhyw amheuthun bychan megis caws neu fara ceirch. Os deuai cymydog i mewn ymunai â ni yn y pryd yma. Treulid gyda'r nos fel hyn yn siarad, a naw gwaith o bob deg, dweud straeon y byddid. Nid wyf yn cofio fawr erioed glywed dadlau ar bynciau yn yr ymweliadau hyn. Yn yr ysgol Sul a'r caban bwyta y byddid yn dadlau ar bynciau. Ond os byddai rhyw helynt wedi digwydd yn y chwarel, neu os byddai anfodlonrwydd ynglŷn â rhywbeth, neu os byddai damwain wedi digwydd, fe sonnid am y pethau hynny yn naturiol. Eithr y pethau a gofiaf fi fwyaf ydyw yr adrodd straeon. Os byddai gŵr wedi pasio ei ieuenctid, am ddyddiau pell yn ôl y sgwrsid, troeon trwsgl eu dyddiau cynnar hwy. I lawer o bobl, hyd yn oed y pryd hynny, yr oedd peth fel hyn yn wamalrwydd ac yn dangos diffyg sylwedd mewn cymeriad, ond i mi mae'n un ochr i ddiwylliant. Diwylliant ysgafn efallai, ond nid bob tro. Yr oedd gan y bobl yma ddawn i adrodd stori'n gelfydd, a weithiau y dull yr adroddid hi ac nid y stori ei hun a roddai fodlonrwydd. Cofiaf mor feirniadol y byddai fy rhieni o rai na allai adrodd stori yn gelfydd, a chymaint diflastod fyddai gwrando arnynt. Nid ydym yn sylweddoli peth mor anodd yw gwneud stori'n ddiddorol wrth ei hadrodd neu ei hysgrifennu.

Cofiaf yn dda am un ymwelydd diddorol a ddeuai'n gyson i'n tŷ ni, Wmffra Jones, Bryn Golau, un o bartneriaid Nhad yn y chwarel. 'Wmffra Siôn' y galwai Nhad ef. Daethai i fyw i Rosgadfan o Sir Drefaldwyn, o ymyl cartref Ann Griffiths, ac ymhyfrydai lawer yn hynny. Ni chofiaf ddim ond un peth a oedd yn chwithig yn ei dafodiaith, ond buasai yn yr ardal ers degau o flynyddoedd cyn i mi ei adnabod. Yr un peth chwithig hwnnw ydoedd ei fod yn dweud 'ebra fo' neu 'bro fi', lle y dywedem ni 'meddwn i', a gogleisid ni'r plant yn fawr gan yr 'ebra fo', ac wrth gwrs, pwffiem chwerthin yn aml, a chael pwniad a chilwg gan ein rhieni am wneud

the same in Llangwyryfon. Our main meal was the quarry supper, like dinner, with potatoes, meat and vegetables. We rarely had pudding except on baking days, and on Sunday of course. We'd have our evening meal at about six. Then we had to go and do the milking. We had another small meal between eight and nine o'clock, tea and bread and butter with some little treat like cheese or oat cakes. If a neighbour called he would join us for this meal. Thus were evenings spent talking, and nine times out of ten, telling stories. I don't remember hearing much topical debate on these occasions. Debate was for Sunday school and the food cabin. But if there was a problem at the quarry, or something to grumble about, or there had been an accident, they naturally talked of these things. But what I remember best is the stories. Once past his youth, a man's talk would be of the old days, amusing incidents from his youth. To many this was frivolous and showed shallowness of character, but to me it was an aspect of culture. Light culture perhaps, though not always. Such people had the gift of storytelling, and sometimes it was the skill with which the story was told and not the content that gave pleasure. I recall how critical my parents would be of those who could not tell a story well, and of how tedious it was to listen to them. We do not realise how difficult it is to make a story interesting, in the telling or the writing.

I well remember one interesting visitor who often came to our house, Wmffra Jones, Bryn Golau, one of my Dad's partners in the quarry. 'Wmffra Siôn' Dad called him. Before moving to Rhosgadfan he lived in Montgomeryshire, near the home of Ann Griffiths, and he took pride in the fact. I remember only one oddity in his way of speech, but he had been in our neighbourhood for decades before I met him. The one odd thing he used to say was *'ebra fo'*, or *'bro fi'*, when we would say *'meddwn i'*, for 'I said'. We children were very amused by the *'ebra fo'*, and of course often burst into giggles, and got a frown and a nudge from our parents for it. When my

hynny. Wedi i'm brawd ieuengaf fyned i'r lluoedd arfog yn y Rhyfel Byd Cyntaf nid ysgrifennodd lythyr adref o gwbl heb fod ynddo ryw gymaint o'r 'ebra fi' a'r 'bro fo'. Yr oedd Wmffra Siôn yn bartner ac yn gyfaill i Nhad ymhell cyn fy ngeni fi, a chyn colli ei briod. Ni chofiaf fi ei wraig o gwbl, ond clywais fy nhad yn sôn llawer amdani. Yr oedd y ddau yn gweddu i'w gilydd i'r dim. 'Nani' y galwai ef hi. Troai Nhad heibio i alw amdano i fyned i'r chwarel bob dydd yn y dyddiau hynny, ac un bore, pan alwodd, yr oeddynt wedi cysgu'n hwyr, peth anghyffredin iawn. Nid oedd dim amdani ond i bawb helpu, a job fy nhad oedd chwythu'r tân efo'r fegin, a'r wraig yn torri brechdanau. Yn sydyn, ynghanol yr holl frys, dyma Wmffra Siôn yn gweiddi nad oedd carrai yn yr un o'i ddwy esgid. Nid oedd rhai newydd ar gael ychwaith. Felly, yr oedd yn rhaid troi'r tŷ a'i benucha'n isaf i chwilio am y careiau, ac wedi gorffen y tŷ, dechrau ar y beudy. Ac yno yr oeddynt, y bechgyn wedi eu cymryd i'w rhoi'n sownd wrth gynffon barcud.

Edmygwn yn fawr un peth a wnaeth Wmffra Siôn yn hollol ddirybudd. Ers talwm, cyn amser y bysiau, byddai chwarelwyr yn cerdded yn orymdaith drefnus o'r chwarel, a chas beth ganddynt fyddai gweled merched ar bennau'r tai yn edrych arnynt. Ac os buoch erioed yn cerdded mewn gorymdaith, gwyddoch pa mor hunanymwybodol y gellwch fod, a pha mor gas gennych fydd teimlo fod llygaid pobl arnoch. I chwi sydd yn yr orymdaith, mae beirniadaeth ym mhob llygad a fo yn eich gwylio. Cyn cyrraedd Rhos y Cilgwyn, ar ôl pasio Pen yr Inclên, mae rhes o dai o'r enw Glasfryn, a bob nos byddai merched o'r tai hyn ar ben y drws yn chwedleua pan âi'r chwarelwyr adref. Un noson, yn hollol ddirybudd, dyma Wmffra Siôn yn troi at fy nhad ac yn bygwth ei leinio a'i alw'n bob enw. (Cofier nad oedd Nhad yn gwybod dim am hyn ymlaen llaw), a dyma yntau, wedi gweld fel fflach beth oedd yr amcan, yn neidio i'r abwyd, ac yn ymosod yn ôl ar Wmffra Siôn. 'Tyst ohonoch chi! Tyst ohonoch chi!' meddai Wmffra Siôn ar dop ei lais. 'Mae'r dyn yma wedi ymosod arna i.' Fe ddiflannodd pob dynes fel llygoden i'w thŷ, ac ni phoenwyd chwarelwyr y Cilgwyn wedyn gan ferched yn eu gwylio ar bennau'r tai.

youngest brother joined the army in the First World War, he never wrote a letter home without some *'ebra fi'* and *'bro fo'* in it. Wmffra Siôn had been Dad's colleague and friend long before I was born, before he lost his wife. I don't remember his wife at all, but heard my father talk of her often. The couple suited each other perfectly. 'Nani', he called her. Dad called for him every day to go to the quarry then, and one day when he called they had overslept, a rare event. There was nothing for it but everyone helping, my father blowing up the fire with the bellows, his wife cutting sandwiches. Suddenly, in the midst of the rush, there was Wmffra Siôn shouting that neither of his shoes had laces. There were no spare laces either. So the house had to be turned upside down in search of laces, and after searching the house they began on thr *'beudy'* (cowshed). And there they were, the boys had taken them to tie to the tail of a kite.

There was one thing I admired very much that Wmffra Siôn did quite without warning. In the old days, before the buses, the men would process in an orderly fashion home from the quarry, and they hated seeing the women on their doorsteps watching them. If you have ever walked in a procession, you know how self-conscious you can be, and how you hate to feel people's eyes upon you. To you in the procession, there is judgment in every eye watching you. Before reaching Rhos y Cilgwyn, after passing Pen yr Inclên, there's a row of houses called Glasfryn, and every night the women from these houses would be on their doorsteps talking when the quarrymen went home. One night, out of the blue, Wmffra Siôn turned to my father threatening to beat him up and calling him names. (Remember my father knew nothing of it before it happened). And in a flash, having seen the point, he took the bait and turned the attack onto Wmffra Siôn. 'A witness among you! A witness!' shouted Wmffra Siôn at the top of his voice. 'This man here attacked me.' The women all vanished like mice into their houses, and the quarrymen of the Cilgwyn were never again bothered by women watching them from their doorsteps.

Prin iawn fyddai tripiau yn y dyddiau hynny, ond fe âi chwarelwyr weithiau i Fanceinion, a mynd i'r Sw yno. Fe aeth Wmffra Siôn unwaith, a'i wraig, ac wrth sefyll o flaen cawell y myncwn, dyma un o'r creaduriaid hynny yn rhoi ei bawen allan reit slei ac yn cipio het Nani oddi am ei phen i'r cawell. Yr oedd pluen estrys gwerth tua phymtheg swllt i bunt ar yr het, a gellir dychmygu faint oedd profedigaeth y wraig. Ond yr unig gydymdeimlad a gafodd gan ei gŵr oedd, 'Tendia, Nani, dy ben di eith nesa'! Llawer stori gyffelyb a glywais i tan y simdde fawr yng Nghae'r Gors, a'r 'ebra fi' fel cyrraints yn y stori, a llithrai'r oriau heibio'n rhy gyflym. Mor gyflym unwaith fel y cododd Wmffra Siôn oddi ar y gadair yn sydyn wedi sylweddoli beth oedd hi o'r gloch, a tharo ei ben o dan y silff ben tân a disgyn yn glewtan yn ei ôl i'r gadair.

Mi alwn ni'r cymeriad nesaf yn XY. Nid oedd mor hoffus ei gymeriad nac mor ddiddan ei sgwrs ag Wmffra Siôn. Nid yn ein hardal ni yr oedd yn byw, ond bu'n bartner gyda Nhad yn y Cilgwyn am flynyddoedd maith, ac wedyn yn chwarel Cors y Bryniau. Dyn bach twt ydoedd, yn gwisgo locsyn clust, yn chwarelwr dan gamp. Ond ni ddôi ei gymeriad i fyny â safon y seiat, a dweud y lleiaf. Rhyw siarad dan eu dannedd y byddai pobl amdano, heb fedru rhoi bys ar ddim ychwaith. Mae rhai pobl na fedrwch ddweud amdanynt eu bod yn anfoesol, ac eto ni fedrwch ddweud eu bod yn deall yn iawn beth yw ystyr moesoldeb ychwaith. Crwydrai XY lawer ar y Sadyrnau, ac âi i gynebryngau yn bell ac agos. A dyma un peth a roddai achos siarad i bobl. Yr oedd fy nhad yn bur hoff ohono, ni chymysgai ef fuchedd â gwaith dyn, a pheth mawr mewn partneriaeth yn y chwarel yw cael dynion cyfwerth yn eu hegni gyda'i gilydd. Cofiaf XY yn dyfod acw i helpu gyda'r gwair, neu am dro ar nos Sul, ond er mai plentyn oeddwn, dywedai fy ngreddf nad oedd mor ddiddan ei stori ag Wmffra Siôn. Yr oedd fel petai ganddo rywbeth i'w guddio bob amser.

Yn ystod rhyfel 1914–18 caewyd y rhan fwyaf o chwareli bychain Dyffryn Nantlle, ac aeth y rhan fwyaf o'r dynion i weithio i Lerpwl, fy nhad ac XY yn eu plith. Arhosai fy nhad yn nhŷ fy mrawd yn Bootle, a lletyai XY yn Birkenhead.

In those days trips were very rare, but sometimes the quarrymen went to Manchester, and to the Zoo. Wmffra Siôn went once with his wife, and they were standing in front of the monkey cage when one of the creatures slyly put out its paw and pulled Nani's hat from her head and into its cage. There was an ostrich feather on the hat worth between fifteen shillings and a pound and you can imagine what a loss it was to Nani. But the only sympathy she got from her husband was, 'Look out Nani, it'll be your head next!' I heard many a similar story by the hearth at Cae'r Gors, *'ebra fi'* dotting the story like currants, and the hours passing too quickly. So quickly that once Wmffra Siôn noticed the time and jumped out of his chair so suddenly that he banged his head on the mantelpiece and was knocked straight back down into his chair.

We will call the next neighbour XY. His character was not as lovable nor his talk as amusing as Wmffra Siôn. He didn't live in our neighbourhood, but had been one of Dad's workmates in the Cilgwyn for many years and later in Cors y Bryniau quarry. A neat little man who sported sideburns, he was a good quarryman. His character did not match up to the *seiat*'s standards, to say the least. People whispered behind their hands about him, without being able to put a finger on anything either. There are some people you could not accuse of being immoral, and yet could not say they understood what was meant by morality either. XY would wander a lot on Saturdays, and he attended funerals far and near. And that gave people cause for talk. My father was quite fond of him, not confusing the man's life with his work, and it's a great thing in a quarry partnership to have men of equal effort working together. I remember XY coming to help with the hay, or calling in on Sunday night, but even as a child I knew he was not as amusing a talker as Wmffra Siôn. It was as if he was always keeping something back.

During the 1914–1918 war, most of the smaller Dyffryn Nantlle quarries were closed, and most of the men went to find work in Liverpool, my father and XY among them. My father stayed in my brother's house in Bootle, and XY lodged in Birkenhead. The workers were given a cheap ticket to go

Câi'r gweithwyr docyn rhad i fynd adref dros y Sul bob tair wythnos, ac oherwydd hynny nid aeth neb â'i docyn aelodaeth gydag ef i eglwysi Lerpwl, neb ond XY. Fe ddarllenwyd ei bapur ef yn y seiat ar noson waith yn un o gapeli Birkenhead, a dyma'r stori a ddaeth dros yr afon i Nhad i Bootle. Wedi darllen y papur a rhoi'r croeso arferol i XY, cododd yr olaf ar ei draed yn y seiat i siarad amdano'i hun yn ei eglwys gartref, a diweddu fel hyn: 'Yr hyn sy'n golled iddynt hwy yn — (ei eglwys gartref) sydd yn ennill i chwi yma yn Birkenhead.' Byddai Nhad yn chwerthin nes byddai'r dagrau yn powlio o'i lygaid wrth ddweud y stori yna. Wrth reswm, rhaid oedd adnabod XY yn drwyadl, fel y gwnâi ei gyd-weithwyr, i allu gwerthfawrogi'r stori.

Rhywdro tua diwedd y rhyfel collodd XY ei briod, ac yntau'n ôl yn ei hen ardal erbyn hynny. Aeth yn rhy hen neu'n rhy wan i grwydro ac yn ddigon disonamdano. Ymhen ychydig flynyddoedd wedyn ymddeolodd fy nhad o'r chwarel, ef ac XY wedi bod yn bartneriaid am ddeuddeg mlynedd ar hugain. Ni byddent yn gweld ei gilydd mor aml wedyn. Bu farw XY, ac er ei holl grwydro ef i angladdau, ychydig bach iawn a ddaeth i roi'r gymwynas olaf iddo ef; yr oedd fy nhad yn un ohonynt, a daeth adref yn ddistaw brudd. 'Beth bynnag oedd XY,' meddai wrth Mam, 'nid oedd yn haeddu cynhebrwng cyn lleied â hynna.' Dyna fy nhad i'r dim, a dyna deyrngarwch partneriaid.

Un arall a ddeuai i'n tŷ ni yn aml gyda'r nos oedd Mos, gŵr fy hanner chwaer a oedd yn byw heb fod yn bell oddi wrthym, a byddem yn falch bob amser o'i weled, oblegid gwyddem y caem amser hapus yn ei gwmni. Yr oedd yn chwarddwr mawr; ni welais ei hafal am chwerthin, ac yn aml, methai fyned ymlaen gyda'i stori gan fel y chwarddai. Storïau digon diniwed oeddynt, ac nid ydynt yn werth eu hailadrodd yma, ond yr oedd y pethau bychain hyn yn goglais ei ddychymyg ef, gan eu bod yn gysylltiedig â rhyw bersonau a adwaenai, ac yn nodweddiadol ohonynt. Byddwn i wrth fy modd yn gwrando arno, ac wrth fy modd yn ei weld yn chwerthin. Dyn hapus ydoedd bob amser, ac yr oeddwn i yn meddwl y byd ohono, ac yn gorfoleddu ynof fy hun pan welwn ei wyneb yn ymddangos heibio i'r palis.

home for the weekend every three weeks, and because of this none belonged to any of the Liverpool chapels, except XY. His paper was read in the *seiat* one evening in the week in one of the chapels in Birkenhead, and this story reached Dad across the river in Bootle. After reading the paper, and giving the usual welcome to XY, the latter got on his feet in the *seiat* and spoke about himself in his home chapel, and ended thus: 'Their loss (his home chapel) is Birkenhead's gain.' My father would laugh till he had tears in his eyes when he told this story. Of course, you'd need to know XY thoroughly, as his fellow worker did, to appreciate the story.

Towards the end of the war XY lost his wife, and he had by then returned to his old neighbourhood. He grew too old or frail to wander, and there was little talk of him. A few years later my father finished in the quarry, he and XY having been workmates for thirty-two years. They did not see each other as often afterwards. When XY died, though he himself had attended so many funerals, few came to pay their last respects to him; my father was one of the mourners, and he came home in a sad mood. 'Whatever XY was,' he told my mother, 'he didn't deserve a funeral as small as that.' That was typical of my father, and typical of the loyalty of workmates.

Another man who often came to our house in the evenings was Mos, the husband of my half sister who lived far from us, and we were always pleased to see him because we knew we'd have a good time in his company. He was a great laugher. As a laugher he had no equal, and often could not continue with his story because he was laughing so much. They were innocent stories, and not worth repeating here, but small things that would tickle his fancy because they were associated with people he knew and were typical of them. I loved listening to him and I loved hearing him laugh. He was always a happy man, and I thought the world of him, and my heart would rejoice to see his face appear round the partition.

Cnocio a dyfod i mewn ar eu hunion y byddai cymdogion y pryd hynny.

Digwyddodd un peth ynglŷn â Mos a fu'n loes fawr i mi. Daethai acw un noson ac yr oedd yn dywyll iawn arno yn cychwyn adref. Rhoddwyd menthyg llusern newydd a gawsom at y beudy iddo. Dyfais newydd mewn llusern oedd hon, gelwid hi yn Saesneg yn 'storm lamp'. Goleuid hi gyda wic ac oel lamp, ac yr oedd math o ffrâm weiran am y gwydr i'w gadw rhag torri. I godi'r gwydr a diffodd y lamp, yr oedd yn rhaid gafael yn rhywbeth yn y top a godai'r gwydr a'r ffrâm gyda'i gilydd. Ni feddyliodd neb am egluro iddo sut i ddiffodd y lamp. Wedi mynd adref, ni fedrai yn ei fyw ei ddiffodd, nid oedd ei wynt yn ddigon cryf, a gorfu iddo ddefnyddio'r fegin dân, a rhoi ei thrwyn gorau y medrai ar waelod y gwydr. Pan ddaeth â'r llusern yn ôl dyna'r stori gawsom, a chwerthin mawr, wrth gwrs. Drannoeth, yn yr ysgol, dywedais innau'r hanes wrth fy ffrind pennaf, Apo, Tŷ'n Llwyn. Yn awr, partner Mos, yn chwarel Pen y Bryn, oedd Richard, brawd Apo. Dywedodd hithau'r stori gartref, a'r canlyniad, wrth gwrs, oedd pryfocio mawr ar Mos yn y chwarel. Nid oes y fath bryfocwyr yn bod â chwarelwyr. Pan ddeuai Mos i lawr y lôn bach o'i dŷ fore trannoeth, yr oedd Richard yn y ffordd arall yn ei ddisgwyl, ac yn dynwared chwythu megin. Pan ddaeth Mos acw wedyn, gwyddwn ei fod wedi teimlo, a'm bod innau wedi ei frifo dipyn. Bu'r peth yn boen fawr i mi am ddyddiau, fy mod wedi ei frifo ef yn fy niniweidrwydd (y pryd hwnnw, beth bynnag). Nid yn unig hynny, poenwn am y gallwn gael fy ystyried 'yn hen hogan straegar' (un hoff o siarad clecs), tebyg i ferched a heliai straeon ar bennau tai, pobl a ddirmygid gennym. Ond fe aeth hynny heibio a daeth hapusrwydd i deyrnasu.

Y Sadwrn o flaen Nadolig 1912, dychwelwn o'r Coleg o Fangor, a galw mewn siop yng Nghaernarfon i brynu rhywbeth. Yr oedd cwsmer yno a adwaenwn yn dda, gan mai un o Rostryfan oedd yn enedigol, sef Mrs W. J. Griffith, priod goruchwyliwr chwareli Dorothea a Phen y Bryn. Nid adwaenai hi fi, yr oeddwn yn rhy ifanc iddi f'adnabod. Yr oedd hi mewn helynt mawr, newydd gael neges oddi wrth ei gŵr na allai ddyfod i'r dref i gyfarfod â hi fel y trefnasai,

Neighbours would knock and come straight into the house in those days.

One incident involving Mos upset me. He came over one night and it was very dark when he set off home. He borrowed a lamp we had got for the cowshed. It was a new kind of lamp, known in English as a 'hurricane lamp'. Its light came from a wick in lamp oil, and there was a wire frame around the glass to prevent it from breaking. To remove the glass and extinguish the lamp you had to use something that would lift the glass and the frame together. Nobody remembered to explain to him how to extinguish the lamp. When he arrived home he had no idea how to put out the flame. His breath was not strong enough, so he used the fire bellows, putting its end at the base of the glass. When he returned the lamp that was the story he told us, and there was much laughter of course. Next day at school I told the story to my best friend, Apo, Tŷ'n Llwyn. Mos's work mate at Pen y Bryn quarry was Richard, Apo's brother. She told the story at home, and as a result of course Mos was teased in the quarry. There are no greater teasers than quarrymen. When Mos walked down the small lane from his house next morning, Richard was waiting for him in the other lane, miming the blowing of bellows. When Mos came over later, I understood how he felt, and I knew I had caused him pain. I worried about it for days, about unwittingly hurting him, that one time anyway. Not just that, but I worried I could be thought an old gossip, like women clecking on doorsteps, people we held in contempt. But it passed, and happiness returned.

The Saturday before Christmas 1912, on my way from College in Bangor, I called into a shop in Caernarfon to buy something. There was a customer there I knew well, one Mrs W. J. Griffith who was born in Rhostryfan, wife of the overseer of Dorothea and Pen y Bryn quarries. She did not know me as I was too young for her to have noticed. She was distressed, having just received a message from her husband that he could not come to meet her in town as planned

gan fod dyn wedi ei ladd yn y chwarel y prynhawn hwnnw. A meddai hi wrth wraig arall yn y siop a adwaenai, 'Rydach chi yn ei 'nabod, Mrs Jones, Moses Evans, mab-yng-nghyfraith Owen Roberts, Cae'r Gors.' Ni welais ac ni chlywais ddim am rai munudau wedyn. Yr oedd Mos ac eraill o'r gweithwyr wedi cael caniatâd i weithio ar y prynhawn Sadwrn (sef eu hanner dydd gŵyl) am fod y tywydd wedi bod mor wlyb, ac ni chaiff chwarelwr gyflog am golli ar dywydd gwlyb. Yr oedd Mos druan yn falch i gael y cynnig fel y lleill, ac wedi trefnu i fynd ag anrheg Nadolig i'w fam i'r Groeslon ar ôl gorffen gweithio. Ei oedran? Dim ond 30. Yr oedd yn ddyn hapus, gwasanaethgar mewn ardal, yn chwarelwr dan gamp, a chanddo lais tenor bendigedig, llais a glywid yng nghanu Diwygiad 1904–5, pan ddaeth ef i ddechrau cymryd rhan yn gyhoeddus yn y gwasanaethau. Dyn swil a fuasai cyn hynny.

Yn ystod yr ymweliadau hyn gyda'r nos fe sonnid am gymeriadau eraill a gydoesai â'm tad ac Wmffra Jones, ac a oedd wedi marw ymhell cyn amser y chwarelwyr ieuengaf; ac nid pan oeddwn blentyn y clywais innau hwy ychwaith, eithr pan ddeuwn adref ar wyliau, a myned drostynt lawer gwaith wedyn gyda'm brodyr wedi i'm rhieni farw. Yr oedd y bobl hyn yn 'gymeriadau', h.y. yn bobl anghyffredin, a dorrai i ffwrdd oddi ar rigolau cyffredin bywyd, mentro byw yn eu ffordd eu hunain, a meddwl yn wreiddiol am bethau. Nid oedd eu hiaith bob amser yn barchus ychwaith. Un o'r rhai hyn oedd dyn a elwid yn 'Richard Jones yr hen grachan'. 'Rhosgadfan' oedd enw'r tŷ lle yr oedd R. Jones yn byw. Felly, petai'r fath beth yn bod â bod rhywun yn anfon llythyr i'r hen gymeriad hwn, byddai'n rhaid ysgrifennu Rhosgadfan ddwywaith. Nid wyf fi'n cofio Richard Jones o gwbl, rhaid ei fod wedi marw cyn fy ngeni. Prif glarc chwarel y Cilgwyn ar y pryd oedd Mr Owen Roberts, brawd Iolo Caernarfon, ac Alafon yn glarc ifanc yn y swyddfa gydag ef, a weithiau fe godai achlysur pan fyddai'n rhaid i'r ddau glarc fyned o gwmpas y chwarelwyr i hel gwybodaeth at lenwi papurau a ffurflenni. Credaf y byddai Alafon yn mynd y rhan amlaf er mwyn cael hwyl.

Un tro âi Owen Roberts o gwmpas y gwaith i gael rhyw wybodaeth neu'i gilydd, a daeth at Richard Jones yn ei dro.

because a man had been killed in the quarry that afternoon. And she said to a woman she knew in the shop, 'You know him, Mrs Jones. Moses Evans, son-in-law of Owen Roberts, Cae'r Gors.' I saw and heard nothing for a few moments. Mos and other workers had been given permission to work on the Saturday afternoon, their half day off, as the weather had been so wet, and quarrymen are not paid for time lost due to bad weather. Poor Mos was glad of the chance, like the others, and planned to take a Christmas present to his mother in Groeslon after work. How old was he? Only 30. He was a happy man, active in his community, an excellent quarryman, with a fine tenor voice, a voice heard in the 1904–5 Revival, when he first took a public part in the services. Until then he had been a shy man.

During these evening visits there was talk of other people, contemporaries of my father and Wmffra Jones who had died long before the time of the youngest quarrymen. I didn't hear about them in my childhood either, but when I came home on holiday, and went over the stories time and again with my brothers after the death of my parents. These people were 'characters', rare people who broke away from humdrum conventional ways, daring to live in their own way, and to think for themselves. Theirs was not always respectable language. One such was known as 'Richard Jones the old scab'. 'Rhosgadfan' was the name of the house where Richard Jones lived. So if someone wrote this old character a letter they had to write Rhosgadfan twice. I don't recall Richard Jones at all. He must have died before I was born. The Chief Clerk of Cilgwyn quarry at the time was a Mr Owen Roberts, the brother of Iolo Caernarfon, and there was a young clerk in the office called Alafon. Sometimes it happened that the two clerks had to visit quarrymen collecting information for filling in papers and forms. I think Alafon usually went along for the fun.

Once Owen Roberts was gathering such information, and he reached Richard Jones. I ought to mention that Owen

Dylwn ddweud fod Owen Roberts yn siarad mor gywir â geiriadur, a bod gan Richard Jones arferiad o snyffian ei atebion, yn enwedig pan na byddai pethau yn ei blesio. A dyma'r sgwrs a fu y tro hwn:

'Ym mha le'r ydych chi'n byw, Richard Jones?'

'Rhosgadfan.' (snwff)

'Ie, mi wn i mai yn Rhosgadfan yr ydych chi'n byw, ond ym mha le yno?'

'Rhosgadfan.' (snwff)

'Ie, ond beth ydyw enw eich tŷ chi yn Rhosgadfan?'

'Rhosgadfan.' (snwff)

'Felly,' (yn dra gramadegol ac urddasol), 'mae eich tŷ chi yn cynrychioli'r pentref yr ydych yn byw ynddo.'

'Iesu Dduw, dwn i ddim be ma' fo'n gynrychioli, 'blaw mai dyna ydi enw fo.'

Exit Owen Roberts yn ddiseremoni.

Fe anwyd efeilliaid i briod Richard Jones, peth na ellid mo'i ragfynegi yn y dyddiau hynny, fel yn ein dyddiau ni, a bu'n rhaid i'r hen wron gychwyn ar unwaith i dŷ ei chwaer i chwilio am ragor o ddillad bach. Dynes falch, drwsiadus oedd ei chwaer na wyddai beth oedd bod heb ddim, na heb ychydig o ddim ychwaith.

'Oes gin ti ddillad bach yma, Geini, mae acw ragor o deulu?'

'O!' (o syndod) 'oedd Elin ddim wedi paratoi ar gyfar peth fel hyn?'

'Oedd, mi roedd hi wedi paratoi ar gyfar un.' (snwff)

'Faint sy 'cw felly?'

'Roedd 'cw ddau pan o'n i'n cychwyn, dwn i ddim faint sy 'cw erbyn hyn.'

Trwy glywed y gwn i am y cymeriad nesaf hefyd, sef Owen Jones, a elwid gan bawb yn Owan Tyrpaig. Dyn a yfai yn lled helaeth hyd ganol ei oes oedd ef. Ond yr oedd ganddo un gwron yn y pulpud, sef Dr Hugh Jones, Lerpwl, ac âi i wrando arno pan ddôi i'r cyffiniau.

'Ga i ddŵad efo chdi i'r Sasiwn?' meddai Owen Jones wrth fy nhad un tro, pan bregethai'r Doctor yn Sasiwn Caernarfon.

'Cei, os bihafi di.'

Ac fe fihafiodd.

Roberts talked as correctly as a dictionary, and Richard Jones was in the habit of sniffing his replies, especially if he didn't like the questions. Here is the conversation on this occasion:

'Where do you live, Richard Jones?'

'Rhosgadfan.' (sniff)

'Yes, I know that you live in Rhosgadfan, but where?'

'Rhosgadfan.' (sniff)

'So,' (in a formal and correct style) 'your house represents the village in which you live?'

'Jesus God! I don't know what it represents, only that that is its name.'

Exit Owen Jones unceremoniously.

Richard Jones' wife gave birth to twins, an event that couldn't be predicted in those days as it can in our time, and the old hero had to set off at once to his sister's house for more baby clothes. His sister was a proud, smart woman who did not know what it was like to go without anything or to have very little.

'Have you any baby clothes, Geini? The family's increased in our house.'

'Oh?' (surprised) 'Did Elin not prepare for this?'

'Yes, for one.'

'How many are there then?'

'There were two when I left, I don't know how many there are by now.'

Through hearing about him I know the next character too. Owen Jones, known as Owan Tyrpaig. A man who drank a fair bit until halfway through his life. But he had a hero in the pulpit, one Dr Hugh Jones of Liverpool, and whenever he was in the area Owen Jones would go and listen to him.

'Can I come to the Session with you?' he said to my father once when the Doctor was preaching in the Caernarfon Session.

'Yes, if you behave yourself.'

And he did behave himself.

Bob tro yr âi'r Doctor i hwyl, rhôi Owen Jones bwniad i 'nhad yn ei asennau, a dweud, 'Duw, Owan, gwrando ar y Doctor,' ac felly trwy'r oedfa.

Un o'r dyddiau dilynol âi Alafon allan o'i swyddfa, a siarad efo hwn a'r llall, a chymryd arno mai damwain oedd iddo stopio yn wal Owan Tyrpaig. Yna, gogordroi, a gofyn sut y byddai, etc.

'Fuoch chi yn y Sasiwn 'leni, Owen Jones?'

'Do.'

'Pwy glywsoch chi yno?'

'Ond y Doctor.'

'O, Doctor Hugh Jones?'

'Ia.'

Wedyn Owen Jones yn dechrau, ac yn mynd trwy bregeth y Doctor, Alafon yn symud i mewn i'r wal, ac eistedd ar y blocyn, ac Owen Jones ar y drafel. Wedi traethu am sbel, a chodi i hwyl, estynnai ei law at Alafon, 'Ac Owen, yn y fan yna yr oedd y Doctor yn ddiawledig.'

'Beth ydach chi'n feddwl wrth "ddiawledig", Owen Jones?'

'O, yn fendigedig, Owen (yn codi ei lais), yn fendigedig, yn fendigedig.'

[Rhaid egluro mai 'Owen' oedd enw cyntaf Alafon yntau.]

Wedi hyn, cafodd Owen Jones dröedigaeth, un o'r tröedigaethau mawr, syfrdanol y mae sôn amdanynt, a daeth yn un o bobl dduwiolaf Dyffryn Nantlle. Byddai pobl yn sôn am ei weddïau ymhen blynyddoedd wedi iddo farw.

Whenever the Doctor raised his voice to a dramatic 'hwyl', Owen Jones would nudge my father and say, 'God, Owen, listen to the Doctor,' and so on throughout the service.

One day soon after, Alafon left the office, chatting to people as he went, pretending it was mere chance that he paused near Owan Tyrpaig's wall. He lingered, asked how he was, and so on.

'Did you attend the Session this year, Owen Jones?'

'Yes.'

'Who did you hear?'

'Just the Doctor.'

'Oh. Doctor Hugh Jones?'

'Yes.'

Owen Jones began, going over the Doctor's sermon, Alafon moving into the wall and sitting on the block, and Owen Jones sitting on the cutting-machine. After talking for a while and raising his voice in *hwyl*, he extended his hand to Alafon, 'And Owen,' (I should here explain that Alafon's name was also Owen) 'at that moment the Doctor was devilish.'

'What do you mean, devilish, Owen Jones?'

'Oh, wonderful, Owen,' (raising his voice), 'wonderful, wonderful.'

After this Owen Jones underwent a conversion, a great, spectacular conversion such as people speak about, and he became one of the most devout people in Dyffryn Nantlle. People would talk of his prayers for years after his death.

IV

Diwylliant a'r Capel

Byddaf yn credu fod yna ddarnau o'r wlad lle mae naws ei phobl yn fwy parod i dderbyn argraffiadau crefyddol, a bod yna ddarnau eraill lle mae'r bobl fel petaent o'r ddaear yn ddaearol, a bod chwedloniaeth yr oesoedd cynnar heb adael eu cyfansoddiadau. Cymdeithas ddigon cymysg oedd cymdeithas fy ardal i, pobl a ddaethai i'r chwareli o Lŷn, rhannau pellaf Eifionydd, o waelodion plwyf Llanwnda a Llandwrog, ac ychydig o Sir Fôn, ac mae'n debyg fod cymysgedd o bobl o naws grefyddol yn eu plith a phobl o naws baganaidd. Wrth feddwl am y straeon a glywid o gabanau'r chwareli ac a ailadroddid wedyn ar aelwydydd, ni allaf lai na theimlo eu bod yn perthyn yn nes i straeon yr hen gyfarwyddiaid nag i chwedlau diweddarach. O fewn y chwarter canrif diwethaf adwaenwn un hen wraig a gredai'n gydwybodol ym modolaeth y Tylwyth Teg.

Dechreuwyd codi capeli Anghydffurfiol yn yr ardal yr un pryd, neu ychydig yn ddiweddarach na'r amser y cychwynnwyd y chwareli yn nechrau'r bedwaredd ganrif ar bymtheg. Ni allaf ddweud a oedd Eglwyswyr selog yn eu plith, neu a oeddent wedi troi at yr Anghydffurfwyr cyn dyfod i'r ardal. Nid adeiladwyd eglwys yn Rhosgadfan, ond fe wnaed yn Rhostryfan (âi pawb i eglwys y plwyf yn Llanwnda cyn hynny), ac fe gerddai un teulu i lawr o Rosgadfan i'r eglwys yn Rhostryfan bob Sul (a daliant i wneud hynny) teulu mawr iawn a ddaethai i fyw i'r ardal o Glynnog. Cofiaf fi bedair cenhedlaeth o'r teulu hwn, maent yn bump erbyn hyn, ac yn dal yn Eglwyswyr selog. Codwyd capel cyntaf Rhostryfan, capel y Methodistiaid, yn 1821, ond yr oedd yno Anghydffurfwyr cyn hynny, a cherddai'r rhai hyn i gapel Brynrodyn, ryw ddwy filltir o bellter. Yr oedd yno ysgol Sul hefyd ers blynyddoedd a gynhelid mewn tai annedd. Adeiladwyd capel presennol M.C. Rhostryfan yn 1866; ac i gapeli Rhostryfan y cerddai Methodistiaid Rhosgadfan am flynyddoedd lawer.

Oddeutu 1840 cychwynnwyd ysgol Sul yn Rhosgadfan, ac yn fy hen gartref i, Cae'r Gors, yr agorwyd hi; cangen o

IV

Culture and the Chapel

I believe there are parts of the country where people are more susceptible to religious influence, and that in other parts people are earthy and of the earth, and that the ancient myths have never left them. A mixed community was in my neighbourhood, people who came to the quarries from Llŷn, from the farthest parts of Eifionydd, from the lower parishes of Llanwnda and Llandwrog, and a few from Anglesey, and no doubt there was a mixture of natural believers and some of a pagan nature amongst them. Thinking about the stories which were heard in the quarry cabins and retold at home, I can but imagine they more often belonged to the early storytellers than to more recent times. Within the last quarter century I heard of one old woman who really believed in fairies.

Non-Conformist chapels began to be built in the neighbourhood at about the same time as the quarries were opened at the beginning of the nineteenth century. I can't say if there were devout churchgoers amongst them, or if they had turned Non-Conformists before coming to the area. No church was built in Rhosgadfan, but there was one in Rhostryfan (before that people attended church in the parish of Llanwnda) and one family walked down from Rhosgadfan to the church in Rhostryfan every Sunday – and they still do so – a very large family that came to live in the neighbourhood from Clynnog. I remember four generations of the family, five by now, and still regular churchgoers. The first chapel in Rhostryfan, the Methodist chapel, was built in 1821, but there were Non-Conformists there before that, and they walked to Brynrodyn chapel, about two miles away. There had also been a Sunday school for years, held in people's houses. The present M.C. Rhostryfan chapel was built in 1866, and it was to the chapels of Rhostryfan that the Methodists walked for many years.

Around 1840 a Sunday school was started in Rhosgadfan, and it was in my old home, Cae'r Gors, that it was held. It was

ysgol Rhostryfan ydoedd. Adeiladwyd ysgoldy yno yn 1861, i gynnal pregethwyr a bregethai yn Rhostryfan. Adeiladwyd y capel presennol yn 1876, a'i agor yn 1877 gyda 66 o hen aelodau Rhostryfan. Yr oedd fy nhaid, Owen Roberts, Bryn Ffynnon, tad fy nhad, yn un o'r blaenoriaid cyntaf. Collodd yr achos liaws o bobl cyn sefydlu'r eglwys, oherwydd bod llawer o'r teuluoedd newydd a ddeuai i'r ardal yn mynd i gapel yr Annibynwyr ym Moeltryfan am ei fod yn nes iddynt na Rhostryfan, capel a wasanaethai ardal Moeltryfan a Bron-y-foel (Cesarea).

Nid wyf fi'n cofio gweld neb yn adeiladu capel erioed, dim ond atgyweirio rhai. Byddaf yn meddwl yn aml, os bu lle am nofel ac iddi arwyr ac arwriaeth, mai dyma lle y mae maes anghyffredin o gyfoethog i'r nofelydd. Meddylier am gefndir nofel felly mewn ardal fel hon, dechrau gweithio'r chwarel ar dir comin, gŵr y Faenor yn ymyrryd am fod y tir comin ar ei dir ef, a'r gweithwyr yn gwneud arian. Dyna un frwydr. Wedyn y frwydr arall ynghylch adeiladu'r cabanau unnos ar y tir comin. Gwneud tai gwell wedyn, a thrin y tir, a'r Goron ymhen ychydig flynyddoedd yn hawlio eu tyddynnod. Yna gweithio'r chwareli gan gwmnïau preifat, Saeson rai ohonynt. Wedi gweithio o olau i olau yn y chwareli, cerdded rai milltiroedd adref, cipio tamaid o fwyd, âi'r chwarelwyr i'r capel i gyfarfod gweddi neu seiat. Dywed y diweddar Barch. D. J. Lewis, y Waun-fawr, y byddai chwarelwyr yr ardal honno yn cerdded dros y mynydd o Lanberis, pellter o ryw bum milltir, yn mynd i'r seiat cyn mynd adref, ac yn rhoi eu piser bach chwarel dan y sêt yn y capel.

Rhaid fod rhywbeth mawr y tu ôl i aberth y bobl hyn. Nid yn unig yr aberth o fynychu moddion gras wedi gwaith caled y dydd, eithr yr aberth o roi o enillion prin i dalu am y capel, at gael canhwyllau iddo ac at gael pregeth gan bregethwr dieithr ambell Sul. Dim ond dynion a gawsai brofiadau mawr ysbrydol a allai wneud y fath aberth, ac yn ôl yr ychydig hanes prin a geir yn llyfrau'r Parch. William Hobley, *Hanes Methodistiaeth Arfon*, gwelwn ddarfod iddynt

a branch of Rhostryfan school. A schoolhouse was built there in 1861, to accommodate preachers who preached in Rhostryfan. The present chapel was built in 1876, and opened in 1877 with 66 of the old members of Rhostryfan. My grandfather, Owen Roberts, Bryn Ffynnon, my father's father, was one of the first deacons. The denomination lost many members before establishing the chapel, because many of the new families who came to the neighbourhood attended the Independent chapel at Moeltryfan because it was closer to them than Rhostryfan, a chapel serving the area of Moeltryfan and Bron-y-Foel (Cesarea).

I never remember seeing anyone build a chapel, only repairing them. I often think, if ever there was a setting for a novel with heroes and heroism in it, here is rich ground for the novelist. Think of the background to such a novel set in a place like this: beginning to work the quarry on common land, the lord of the manor pitching in with his claim that the common land was part of his land, and the workers profiting from it. That was one struggle. The other struggle was about the building of one-night houses on common land. Men then building better houses, and working the land, and within a few years the Crown laying claim to their smallholdings. Then the quarries were worked by private companies, many of them English. After working dawn till dusk in the quarries, walking miles home, snatching a bite to eat, the quarrymen went to chapel to a prayer meeting or *seiat*. The late Reverend D. J. Lewis, Waun-fawr, says that quarrymen from that neighbourhood would walk over the mountain from Llanberis, a distance of about five miles, to attend the *seiat* before going home, and would place their little quarry pitcher under the chapel pew.

There must have been something big behind these people's sacrifice. Not just the sacrifice of attending a service after a hard day's labour, but the sacrifice of giving from their meagre wages to pay for the chapel, to buy candles for it and to have an occasional sermon by a different preacher on a Sunday. Only men whose spiritual experience was deep could have made such sacrifice, and according to the very limited history found in the books of Reverend William Hobley, *A History of*

gael profiadau mawr. Dynion syml oeddynt, neu dyna fel y tybiwn, ond yr oedd eisiau rhyw sylfaen fwy na symlrwydd i allu gwneud y pethau yna. Mae wynebau eu disgynyddion yn dangos eu bod o dras uchel o ddiwylliant. Nid mewn un genhedlaeth y megir cryfder cymeriad na harddwch wynepryd, na balchder mewn ymddangosiad. Nid taeogion a ddaeth i Ddyffryn Nantlle i ddechrau gweithio'r llechen ac i godi addoldai.

Ond fel y dywedais, yr oedd elfen arall yn y gymdeithas, gwŷr ysmala, heb fod mor grefyddol. Byddai'r rhai hyn yn mynychu'r moddion ar y Sul, er iddynt fod yn cael rhyw lasiad tua'r Bont (y Bontnewydd) a Chaernarfon y noson cynt. Ni chymerent ran ond fe ddoent i wrando. Yn wir, dim ond un dyn a gadwai o'r capel yn gyfan gwbl, ac fe ddeuai yntau ar ddydd Llun Diolchgarwch. Ond fe gyfarfyddai pobl 'y Bedol a phobl Bethel' yng nghaban y chwarel fore Llun ar yr un tir, a thrafodent y pregethau gyda'r un huodledd. Efallai mai dyna ddechrau dirywiad y bywyd crefyddol yn yr ardal hon fel mewn llawer ardal arall, fod rhoi mwy o sylw i huodledd ac areithio, i ddeall a rhesymu, yn hytrach nag i wir ysbryd crefydd. Dywedodd Mr Saunders Lewis yng 'Nghwrs y Byd' yn *Y Faner*, rywdro, mai diwylliant a gaem yn y capel ac nid addysg grefyddol, a chytunaf yn llwyr.

Mae'n arfer gennym golbio'r oes hon efo'r oes o'r blaen. Ym mater yr ysgol Sul a'r diwylliant a geir yn y capeli, credaf ein bod yn iawn wrth wneud hynny. Cawn gymaint o drafferth yn awr i gael plant a phobl ieuainc i'r ysgol Sul o gwbl, fel na thrafferthir lawer pa beth a wneir â hwynt wedi eu cael yno. Eu cael yno yw'r gamp, a gorffwyswn ein rhwyfau ar hynny. Ond yn nechrau'r ganrif aem yno heb ein cymell, a chaem ddiddordeb. Ni wn pam na sut, ac efallai nad dyma'r lle i fynd ar ôl y rheswm. Ond gallwn ddweud fod cyd-gynnull yn beth diddorol i bawb, a'r pryd hwnnw, nid oedd cynulliadau eraill i'n tynnu oddi wrth gyfarfodydd y capel. Ni fedrai dim ein tynnu o'r ysgol Sul. Cofiaf, fodd bynnag, i un drasiedi rwystro fy mrawd ieuengaf rhag mynd i'r ysgol Sul unwaith.

Cawsai Dei gath bach yn anrheg ryw brynhawn Sadwrn, un bach gron, dew fel powlen. Rhowd hi yn y beudy mewn

Methodism in Arfon, we can see that their experience was profound. They were simple men, or so we assume, but they needed to be grounded in more than simplicity to do these things. The faces of their descendants show a cultured lineage. Not in a single generation does such strength of character or facial beauty or pride in appearance grow. It wasn't serfs who came to Dyffryn Nantlle to work the slate and to build places of worship.

But as I have said, there was another element in society, less earnest men, less pious. They would attend Sunday services despite having a drink in Bont or Caernarfon the night before. They did not partake in the service, but they came to listen. Actually only one man avoided chapel altogether, and even he came on Thanksgiving Monday. They shared common ground, the Bedol people and the Bethel people, in the cabin at the quarry on Monday morning, and discussed the sermon with equal eloquence. Maybe this was the beginning of the decline of religion here as in many other places, when more attention was paid to eloquence and fluency, to knowledge and reason, than to the pure spirit of religion. Saunders Lewis wrote in 'Way of the World' in the *Faner* that it was culture we acquired in chapel, not religious education, and I completely agree with him.

It is our habit to compare our own times with the age that has passed. As for the question of Sunday school and the culture gained in the chapels, I believe we are right to do so. It's so difficult nowadays to get children and young people to go to Sunday school at all that little attention is paid to what to do with them when they get there. Getting them there is the challenge, and then we let things drift. Yet we, in the early part of the century, went willingly, and found it interesting. I don't know why or how, and maybe this isn't the place to seek an answer. But I can say that being sociable is attractive to us all, and in those days there was nothing else to tempt us from the chapel meetings. Nothing could draw us away from Sunday school. However, I do remember a sad event once kept my youngest brother from going to Sunday school.

One Saturday afternoon Dei was given a kitten as a present, small, round and fat as a bowl. He put her in the byre in the

gwair dros nos. Ond, erbyn y bore, yr oedd wedi diflannu, ac ni wyddai neb yn iawn sut, heblaw mae'n siŵr, mai o dan y drws. Cyn wyth o'r gloch y bore, yr oedd Dei wedi curo ar bob drws yn y pentref i holi am ei gath, ond i ddim pwrpas. Yr oedd Mam wedi mynd i huno cysgu wrth y tân ar ôl cinio, a dyma hi'n deffro yn sydyn a gweld ei bod yn ddau o'r gloch ar y cloc. Neb yn y gegin ond Dei, 'Wel! O!' meddai hi, wedi dychryn, 'dyma hi'n ddau o'r gloch a chditha ddim yn yr ysgol Sul.' 'Fasa chitha ddim yn mynd yno 'chwaith tasa gynnoch chi gimint o boen â fi,' meddai yntau.

A'u cymryd drwodd a thro, byddai gennym athrawon deallus. Nid oes neb a ŵyr yn well na phlentyn pan na bo ei athro yn gwybod ei waith. Gŵyr hynny drwy'r reddf a ddengys iddo nad enynnir ei ddiddordeb. Dyna'r adeg na byddai gennym ni flas ar fyned i'r ysgol Sul, yr amser pan fyddai gennym athro sâl. Cofiaf i rywbeth tebyg i wrthryfel ddigwydd yn ein dosbarth unwaith, oherwydd ein diffyg diddordeb. Ynglŷn ag achos arall y gwrthryfelem, ond gwn yn iawn erbyn hyn, petai'r athro hwnnw yn un da, na buasai unrhyw gynnwrf wedi digwydd. Nid hanes digwyddiadau a chefndir a ddysgid inni ychwaith, ond dysgid inni ddeall yr Ysgrythurau, a hynny yn ifanc iawn. Nid eid byth heibio i ddameg heb dreiddio i'w hystyr ysbrydol. Rhôi hyn fwy o bleser inni na dysgu hanes.

Y pryd hwnnw, ceid maes llafur, peth na sonnir amdano yn awr. Byddai'n ofynnol inni, cyn cael pasio i ddosbarth uwch, ddysgu hyn a hyn o emynau, pennod o'r rhan o'r Beibl a astudiem ar y pryd, a thair pennod o'r *Rhodd Mam*, neu'r *Holwyddoreg*, neu'r *Hyfforddwr*, yn ôl ein hoedran. Gan fod cof plant yn dda, nid oedd hyn yn faich, a bu'n werthfawr inni byth. Ni wn pa un ai damwain ai gwelediad a wnaeth i'r rhai a drefnai'r maes llafur roddi emynau gwerth ei galw'n emynau inni i'w dysgu. Nid oes gennyf amynedd o gwbl efo'r pethau a gyfansoddir wrth y dwsin heddiw ac a elwir yn 'emynau i blant'. Nid oes unrhyw werth ynddynt o gwbl, a gwastraff ar amser yw eu dysgu. Nid ydynt yn mynegi teimlad plentyn, ac nid oes unrhyw werth llenyddol ynddynt. Nid yw'n rhaid i blentyn ddeall y farddoniaeth a ddysg bob gair, dylai gael pleser oddi wrth

hay over night. But by morning she had disappeared. And no one knew how, except that it must have been under the door. By eight o'clock in the morning Dei had knocked on every door in the village to ask about his cat, to no avail. Mam fell asleep by the fire after lunch, and she woke suddenly and saw that it was two o'clock. No one in the kitchen but Dei. 'Well! Oh!' said she, surprised, 'It's two o'clock and you're not at Sunday school.' 'You wouldn't go either if you were as worried as I am,' he said.

On the whole we had bright teachers. No one knows better than a child if a teacher doesn't know his work. They know instinctively if their interest is not caught. The time we didn't want to go to Sunday school was when we had a poor teacher. I remember once something close to a revolt happening in our class because we were bored. It was for another cause that we rebelled, but I realise now that had the teacher been a good one the trouble would not have occurred. It was not facts and the historical background that we were taught, but the understanding of the Scriptures, even when we were very young. No parable was ever let past without searching for its spiritual meaning. This pleased us more than learning history.

In those days there was a curriculum, but there's no mention of it nowadays. Before we could pass to a higher class, we were required to learn many hymns, a chapter of the section of the Bible we were studying at the time, and three chapters of the *Rhodd Mam,* or the *Holwyddoreg*, or the *Hyfforddwr*, according to our age. As a child's memory is so good, this was not a burden, and was valuable for life. I don't know whether it was chance or foresight that those who designed the curriculum chose hymns worthy to be called hymns for us to learn. I have no patience at all with what are composed by the dozen today and called 'hymns for children'. They are utterly worthless, and learning them off is a waste of time. They do not express the child's feelings, and they have no literary value. A child does not need to understand every word of the poetry, pleasure must come from the rhythm, the rhyme, and

rythm, odl, a sŵn geiriau yn taro yn erbyn ei gilydd, dyna'r cwbl. Cofiaf fel yr hoffwn y pennill,

> 'Iesu, difyrrwch f'enaid drud
> Yw edrych ar dy wedd'.

Ond, rhywsut, gyda'r gair 'Iesu' yr âi'r gair 'difyrrwch' i mi ar y cychwyn, a'r ffordd yr adwaenwn y pennill oedd, 'Iesu difyrrwch'. Dyna ei enw i mi.

Cofiaf, ar y llaw arall, imi fynnu gwneud pennill arall yn eglur imi fy hun drwy ei newid. Dysgodd Mam ryw bennill imi o un o lyfrau Ceridwen Peris i'w ddweud yn yr ysgol Sul yn lle adnod. Dyma ddechrau'r darn:

> 'Mewn bwthyn bach yng *Nghanaan* wlad,
> Roedd gŵr a gwraig yn trigo'.

Ond nid oedd waeth i Mam heb na'm cywiro, fel hyn y mynnwn, ac fel hyn y mynnais, ei ddweud:

> 'Mewn bwthyn bach yng *nghanol* gwlad.'

Elizabeth Griffith, Tŷ'n Llwyn, oedd yr un a gofiaf fi gyntaf yn y sêt fawr, a dysgodd yr ABC i ugeiniau lawer o blant, y naill flwyddyn ar ôl y llall, a hynny gydag amynedd di-bendraw, oblegid gallaf ddychmygu mai dysgu'r ABC i blant a'u dysgu i ddechrau cysylltu llythrennau i wneud geiriau yw un o'r pethau anhawsaf. Wedi dysgu i blentyn sut i ddarllen, nid yw mor anodd wedyn egluro pethau iddo. Cofiaf Elizabeth Griffith yn dda yn y sêt fawr. Rhaid mai dynes ifanc ydoedd, er yr ymddangosai i ni yn hen, yn gwisgo bonet a chêp at ei hanner, yn ôl ffasiwn y dyddiau hynny. Yr oedd yn llwyddiannus iawn yn ei gwaith, a hynny dan anfanteision, oblegid yr oedd yr holl ysgol yn y capel, o'r dosbarth ieuengaf hyd yr hynaf.

the sound of the words ringing against each other, that's all. I remember how I loved the verse,

'Iesu, difyrrwch f'enaid drud
  Yw edrych ar dy wedd'.

But, somehow, to me the word 'difyrrwch' (delight) at the beginning belonged with the word 'Iesu' (Jesus), so the way I knew the verse was 'Iesu difyrrwch'. Jesus delight. To me that was its title.

On the other hand I remember insisting on making another verse clear to myself by changing it. Mam taught me a verse from one of the books by Ceridwen Peris to say in Sunday school instead of one from the Bible. Here is the beginning of the piece:

'Mewn bwthyn bach yng *Nghanaan* wlad,
Roedd gŵr a gwraig yn trigo'.
('In a cottage in the land of Canaan
There lived a man and wife'.)

Useless for Mam to correct me, this was how I insisted on saying it:

'Mewn bwthyn bach yng *nghanol* gwlad.'
('In a cottage in the heart of the countryside.')

Elizabeth Griffith, Tŷ'n Llwyn, was the first person I remember in the *sêt fawr*, the big pew for important people, and she taught the alphabet to many scores of children, year after year, and with boundless patience, because I imagine that teaching children the alphabet, and getting them to connect the letters with the words, must be one of the most difficult tasks. Having taught a child how to read, it is easier to explain other things. I well remember Elizabeth Griffith in the *sêt fawr*. She must have been a young woman, though she seemed old to us, wearing a bonnet and half-cape according to the fashion of the day. She was a great success in her work, despite difficulties, because the whole school from the youngest to the oldest was in the chapel.

Nid peth diweddar yw cydadrodd. Bob hyn a hyn, fe adroddai'r holl ysgol Sul, yn blant a phobl mewn oed, y Deg Gorchymyn neu Weddi'r Arglwydd gyda'i gilydd. Yr unig ymarferiad a geid oedd yr adrodd ei hun ar ddiwedd yr ysgol, a chydsymudid yn berffaith.

Yna eid dros yr un maes yn y cyfarfod darllen, a chofier, am ychydig o amser y bu gennym ni weinidog. Nid ein hathro ysgol Sul a'n cymerai, eithr rhywun arall, a byddai mwy nag un dosbarth yn y cyfarfod darllen, pawb a fynnai eistedd yr arholiad sirol o dan yr un oed. Yr oedd y trefniadau'n ddelfrydol pan gymerai G. O. Griffith, y Post, ni yn y cyfarfod darllen. Rhoddai gwestiynau ysgrifenedig inni i'w hateb gartref. Prynai'r copïau inni ei hun a marciai'r atebion. Yna rhoddid gwobr inni, nid yn y cyfarfod darllen, ond yn y cyfarfod plant (*Band of Hope*). Ticedi fyddai'r gwobrwyon yno, a chesglid hwy at ei gilydd ar ddiwedd y tymor, pan gaem arian yn eu lle. Ateb y cwestiynau hyn ar y maes llafur yn y cyfarfod darllen oedd yr ymarferiad cyntaf a gefais i mewn ysgrifennu Cymraeg. Hyn, ac ychydig yn ddiweddarach, eistedd arholiadau ar gyfer y cyfarfod llenyddol. Yn y cyfarfod plant caem, yn ychwanegol at hyn, bob math o gystadlaethau, darllen darn heb ei atalnodi, darllen llawysgrif ddrwg (cawsom gerdyn o waith Eifionydd ei hun i'w ddarllen un tro!), canu, adrodd, cyfeirio'r ffordd, cyfansoddi brawddegau ac ateb cwestiynau ar wybodaeth gyffredinol. Byddai'r gyfundrefn o gael ticedi yn lle gwobrwyon, eu casglu at ei gilydd a'u hanfon i'r ysgrifennydd ar ddiwedd y tymor, yn dyfod â rhyw chweugian neu ddeuddeg swllt inni. Caem yr arian yma mewn cyfarfod mawr yn y gwanwyn. Ac ystyried na fyddai'r un o blant Cae'r Gors yn adrodd nac yn canu ar eu pennau eu hunain, yr oedd yn swm go lew.

Fe hysbysid cystadlaethau'r cyfarfod plant bythefnos ymlaen llaw, a rhoid hwy i fyny wedyn ar y bwrdd rhybuddion yn lobi'r capel. Cofiaf un tro iddynt hysbysu mewn un cyfarfod plant fod cystadleuaeth hel enwau adar yr ardal i fod yn y cyfarfod nesaf, dim ond hel yr enwau dyna'r cwbl, a'u dweud ar goedd yn y cyfarfod. Wedi inni gyrraedd y tŷ y noson honno, cyn inni gael tamaid o fwyd,

Choral recitation is not new. From time to time the whole Sunday school, children and adults, would recite the Ten Commandments or the Lord's Prayer together. The only practice available was the recitation itself at the end of Sunday school, all together in perfect harmony.

Then we went over the same thing in the reading meeting, and remember, we only had a minister for a brief time. It wasn't our Sunday school teacher who took us, but somebody else, and more than one class attended the reading meeting, all under the same age, who wanted to sit the county exam. This worked well when G. O. Griffith, the Post, took us in the reading meeting. He gave us written questions to answer at home. He bought the copies himself, and marked our answers. Then we were awarded a prize, not in the reading meeting, but in the children's meeting, the Band of Hope. The prizes were tokens, and they were collected at the end of term when we were given money in exchange. Answering these questions on the study topic in the reading meeting was the first practice I had of writing Welsh. This, and a little later sitting exams for the literary meeting. As well as this in the children's meeting we had every kind of competition, sight reading a piece without punctuation, reading poor handwriting (we once had to read a card which was the work of Eifionydd himself!), singing, recitation, giving directions, constructing sentences and answering questions on general knowledge. The system of having tickets instead of prizes, collecting them and sending them to the secretary at the end of term, would earn us about ten or twelve shillings. We received the money at a big meeting in the spring. Considering that not one of us Cae'r Gors children recited or sang solo, it was not a bad sum.

The children's meetings were publicised a fortnight in advance, and put on the board in the chapel porch. I remember in one children's meeting they announced a competition on the names of birds to be held at the next meeting, just to list the names of birds and to recite it at the next meeting. When we got home that night, before having something to eat, my brother Richard started writing down

dyma Richard, fy mrawd, yn dechrau arni, ac yn ysgrifennu enwau adar i lawr fel y cofiai hwynt. O hynny ymlaen am bythefnos, ni ellid ei gael at ei fwyd, nac i'w wely, nac i wneud dim ond hel enwau adar. Yr oedd fel dyn ar dranc, a bod ei fywyd tragwyddol yn dibynnu ar gael yr enwau. Wrth weld y brwdfrydedd yma, dyma'r gweddill ohonom yn penderfynu nad oedd yn werth inni gystadlu, ac y byddai'n well inni hel enwau i Richard. Ond nid oedd angen inni, byddai ef wedi cael pob un o'n blaenau. Yr oedd Nhad a Mam yn y gêm hefyd, ac yn gofyn o hyd, 'Faint wyt ti wedi gael rŵan, Dic?' Wel, fe ddaeth tipyn o dawelwch cyn diwedd y pythefnos, a'm brawd erbyn hynny wedi eu hel at ei gilydd, a'u cael i drefn yr wyddor, ac yn eu dysgu a'u dweud yn uchel ar dafod-leferydd. Wrth gwrs, dysgem ninnau hwy wrth ei glywed. Yr oeddem wedi synnu fod cynifer o adar yn Rhosgadfan, tros ddeugain ohonynt; ni wyddwn i fod cymaint o wahanol fathau o adar yn y byd! Beth bynnag, fe ddaeth noson y cyfarfod plant, a ninnau i gyd yn gynhyrfus iawn, wedi cadw oddi wrth bawb fod Richard wedi hel cymaint o enwau. Willie, brawd Richard Hughes-Williams, y storïwr, oedd y beirniad, ac wedi i ryw ddau neu dri chystadleuydd fod wrthi, ac enwi rhyw hanner dwsin neu ddwsin o adar, dyma dwrn fy mrawd. Aeth ymlaen a dechrau arni cyn i neb gael ei wynt, ac wrth ei fod wedi eu dysgu ar ei gof, âi trwyddynt fel cyfri' llyfrithen. Dyma Willie yn codi ei ddwylo i fyny ac yn gweiddi, 'Stopia, stopia, imi gael siawns i'w rhoi i lawr.' Ond ymlaen fel sgyrsion yr âi fy mrawd. Bu'n rhaid iddo ail fynd drostynt, ond ni chredaf ei bod yn bosibl atal y llif ofnadwy o enwau a fyrlymai allan. Nid oedd gan neb siawns i ennill wrth ei ymyl. Bu'r gystadleuaeth hon yn destun difyrrwch yn ein cartref am flynyddoedd lawer, a thra fu fy mrodyr fyw.

Byddem yn mynd i'r seiat bob wythnos. Nid dysgu adnod y byddem ar gyfer y seiat nos Fercher, ond llawer o adnodau, a phennau pregethau'r Sul blaenorol, neu sylwadau ohonynt. Byddai G. O. Griffith, y Llythyrdy, yn codi pennau'r pregethau i rai o'r plant, a byddai gennym lyfr bach iddo eu dodi i lawr ynddo. Caem y llyfr ganddo efo'r pennau tua nos Lun neu ddydd Mawrth, a byddai'n rhaid eu

the names of birds as he remembered them. For the next two weeks it was impossible to get him to a meal, or to bed, or to do anything but list the names of birds. He was like a man facing death, his eternal salvation depending on collecting the names. Seeing his enthusiasm, the rest of us decided it wasn't worth competing, and it would be better for us to collect names for Richard. It was unnecessary as he got there before us every time. Dad and Mam were in the game too, and kept asking, 'How many have you got now, Dic?' Well. There was a bit of quiet at the end of the fortnight, as my brother had collected and listed them in alphabetical order, and had learned to say them aloud. Of course, we learned them too through hearing them. We were surprised that there were so many birds in Rhosgadfan – over forty – I didn't know there were as many birds in the world! However, the night of the children's meeting arrived, and all of us excited, having kept secret from everyone that Richard had collected so many names. Willie, brother of the storyteller Richard Hughes-Williams, was the judge. After two or three competitors had finished, naming half a dozen to a dozen birds, it was my brother's turn. He went up and began before anyone could draw breath, and as he had learned them by heart he dashed them off as if it were a spell to charm a stye. Willie raised his hands, saying, 'Stop, stop so I've a chance to write them down.' But on went my brother like an express. He had to recite it again, but I don't think he was capable of stemming the headlong flow of names that bubbled out. Nobody had a hope of beating him. The competition was a source of amusement in our home for many years, to the end of my brothers' lives.

We attended the *seiat* every week. It wasn't one verse we learned for Wednesday night, but many verses, and the topic headings on the sermons of the previous Sunday or comments from them. G. O. Griffith, the Post, would write down the headings for the children and we had a little book for him to write them in. We had the book with the headings by Monday night or Tuesday, and would have to learn them off by

dysgu'n drwyadl cyn nos Fercher. Ni wn beth a ddigwyddasai i ni pe dywedasem ein hadnodau mor sâl a disut ag y dywed plant yr oes yma hwy. Mae arnaf ofn y buasai arnom ofn wynebu ein cartrefi y noson honno. Ni chofiaf y byddai'n llawer o dreth dysgu'r adnodau a'r pennau pregethau. Ond weithiau fe ddechreuai rhai ohonom wneud camgymeriad yn ein hadnod, ac nid oedd ddewin a allai ein tynnu allan ohono. Cofiaf am fy mrawd Evan, pan oedd tua phump oed, yn cael dysgu iddo, 'Iesu Grist, ddoe a heddiw, yr un ac yn dragywydd.' Ni allai yn ei fyw gael y gair 'dragywydd' yn iawn. Fel hyn y dywedai, 'yr un ac yn gla-gwy', ac yn naturiol fe aeth yn 'glagwy'. Nid oedd dim i'w wneud ond ei rwystro rhag ei dweud yn y seiat. Ond dro arall, fe roes Evan sioc heb ei disgwyl inni yn y seiat ei hun. Nid oedd wedi gwneud y camgymeriad wrth ddweud yr adnod yn y tŷ. Yr adnod oedd, 'Y rhai a ymddiriedant yn yr Arglwydd a ânt rhagddynt ac a ffynnant', eithr dyma a gawsom, 'a ânt rhagddynt ac a fygant', a'r gweddill o'r teulu yn chwysu yn eu sêt.

Weithiau caem ein holi ar ôl dweud ein hadnodau, a byddai gan ambell flaenor ddawn nodedig at wneud hynny, a byddwn i wrth fy modd gyda'r holi hwn. Golygai, yn un peth, y byddai gweddill y seiat yn fyrrach o gymaint â hynny, gan mai sych iawn oedd y gweddill inni, ac eithrio pan fyddai rhywun yn mynd i grio wrth ddweud ei brofiad. Ni wn pam y rhoddai hyn bleser inni, onid am ei fod yn beth gwahanol i arfer. Efallai mai'r un fath y teimlem petai rhywun yn dechrau rhegi yn y seiat. Cofiaf un waith pan oedd un o'r blaenoriaid yn holi ar yr adnodau, iddo ofyn yn sydyn i un bachgen, Evie, Llwyn Celyn, 'Oes gynnoch chi adnod i brofi?' 'Oes,' meddai Evie, 'Yr hen a ŵyr a'r ifanc a dybia.' 'Nid adnod ydy honna,' meddai'r holwr. 'Ia,' meddai Evie, a bu'n daeru am ychydig funudau rhwng y ddau. Nid Evie a roes i mewn ychwaith. Yr un bachgen a fyddai'n rhoi ffugenwau doniol wrth gystadlu, a hynny mewn cystadlaethau y tu allan i'n hardal ni. Fe gynhelid cymanfa blant bob blwyddyn i ryw chwech o ysgolion Sul Dosbarth Uwchgwyrfai, a chynhelid hi un ai yn Rhostryfan neu yng Ngharmel. Byddai arholiadau ysgrythurol wedi digwydd

Wednesday night. I don't know what would have happened to us if we'd recited our verses as badly as children do nowadays. We would have been scared to face our families that night. I don't remember it being difficult learning the verses and the headings of the sermons. But sometimes we would begin to get the verse wrong and no magician could have put us straight. I remember my brother Evan, about five years old, being taught to say, 'Jesus Christ the same yesterday, and today, and for ever'. For the life of him he could not say 'dragywydd' properly. He said, 'yr un ac yn gla-gwy', so of course it became 'glagwy'. All we could do was to stop him saying it in the *seiat*. Another time Evan surprised us in the *seiat* itself. He had made no mistakes when he said his verse at home. The verse was, 'Y rhai a ymddiriedant yn yr Arglwydd a ânt rhagddynt ac a ffynnant' (He that putteth his trust in the Lord shall go forth and prosper), but this was how it came out, 'a ânt rhagddynt ac a fygant', (go forth and suffocate), and the rest of the family sweating in their seat.

Sometimes we were questioned after saying our verses, and some of the deacons were very good at it, and I relished the questions. For one thing it meant that the rest of the *seiat* was that much shorter, and that part was more boring for us, except when someone burst into tears telling their experiences. I don't know why we enjoyed that, except that it was out of the ordinary. Maybe we would have felt the same if someone had burst out swearing in the *seiat*. I remember once one of the deacons was questioning us on the verses, and he suddenly asked a boy, Evie, Llwyn Celyn, 'Have you a verse to test?' 'Yes,' said Evie, 'The old know and the young assume.' 'That's not a verse,' said his interrogator. 'Yes it is,' said Evie, and the argument continued for a few minutes, and it wasn't Evie who gave in either. It was that same boy who thought up comic *noms de plume* when competing in events outside our neighbourhood. Every year a children's festival was held in Rhostryfan or Carmel for about six Sunday schools

ymlaen llaw, ac un tro fe ddaeth y ffugenwau digrif hyn i fyny, 'Dyfrgi o Rosgadfan', a 'Draenog flewog', ac fe'u holrheiniwyd i Evie.

Gwerth diwylliannol oedd i hyn i gyd ac nid gwerth crefyddol, oni ddeuai'r olaf yn anuniongyrchol. Ni ddysgid inni ddefosiwn crefyddol, ond byddai'n rhaid inni barchu'r Saboth. Yr oedd fel rhyw ddeddf anysgrifenedig nad oeddem i fynd trwy'r llidiart ond i'r capel. Yr oedd yn berffaith ddealledig yn ein tŷ ni hefyd nad oeddem i ddarllen papur newydd ar y Sul (sef y papurau wythnosol: ni ddeuai papurau Sul o gwmpas yr adeg honno). Caem ddarllen unrhyw beth arall. Dangosem yr anghysondeb i Mam pan âi hi ati i roi pwyth mewn dilledyn neu irad ar yr esgidiau gwaith, ar nos Sul, ond na, fe wyddai'r Brenin Mawr nad oedd hi wedi cael amser i wneud y pethau hyn yn ystod yr wythnos, ac fe wyddai hefyd ein bod ni wedi cael amser i ddarllen y papur newydd! Yr hyn oedd yn berffaith wir.

Gallwn ysgrifennu ysgrif faith ar y pregethwyr a ddeuai i bregethu i'n capel ni pan oeddwn blentyn, ond gan fod llawer wedi ei ysgrifennu amdanynt gan eraill bodlonaf ar sôn am ryw ychydig o'r rhai mwyaf gwreiddiol. Ysgrifennodd y Parch. H. D. Hughes yn rhagorol ar rai ohonynt yn ei lyfr, *Y Chwarel a'i Phobl*. Nid oedd prinder pregethwyr yn y cyfnod hwnnw, ac yn Arfon, fel lleoedd eraill, yr oedd llawer o rai rhagorol, rhai canolig a rhai sâl. Rhywsut, gwyddem pan oeddem yn blant y gwahaniaeth rhwng pregeth dda a phregeth sâl. Caem feirniadu faint a fynnem arnynt gan Mam, ond nid gan Nhad. Dywedai ef fod pob pregethwr yn gwneud ei orau. Dim ond ar un pregethwr y clywais ef yn rhoi ei lach erioed.

Wrth edrych yn ôl, yr ydym yn dueddol i gymharu ac i gyferbynnu pethau ddoe â phethau heddiw, pobl ddoe â phobl heddiw, a llawer ohonom yn bur bendant fod ddoe yn well ym mhob ffordd na heddiw. Clywch bobl yn dweud bod pregethwyr ers talwm yn llawer gwell na rhai heddiw. Pan ddywedwn beth fel yna yr ydym yn gwneud yr hyn sy'n amhosibl, oblegid ni ellir cymharu pregethwyr dau gyfnod. Yn aml iawn, nid yw'r peth sy'n gweddu i un cyfnod yn gweddu i gyfnod arall o gwbl. At hynny, yr ydym

in the Uwchgwyrfai district. Scripture exams would be held in advance, and when the comic 'Otter from Rhosgadfan' and 'Hairy Hedgehog' came up, they were traced to Evie.

All this was of cultural rather than religious value, unless it brought in religion indirectly. We were not taught devotion to our faith, but we had to respect the Sabbath. It was an unwritten law that we could not go out of the gate on Sunday except to go to chapel. It was understood in our house that we could not read a newspaper on a Sunday (that is, the weekly papers. We did not have Sunday newspapers in those days). We could read anything else. We pointed out the inconsistency to Mam when she put a stitch in a garment or grease on working boots, and on a Sunday night, but no, the Great Lord knew she had no time in the week to do these things, and He also knew that we had plenty of time to read the papers. Which was quite true.

I could write reams about the preachers who came to preach at our chapel when I was a child, but as much has been written of them by others, I will deal with just a few of the most original of them. The Reverend H. D. Hughes has written very well about them in his book, *Y Chwarel a'i Phobl,* The Quarry and its People. There was no shortage of preachers then, and in Arfon, as in other places, some were good, some indifferent, some bad. Somehow we children knew a good sermon from a poor one. We were allowed by Mam to criticise them as much as we wished, but not by Dad. He said every preacher did his best. I only ever heard him say a bad word of one preacher.

Looking back, we are inclined to compare and contrast the things of yesterday with the things of today, yesterday's people with today's people, and many of us are sure that yesterday was better in every way than today. You hear people say that the preachers of the past were far better than those of today. When we say such a thing we are doing the impossible, because the preachers of two different times cannot be compared. Often, something that suits one period does not suit another at all. We have changed too, and were

ni ein hunain wedi newid, a phe byddai'n bosibl inni glywed yr hen bregethwyr heddiw, digon posibl y newidiem ein barn amdanynt. Un peth a anghofiwn am bregethwyr, fel am actorion, ydyw, bod ansawdd eu pregethu neu eu hactio yn dibynnu llawer ar y gynulleidfa. Y gynulleidfa a'i chydymdeimlad yw eu swcr; ac mae'n bur sicr na cheid cydymdeimlad cynulleidfa heddiw â llawer o syniadau'r hen bregethwyr. Ond y mae yna un teip o bregethwr a apelia at bob oes, mi gredaf, a hwnnw yw'r pregethwr gwreiddiol. Mae rhai i'w cael ym mhob oes, mae digon ohonynt heddiw, pregethwyr nad ydynt yn aros efo hen syniadau nac yn symud efo'r oes newydd ychwaith, eithr yn byrlymu o wreiddioldeb ac yn rhoi inni o'u syniadau eu hunain am bethau. Nid wyf am ddweud mai'r bobl hyn yw'r pregethwyr gorau, ond maent yn ffres bob amser.

Pregethwyr felly a erys fwyaf ar fy nghof i, ac nid y rhai a ystyrid yn fawr. Ni chofiaf lawer a ddywedodd y Parch. John Williams na'r Parch. Thomas Charles Williams erioed, ond cofiaf ugeiniau o bethau a ddywedodd y Parchedigion David Williams, Llanwnda, Griffith Williams, Llangoed, Hywel Roberts, Clynnog, a Robert Thomas, Talsarnau. Yr un a gofiaf orau yw David Williams, Llanwnda, am fy mod yn ei glywed yn amlach. Un o nodweddion y pregethwyr gwreiddiol hyn i gyd oedd eu bod yn hollol anymwybodol o broblemau. Pe gofynnech i un o'r rhai a enwyd uchod beth oedd eu barn am y dylifiad Saesneg a dirywiad yr iaith Gymraeg, yr wyf yn sicr yr edrychasent arnoch yn hurt, cystal â dweud, 'Cymro ydw i, ac yng Nghymru yr ydw i'n byw, yng nghanol pobl yr un fath â mi fy hun.' Dyna paham yr oeddynt yn bobl naturiol, pobl yn byw mewn gwlad unieithog (iddynt hwy) oeddynt.

Felly yr edrychwn i ar David Williams bob amser, Cymro heb fod yn ymwybodol ei fod yn Gymro o gwbl. Hen lanc ydoedd, a châi'r gair ei fod yn un reit biwis. Edrychai felly, ond clywais rai a gadwai'r mis yn dweud nad oedd felly o gwbl yn y tŷ. Byddai'n fwy piwis os dôi i Rosgadfan i roi pregeth yn y prynhawn, yn enwedig os byddai wedi gorfod cerdded y filltir serth o Rostryfan. Yr oedd pob dim o'i le arnom wedyn. 'Dau beth cas sydd ynoch chi tua Rhosgadfan

it possible for us to hear the old preachers today, we might take a different view of them. One thing we forget about preachers is that, like actors, the quality of their preaching or acting greatly depends on their audience. The audience and its sympathy is their succour; and probably the sympathy of an audience today would not lie with the ideas of the old preachers. But there is a kind of preacher with timeless appeal, I believe, and that is the true original. There are some of those in every age, and many today, preachers who neither stick to the old ideas nor move with the new, but flow with originality and give us their own unique view of things. I don't say these are the best preachers, but they are always fresh.

It is preachers like this that remain longest in my memory, not those regarded as great. I don't remember much that the Reverend John Williams or the Reverend Thomas Charles Williams ever said, but I recall dozens of things spoken by the Reverends David Williams, Llanwnda, Griffith Williams, Llangoed, Hywel Roberts, Clynnog, and Robert Thomas, Talsarnau. The one I remember best is David Williams, Llanwnda, because I heard him more often. A characteristic all these original preachers had in common was that they were totally oblivious to problems. If you asked one of the afore-named their opinion of the influx of English and the decline of the Welsh language, I am sure they would look amazed, as if to say, 'I am a Welshman, I live in Wales among people like myself.' That is why they were at ease with themselves in what was (to them) a monolingual country.

That is how I always saw David Williams, a Welshman who was not conscious of being a Welshman. He was a bachelor, and was said to be a bit touchy. He looked as if he were, but those whose turn it was to provide the visitor a meal said he was not at all like that in the house. He was more grumpy if he came to Rhosgadfan to preach in the afternoon, especially if he had to walk the steep mile from Rhostryfan. Then we could do nothing right. 'Two nasty things about you in Rhosgadfan. You put the clock behind the preacher's back,

yma, rydych chi'n rhoi'r cloc y tu ôl i'r pregethwr, ac yn cau pob ffenest.' Dro arall, 'Petawn i'n dŵad i bregethu mewn potel i Rosgadfan yma, mi roech gorcyn arna i wedyn.' Dyn canolig o daldra ydoedd, ond gwnâi ei wddw byr iddo edrych yn fyrrach. Byddai ei goler yn cyrraedd yn uchel iawn. Yr oedd ganddo wyneb anghyffredin, wyneb y byddai unrhyw arlunydd yn falch o'i gael. Wyneb wedi ei eillio'n lân, ac eithrio un rhes o flewiach a dyfai ar ei ên a'i gernau o glust i glust. Ni welais mohono erioed yn gwenu heb sôn am chwerthin, ond yr wyf yn sicr ei fod yn chwerthin ynddo'i hun yn aml.

Os deuai i bregethu am Sul cyfan, yn ddieithriad bron fe bregethai ar ddameg neu wyrth yn y bore, a chymerai bwnc go ddwfn yn y nos. Wrth bregethu ar y dyn a aeth i mofyn tair torth yn echwyn cawsom stori ddifyr. Rhoes hanes y cyfaill cyntaf yn cychwyn ar ei daith bell, ac wedi penderfynu y byddai'n cyrraedd cyn iddi dywyllu, ond oherwydd amryw helyntion ar y daith, yr oedd yn hwyr arno'n cyrraedd. Y cyfaill yr ymwelai ag ef yn ei wely, ac yntau'n cnocio'r ffenestr arno. 'Pwy sydd yna?' meddai hwnnw o'i wely. 'Y fi,' meddai'r llall, ac egluro fel y bu hi arno. Y llall yn cofio yn y gwely nad oedd ganddo ddim bara yn y tŷ, ac yn ceisio meddwl am ryw ffordd i guddio hynny. Y cyfaill hwn yn codi o'i wely yn reit ddistaw, yn mynd i'r pantri, yn gwisgo ei *slippers* yn y fan honno, ac yn mynd allan drwy ddrws y cefn i'r tŷ nesaf. [Yr oedd yn rhaid inni gredu, heb iddo ddweud, mai yn y cefn y cysgai'r cyfaill hwn.] Y dyn yma yn flin iawn ei dymer, yn cwyno fod y plant newydd fynd i gysgu, rhai ohonynt wedi cael y ddannodd, a helynt mawr i'w cael i gysgu o gwbl. Y cyfaill arall wedyn yn erfyn arno beidio â gweiddi, rhag ofn i'w ymwelydd ei glywed.

Wrth bregethu ar 'y llawn sicrwydd gobaith hyd y diwedd', dywedodd, 'Peidiwch â gadael i ddiwrnod eich marw fod yn ddiwrnod prysur, fy mhobol i. Peidiwch â gadael i ryw fân dwrneiod fod o gwmpas eich gwely chi efo'u cwils.' Wrth sôn am berthynas y Cristion â Christ, dywedodd fod y ddau yn snug bach yn ei gilydd. Dro arall meddai, 'Byddaf yn diolch i'r Diafol am bryfocio cymaint ar Williams Pantycelyn, er mwyn inni gael yr holl emynau da

and close all the windows.' Another time, 'If I came to preach in a bottle in Rhosgadfan, you'd put the cork in on me.' He was a man of medium height, but his short neck made him look shorter. His collar came up very high. He had an unusual face, a face any artist would be glad to have. Clean-shaven but for a line of hair that grew down his cheeks and chin from ear to ear. I never saw him smile, let alone laugh, but he must have laughed to himself often.

If he came to preach for a whole Sunday he usually preached on a parable or a miracle in the morning, and chose a more profound subject for the night. When he preached on the man who went to borrow three loaves, we got a funny story. He told of the first man, who set off on a long journey, intending to arrive before nightfall, but because of many difficulties on the way, it was late when he arrived. The friend he was visiting was in bed, so he knocked on the window. 'Who is there?' called the friend from his bed. 'Tis I,' said the other, and explained what had happened to him. The man in the bed remembered that he had no bread in the house, and wondered how he could hide this fact from his visitor. He got out of bed very quietly, went to the pantry to put his slippers on, then crept out through the back to go to the house next door. (We had to understand, without being told, that his neighbour slept at the back.) The neighbour was in a bad mood, complaining that his children had just got to sleep, that some of them had toothache, and it was hard enough to get them to sleep at all. The friend begged him not to shout in case his visitor heard him.

Preaching on 'the full certainty of hope until the end', he said, 'Do not let the day of your death be a busy day, my people. Do not have petty lawyers about your bed with their quill pens.' Speaking of the relationship of a Christian with Christ, he said that the two were cosy together. Another time he said, 'I am grateful to the Devil for provoking Williams Pantycelyn so that we have all these fine hymns.' Sometimes

yma.' Weithiau byddai'n newid ei lais yn sydyn i ryw wich fain, yn enwedig yn ei sylwadau ymyl y ddalen. Soniai unwaith am yr uwch-feirniaid, yna newid ei lais, 'Dydw i ddim yn hoffi'r gair "uwch-feirniaid", yma. Uwch na phwy ac uwch na pheth?'

Cofiaf un nos Sul ei fod yn pregethu ar bwnc o athrawiaeth, ac yn mynd ymlaen yn ei lais dwfn, yna yn codi ei lais a dweud, 'Da chi, 'y mhobol i, os oes arnoch chi eisiau pesychu, pesychwch yn gall, peidiwch â phesychu pan fydda i ar ganol gair, neu ar ganol sentans.' Eisteddai teulu o ŵr a gwraig a thri o blant o'n blaenau ni, a dyma'r bachgen wrth ddrws y sêt yn chwerthin dros y capel, a'i fam, a oedd wedi anghofio ei phlant wrth ymgolli yn y bregeth, yn rhoi sbonc. Finnau yn cael ambell bwff o chwerthin, wrth feddwl petai pawb yn dechrau pesychu ar ôl pob atalnod a *comma*. Clywais amdano yn pregethu yn y Dwyran, Sir Fôn, wedi croesi afon Menai yn y Stemar Bach, yn gorffen gweddill y daith mewn brêc. Gan mai ar y Sadwrn y cynhelid marchnad Caernarfon, yr oedd moch bach mewn sachau yn gymysg â'r teithwyr yn y frêc. Ceisiai David Williams ddal y moch draw â'i ambarél. Trannoeth edliwiwyd y moch i'w wrandawyr drwy'r dydd. Yn yr un capel arferai'r plant eistedd gyda'i gilydd yn y bregeth yn y seti blaen, a chymryd nodiadau o'r bregeth mewn llyfrau. Nid da gan yr hen bregethwr mo hyn. Yr oedd arno eisiau sylw ei holl gynulleidfa. 'Da chi 'mhlant i, edrychwch arna i,' meddai, ac wrth y blaenoriaid, 'Pa sens sy mewn dŵad â rhyw rigmant o blant i le fel hyn?' Ef hefyd a ddywedodd wrth y fam a âi allan o'r capel pan griodd ei babi, am ddyfod ag ef i'r sêt fawr, y byddai'n siŵr o gysgu yn y fan honno.

Ni wn gymaint am y pregethwyr eraill a enwais, ond teip y storïwr oeddynt. Clywais Hywel Tudur yn cymryd ei destun o lyfr Esther a dyna'r sylw olaf a gafodd yr adnod honno. Dechreuodd yn yr adnod gyntaf yn y llyfr ac aeth ymlaen i'r diwedd gan roddi fersiwn yr ugeinfed ganrif o'r stori, ac 'Amen' ar y diwedd. Un nodyn a oedd ganddo ef o'r dechrau i'r diwedd, a nodyn sgwrs oedd y nodyn hwnnw. Siaradai'n ddifyr â'r blaenoriaid, ac yr wyf yn sicr pe cymerid tôn ei lais gyda *pitchfork* ar unrhyw fan o'i

he changed his voice to a high-pitched squeak, especially in his asides. He once mentioned higher judges, then his voice changed, 'I dislike that phrase, "Higher judges". Higher than whom, and higher than what?'

I remember one Sunday night he was preaching on a point of doctrine, continuing in his deep voice, then he raised his voice saying, 'For heaven's sake, my people, if you must cough, cough sensibly, don't cough when I'm in the middle of a word, or halfway through a sentence.' There was a family sitting in front of us, a man, his wife and three children, and the boy by the pew door laughed out loud across the chapel, and his mother, who had forgotten her children in her absorption in the sermon, gave a start. I had a few fits of the giggles as I thought of everyone coughing after every full stop and comma. I heard how he went to preach in Dwyran in Anglesey, crossing the river Menai in the Little Steamer, completing the journey in a brake. As it was Saturday when Caernarfon market was held, there were piglets in sacks among the passengers in the brake. David Williams tried to fend off the pigs with his umbrella. Next day his listeners were reminded of the pigs all day. In the chapel the children used to sit together in the front pews during the sermon, and took notes in their books. The old preacher did not like that. He wanted the full attention of the congregation. 'For goodness sake, children, look at me,' he said, and to the deacons, 'Where's the sense in bringing such a gang of children to a place like this?' It was he who also told a woman leaving the chapel when her baby cried, to bring him to the big pew in the front as he'd be sure to fall asleep there.

I don't know as much about the other preachers I named, but they were of the storytelling kind. I heard Hywel Tudur take his subject from the book of Esther, and that was the last time it was mentioned. He began with the first verse in the book, continued with a twentieth-century version of the story, and an 'Amen' at the end. He used one tone from start to finish, the tone of conversation. He conversed interestingly with the deacons, and I am certain that wherever you took the tone of his voice with a pitchfork in any part of the sermon, it

bregeth, mai'r un fyddai. Digwyddodd peth digrif pan bregethai un nos Sul braf o haf yn Rhosgadfan. Capel â'r sêt fawr wrth y drws oedd ein capel ni, ac yn y tawelwch hafaidd a sŵn undon (heb fod yn undonog) y pregethwr, cerddodd iâr i mewn yn hamddenol i'r capel.

Teip gwahanol iawn oedd y Parch. Henry Rawson Williams, Betws-y-coed. Dywedai ef bethau a gyrhaeddai'n o ddwfn, megis, pan ddywedodd yn Rhosgadfan nad oedd gan y blaenoriaid yno ddim gwell i siarad amdano na'r tywydd. Digiodd hyn fy nhaid, ac ni roddodd gyhoeddiad iddo wedyn. Ond fe ddaeth Mr Williams o Rosgadfan ym mlwyddyn cyhoeddiadau fy nhaid er hynny, ac ni chafodd ef ei hun byth wybod sut. Ond fe aethai blaenor ieuanc i'r cyfarfod misol gyda'm taid ac aeth i'w boced am ei ddyddiadur. Aeth at Mr Rawson Williams a chael cyhoeddiad ganddo, a medru rhoi'r dyddiadur yn ôl yn ei boced heb i'm taid sylwi dim. Aeth rhyw ddyn at yr hen bregethwr o Fetws-y-coed unwaith, ar ddiwedd yr oedfa, a dweud na chydwelai â'i osodiadau. 'Wyt ti'n credu hanner yr hyn ddywedais i?' meddai. 'O ydw,' ebe'r dyn. 'Wel,' meddai'r pregethwr, 'os caf i bawb i gredu hanner fy mhregethau, mi fyddwn i'n reit dawel.' Yr oedd ei wisg ef yn wahanol i bawb; gwisgai gôt a chêp ar ei rhan uchaf (*Inverness*) a het a chantel crwn, yr un fath â Daniel Owen.

93

would be the same tone. Something funny happened one fine summer evening in Rhosgadfan. Ours was a chapel where the Big Pew was by the door, and into the summery stillness and the one-toned (though not monotonous) sound of the preacher, a hen walked calmly into the chapel.

The Reverend Henry Rawson Williams, Betws-y-coed, was quite a different sort. He said things that cut deep, such as when he said in Rhosgadfan that the deacons had nothing better to talk about than the weather. This offended my grandfather, and he did not offer him an engagement after that. Even so, Mr Williams did come to Rhosgadfan the year my grandfather was arranging the engagements, and he never understood how. A young deacon attended the monthly meeting with my grandfather, and he took his diary from his pocket. He approached Mr Rawson Williams and fixed an engagement, and managed to put the diary back in my grandfather's pocket without his noticing. A man once went up to the old preacher from Betws-y-coed at the end of the service, and said he didn't agree with what he had said. 'Do you agree with half of what I said?' Oh, yes,' said the man. 'Well,' said the preacher,' if I can get everyone believing half my sermon I'd be content.' His clothes were unusual. He wore a coat with a cape on the shoulders, (an Inverness), and a hat with a round brim like Daniel Owen.

V

Mathau Eraill o Ddiwylliant

Yr wyf wedi sôn am ein cylchwyl lenyddol ni yn *Traed Mewn Cyffion*, felly byr fydd ei hanes yma, er ei bod yn rhan bwysig o ddiwylliant ardal. 'Eisteddfod' y gelwir peth tebyg iddi heddiw, peth llawer llai. Uno y byddai Rhosgadfan a Rhostryfan yn y gylchwyl, a chynhelid hi brynhawn a nos Nadolig a'r noson cynt. Ei phwysigrwydd oedd y paratoi mawr ar ei chyfer, yr oedd y cystadlaethau mor niferus ac mor amrywiol. Byddai Rhostryfan fel cwch gwenyn am tua mis o flaen y cyfarfod, pan gynhelid yr arholiadau ysgrifenedig, a'r arholiadau llafar i'r plant lleiaf. Heblaw yr arholiadau hyn mewn gwnïo, yn yr Ysgrythur, traethodau, cyfieithu, arholiadau ar lyfrau a llenyddiaeth Gymraeg (cyfunid y llyfrau a astudiem yn yr Ysgol Sir â'r rhai hyn weithiau), byddai cystadlaethau y gallem eu gwneud gartref hefyd. Hyn i gyd yn ychwanegol at yr adrodd, y canu, y ddadl rhwng dau. Ni fyddwn i byth yn cystadlu ar y pethau cyhoeddus ond cystadlwn ar yr arholiadau, a byddwn yn ddigon digwilydd i gystadlu mewn arholiadau i rai hŷn na mi o lawer. Credaf fod testunau'r arholiadau hyn o safon uchel iawn, ac i Mr Gilbert Williams yr oeddem i ddiolch am hynny ac am lwyddiant yr ŵyl.

Ni chofiaf o gwbl faint oedd fy oed yn cystadlu y tro cyntaf – credaf mai oddeutu saith. Ni chofiaf ychwaith beth oedd yr arholiad, ond mae'n sicr mai arholiad llafar ar y maes llafur ydoedd. Ond cofiaf yn iawn mai grôt a gefais, a chofiaf imi redeg adref y filltir sydd rhwng Rhosgadfan a Rhostryfan â'm gwynt yn fy nwrn, a rhoi'r grôt ar y bwrdd i Mam a dweud, 'Dyna nhw i chi, digon i brynu torth a chnegwarth o furum.' Yr oedd rhywun acw, fy Modryb Ann, mae'n debyg, a ddeuai bob noson cyn y Nadolig efo anrhegion inni. Chwarddodd pawb, gan ei fod yn gyfuniad mor anghywir. Tair ceiniog oedd pris torth go fechan y pryd hynny, ond anaml y prynem dorth siop. Ond digon tebyg mai'r hyn a gofiwn i oedd, y byddai Mam yn fy anfon i i'r siop i nôl torth a burum, os digwyddai fod yn brin o fara cyn

V

Other Kinds of Culture

I have written about our literary festival in *Traed Mewn Cyffion* (Feet in Chains), so its mention here will be brief, even though it is an important part of neighbourhood culture. A similar event today is called an 'Eisteddfod', a much smaller event. Rhosgadfan and Rhostryfan combined for the festival, and it was held on Christmas afternoon and night, and on the previous evening. Its significance lay in its great preparations, the competitions so many and various. Rhostryfan would be like a hive of bees for two months before the festival, when written exams were held and oral exams for the younger children. Apart from these exams in sewing, in the Scriptures, essays, translation, tests on books and Welsh literature (the books we studied in Sunday school were sometimes included), there were competitions we could do at home too. All this in addition to the recitation, the singing, the debate between two people. I never competed in the public events, but I competed in the exams, and I had the nerve to try exams for those far older than I was. I believe that the texts for those exams were of a very high standard, and we have Mr Gilbert Williams to thank for that, and for the success of the festival.

I don't remember at all how many of my age were competing for the first time – about seven, I think. Nor do I recall what exam it was, but it must have been an oral exam on the set subject. But I do remember well that I was given a four-penny piece and I remember running the mile home between Rhosgadfan and Rhostryfan with my breath in my fist, and putting the four-penny piece on the table and saying to Mam, 'There you are, enough to buy a loaf and a pen'orth of yeast.' Someone was in the house, my aunt Ann, probably, who came every Christmas with presents for us. Everyone laughed because it was an incongruous combination. Threepence was the price of a small loaf. Probably what I remembered was Mam sending me to the shop to fetch a loaf and some yeast, if she happened to be running low on bread the day before

y diwrnod yr arferai hi bobi arno, oblegid yr oedd diwrnod i bob dim y pryd hynny.

Dau beth yr edrychid ymlaen atynt ym mhrif gyfarfod y gylchwyl nos Nadolig fyddai'r araith bum munud ac anerchiadau'r beirdd. Rhoddid testun yr araith ymlaen llaw yn y rhaglen, ond er hynny ychydig a gystadlai. Byddai un cystadleuydd cyson bob blwyddyn, sef Evan Williams, y Gerlan. Am wn i mai ei gystadleuaeth ef oedd hi erbyn y diwedd. Dyma ddiwedd ei araith ar 'Ffair Gaeaf' un tro: 'a dyna lle byddan nhw bora Sul yn chwys dyferyd yn llnau eu sgidiau'. Brawddeg gynhwysfawr y pryd hynny.

Âi nifer o'r beirdd ymlaen i'r llwyfan i adrodd penillion ar bynciau'r dydd yn y pentref. Y mwyaf parod ei ddawn oedd Henry O. Jones, Pant Golau (Carmel wedyn). Byddai ei anerchiad ef yn myned ymlaen o flwyddyn i flwyddyn ar yr un mesur, a'r un byrdwn. Gallai adrodd ei waith yn hollol fel y dylid adrodd penillion o'r math yna. Cofiaf ddau bennill, un am G. W. Jones, Prestatyn, y cyfeilydd, a wasanaethai bob blwyddyn yn yr ŵyl, a'r llall am David Williams, Tan 'Rallt, un o fechgyn disglair Rhostryfan, gwyddonydd a aeth allan i Ddeau Affrica, oherwydd ei iechyd, ac a fu'n athro yn un o golegau Johannesburg. Dyma'r unig ddau bennill a gofiaf o gyfres hir iawn:

> Griffith William Jones, chwi wyddoch,
> Mae efe fel un ohonoch,
> Bob Nadolig, daw fel hosan,
> I Eisteddfod fawr Rhostryfan.
>
> Boi o'r Rhos sydd yn arholi
> Prif golegau Cape Coloni,
> Fe fu hwnnw'n hogyn bychan
> Yn Eisteddfod fawr Rhostryfan.

Pethau heb fod yn llawer o werth, meddwch chi, nage'n wir. Penillion fel hyn am bobl a adwaenem oedd rhwymyn y cyfeillgarwch a'r gymdeithas dda a fodolai yn y gymdogaeth, ac a roddai falchder inni oherwydd iddynt wneud rhywbeth.

baking day, because in those days there was a day for everything.

Two things to look forward to in the main festival meeting on Christmas night were the five-minute speech and the poets' address. The subject of the speech was announced in advance in the programme, but even so, few competed. There was one regular competitor every year, Evan Williams, Gerlan. I suppose in the end it became his own competition. This is the conclusion of his speech one year on 'The Winter Fair': 'and there they were Sunday morning dripping with sweat cleaning their shoes.' A comprehensive sentence at the time.

A few poets went onto the stage to recite verses on the subject of the day in the village. The most ready with this skill was Henry O. Jones, Pant Golau (and later Carmel). His performance continued year after year in the same metre, the same message. He could recite his work just as such verses should be recited. I remember two verses, one about G. W. Jones, Prestatyn, the accompanist, who helped every year in the festival, and the other about David Williams, Tan 'Rallt, one of the bright Rhostryfan boys, a scientist who went to South Africa because of his health, and was a teacher in a college in Johannesburg. These are the only two verses I remember from a very long sequence:

> Griffith William Jones, you know,
> He's like one of you,
> Comes like a stocking every Christmas
> To Rhostryfan's great Eisteddfod.
>
> A lad from the Rhos examines
> Cape Colony's top colleges
> He that was a little boy
> In Rhostryfan's great Eisteddfod.

Such things are worth little, you'll say. But no. Verses such as these about people we knew were the cords binding friendship and a good society in the neighbourhood, and gave

Yn y fan yna y deuai'r gynulleidfa nesaf i fod yn rhan o'r hyn a ddigwyddai ar y llwyfan.

Pan oeddwn i'n fychan iawn agorwyd siop lyfrau yn Rhosgadfan, mewn adeilad pren, gan J. R. Williams, Aber Alaw, wedi hynny. Credaf na werthid dim ynddi ond y pethau arferol a werthir gyda llyfrau, pinnau dur, *rulers*, marblis, etc. Wedi i J. R. Williams briodi, a mynd i'w dŷ ei hun, daliodd y siop ymlaen, yn rhan o'i dŷ. Yn sicr, dyma'r fendith fwyaf a gafodd ardal erioed. Er nad oeddem ond pedair milltir go helaeth o Gaernarfon, costiai swllt inni fynd yno ôl a blaen efo brêc, ac yr oedd swllt yn llawer iawn y pryd hynny. Felly, yr oedd yn anodd iawn inni brynu'r llyfrau a ddeuai allan o'r wasg. Credaf fod yr arferiad i werthwr llyfrau fyned o gwmpas y chwareli newydd orffen. Ni chofiaf fi fy nhad yn prynu llyfrau yn y chwarel, ond yr oedd acw lawer o lyfrau yn y tŷ wedi eu prynu felly ar un adeg, un ohonynt oedd *Taith y Pererin*, llyfr anferth ei faint, gydag ymylon aur i'r dalennau, a chlesbin i'w gau. Costiasai £3, ac mae'n sicr mai talu wrth y mis a wneid. Cofiaf y byddai J. R. Williams yn dyfod â'r cylchgronau i'r capel i bawb, pob cylchgrawn, y rhai enwadol a'r rhai cenedlaethol, gydag enw'r tŷ arnynt. Cofiaf fel y byddem yn rhuthro o'n seti ar y Sul cyntaf yn y mis, a stwffio at y ffenestr yn y lobi lle byddai'r cylchgronau, er mwyn cael rhedeg adref efo hwy, a chael eu darllen yn gyntaf. I blant heb chwarter digon i'w ddarllen, byddai blas neilltuol ar *Drysorfa'r Plant*, *Cymru'r Plant*, *Y Cymru Coch*, *Yr Ymwelydd Misol*, etc. Ar ddiwedd y flwyddyn y talem y bil, a byddai Mam yn bygwth rhoi'r gorau i'r cylchgronau i gyd y flwyddyn wedyn, am y byddai yn gymaint i'w dalu ar ddiwedd blwyddyn. Ond ni roes ei bygwth erioed mewn grym. Câi ormod blas arnynt, a buasai'n darllen llawer mwy ohonynt petaent i'w cael. Cofiaf yrŵan y fath hyfrydwch a gaem wrth ddarllen 'Y ddau hogyn rheiny' gan Winnie Parry yn *Cymru'r Plant* a storïau Fanny Edwards.

Yr oedd nofelau Daniel Owen gennym wrth gwrs, ond allan ar fenthyg y byddent gan amlaf, ac yn mynd ar goll. *Y fun o Eithinfynydd* hefyd. Cofiaf imi ddarllen y nofel honno pan oeddwn tua thair ar ddeg oed, neidio dros y farddoniaeth,

us pride in what they did. In this the audience came closest to what happened on stage.

When I was very small a bookshop was opened in Rhosgadfan by J. R. Williams, in a wooden building, later Aber Alaw. I don't think it sold anything but the usual things that are sold with books: steel pens, rulers, marbles, etc. When J. R. Williams married and went to his own house, the shop carried on as part of his house. This was definitely the greatest blessing a neighbourhood ever had. Although we were only a good four miles from Caernarfon, it cost a shilling return by brake, and a shilling was a lot in those days. Therefore it was very difficult for us to buy books that came from the publishers. I think the habit of selling books round the quarries had come to an end. I don't remember my father buying books at the quarry, but there were lots of books in the house that were bought that way in the past. One of those was *The Pilgrim's Progress*, a big book with gold-edged pages and a clasp to close it. It cost three pounds, and must have been paid for monthly. I remember that J. R. Williams brought the magazines to chapel for everyone, all magazines, the denominational and the national ones, with the name of the house written on them. I remember how we would rush from our seats on the first Sunday of the month and press against the window in the lobby where the magazines would be, so that we could race home with them, to be first to read them. To children without a quarter enough to read there was special pleasure in *Trysorfa'r Plant* (A Children's Treasure Chest), *Cymru'r Plant* (Children's Wales), *Y Cymru Coch* (Red Wales), *Yr Ymwelydd Misol* (The Monthly Visitor) etc. We paid the bill at the end of the year, and Mam would threaten to give up all the publications next year, because it was so much to pay out at the end of the year. But she never acted on her threat. She got too much pleasure from them herself, and would have read many more if she could. I can remember now the pleasure I had reading 'Those Two Boys' by Winnie Parry in *Cymru'r Plant*, and Fanny Edwards' stories.

Of course we had Daniel Owen's novels, but they were always out on loan and would go missing. *Y fun o Eithinfynydd* too (The Girl from Eithinfynydd). I remember reading that

a mwynhau fy nagrau dros y gweddill. Nofelau Gwyneth Vaughan hefyd, ond ni chawn lawer o flas arnynt hwy. Hanes Owen Owens, Cors y Wlad, a rhyw nofel iasoer iawn o'r enw *Habaccuc Crabb*. Credaf mai cyfieithiad oedd hon. Ac wrth gwrs, *Caban F'ewyrth Twm*. Yr oedd acw lawer iawn, o ôl-rifynnau o *Trysorfa'r Plant* wedi eu rhwymo, a chaem lawer iawn o bleser wrth eu darllen. Yr oedd gennyf biti dros y plant, nid y rhai a ddarllenai'r rhifynnau hynny pan ddeuent allan, ond y rhai yr oedd eu hanes ynddynt. Yr oedd rhywbeth yn drist iawn i mi ym mhlant y saith degau ffordd yna. Y llyfr barddoniaeth mwyaf poblogaidd yn ein tŷ ni oedd gwaith Eben Fardd, casgliad Hywel Tudur. Credaf fod Mam wedi prynu'r copi gan un o'r gwerthwyr teithiol, a gallaf ddyfalu ei bod wedi ei werthfawrogi byth oddi ar hynny, oherwydd fod ei brynu wedi golygu cryn aberth iddi. Darllenodd ef lawer gwaith, a thrysorodd lawer ohono ar ei chof, a chlywem ninnau ddarnau helaeth ohono yn ysbeidiol. Yr oedd Eben Fardd yn fwy poblogaidd yn fy nghartref na Cheiriog, yr hyn sy'n rhyfedd iawn. Un rheswm heblaw'r uchod, mi gredaf, ydoedd am nad oedd gweithiau Ceiriog yn gryno efo'i gilydd, eithr yn rhannau. Mae pethau rhyfedd iawn yn gwneud i rywun hoffi llyfr neu beidio. Y llyfr y caem stôr o wybodaeth ohono oedd *Cymru Fu*. Yr oedd rhywbeth yn awyrgylch y llyfr hwnnw a'i gwnâi'n wahanol i bob llyfr arall.

Hoffwn gyfeirio hefyd at ddiwylliant y caban yn y chwarel. Byddai yno drafod pynciau crefyddol (a chyfarfodydd gweddïo yn ystod Diwygiad 1904–5) a gwleidyddol; byddai yno bractis côr, a phawb yn cymryd diddordeb ynddo. Weithiau deuid â phiano i'r chwarel at y practis. Yng nghyfnod bore fy nhad yn chwarel y Cilgwyn, byddai rhywun yn darllen *Y Faner Fawr* a'r *Faner Fach* bob awr ginio, o'r ddalen gyntaf hyd yr olaf, oherwydd na fedrai rhai o'r chwarelwyr ddarllen yn y 1860au a'r 70au. Câi llyfrwerthwyr teithiol bob derbyniad yn y chwareli, prynai'r chwarelwyr lyfrau a thalu wrth y mis. Nid yw diwylliant o'r math yma yn bod yn y chwareli heddiw.

Nid oes gennyf atgofion hapus am fy addysg gynnar, ar wahân i chwarae efo'r plant a'r crwydro yn yr awr ginio.

novel when I was about thirteen years old, skipping the poetry and enjoying a weep over the rest. The novels of Gwyneth Vaughan too, though I didn't get much pleasure from them. The story of Owen Owens, *Cors y Wlad*, The Bog Country, and a spine-chilling novel called *Habaccuc Crabb*. I think that was a translation. And of course, *Caban F'ewyrth Twm* (Uncle Tom's Cabin). There were many old numbers of *Trysorfa'r Plant* bound together, and I took a great deal of pleasure reading them. I felt sorry for the children, not those who read them when they were new, but the children whose stories were in them. There was something very sad to me about the children of the '70s. The most popular poetry book in our house was the work of Eben Fardd, Hywel Tudur's collection. I think Mam bought it from one of the travelling salesmen, and I can imagine how she enjoyed it ever after, because buying it cost her great sacrifice. She read it many times, and committed much of it to memory, and we would listen to long passages of it from time to time. Eben Fardd was more popular in my home than Ceiriog, which is very strange. Apart from the above, I believe the reason was that the works of Ceiriog were not collected, but were published separately. Odd things make us like a book or not. The book which was a fund of knowledge was *Cymru Fu*. Something about the atmosphere of that book made it different from all others.

I would also like to mention the culture of the quarry cabin. There would be discussion on religious subjects (and prayer meetings during the Revival of 1904–5) and politics; there would be choir practice, with all taking an interest in it. Sometimes a piano was taken to the quarry to the rehearsal. In the early period when my father was in Cilgwyn quarry, someone would read *Y Faner* and *Y Faner Fach* every lunchtime, from the first page to the last, because in the 1860s and '70s some of the quarrymen could not read. Travelling booksellers were welcome in the quarries; the quarrymen bought books and paid monthly. There is no culture like that in the quarries today.

I don't have happy memories of my early school education, apart from playing with the children and wandering out in the

I Rostryfan yr awn i i'r ysgol ac yr oedd y ffordd yn rhy bell i fynd adref i ginio. Aem â'n brechdanau gyda ni a'u bwyta ar frys: os byddai'r tywydd yn braf aem allan i grwydro. Cofiaf o hyd am y ddaear yn deffro yn y gwanwyn, y cynhesrwydd yn codi o'r ddaear gyda sŵn pan aem i gasglu briallu hyd ochrau'r nentydd yn ein bratiau ar ôl diosg cotiau'r gaeaf.

Ni allaf gofio fawr am fy nyddiau cyntaf yn yr ysgol, dim ond ein bod yn cyfrif myclis ar wifren. Nid adroddid storïau wrthym am Gymru nac unrhyw wlad arall. Ar wahân i roi hapusrwydd inni ar y pryd, fe fyddai'r chwedlau yn ein cof weddill ein dyddiau.

Ni chofiaf o gwbl imi gael gwersi diddorol yn yr ysgol ychwaith. Nid rhaid imi ddweud wrth neb o'm cyfnod mai dysgu rhes o ddigwyddiadau a dyddiadau oedd dysgu hanes, ac mai dysgu enwau penrhynoedd, mynyddoedd, baeau, etc., oedd dysgu daearyddiaeth. Llafarganem y rhai hyn fel corws, y dôn yn ei ffurfio ei hun wrth inni fynd ymlaen. Ni wnâi'r llyfrau a gaem i ddysgu daearyddiaeth ddim byd ond gofyn cwestiynau a rhoi'r atebion, a ninnau'n dysgu'r atebion fel parotiaid. Dyma un a gofiaf, 'What are the products of the Ganges basin?' – 'Sugar, cotton, indigo, rice, wheat, opium, tobacco, hemp.' Dysgu'r atebion ar gof y byddem, ac ni roddid unrhyw syniad inni beth oedd cefndir bywyd y trigolion na sut y tyfid y pethau hyn. Cofiaf ryw lyfrau darllen a fyddai gennym a'u hamcan yn ddeublyg, sef dysgu inni ddarllen Saesneg, a dysgu inni am natur. Sgyrsiau am natur rhwng tad a'i blant oedd y llyfr, a'r dywediad pwysicaf a gofiaf ynddo oedd, 'said Fred'. Yr oedd y pethau a ddywedai'r Fred hwn am natur yn gwneud imi ei gasáu, ac i'm dychymyg i, y pryd hwnnw hyd yn oed, yr oedd y bobl yn bwysicach na dim a ddywedent. Gallaswn lofruddio'r Fred hwn a'i dad gyda phleser.

Y pwnc a roddid mwyaf o sylw iddo yn yr ysgol fyddai rhifyddiaeth, neu 'syms' fel y galwem ef. Y peth cyntaf yn y bore, yn ein sefyll, fyddai rhifyddiaeth yn y pen (*mental arithmetic*) a'r cyflymaf a chywiraf ei feddwl yn pasio i fyny yn nes i ben y cylch. Yna aem i'n desgiau a chael rhifyddiaeth a gweithio syms ar ein llechi, yn ddiweddarach, mewn

dinner hour. I went to school in Rhostryfan, and it was too far to go home for dinner. We took sandwiches with us and ate them in a hurry: we went out for a wander if the weather was fine. I still remember the earth waking in spring, the sound of warmth rising from the soil when we went collecting primroses on the banks of the stream in our aprons, having shed our winter coats.

I don't remember much about my first days at school, except that we counted beads on a wire. We were told no stories about Wales or any other country. Apart from giving us pleasure at the time, the tales would have stayed in our memories for the rest of our days.

I don't remember having interesting lessons at school either. I don't need to remind anyone of my generation that learning history consisted of learning lists of events and dates, and that memorising names of peninsulas, mountains, bays etc was learning geography. We chanted them like a chorus, the tune forming as we went along. The books from which we learned geography consisted of nothing but questions and answers, and we learned the answers parrot-fashion. Here is one I remember. 'What are the products of the Ganges basin?' 'Sugar, cotton, indigo, rice, wheat, opium, tobacco, hemp.' We would learn the answers off by heart, and were given no idea of the background of the lives of the inhabitants, or of how these things were grown. We were given some books for a double purpose, to teach us to read English and to learn about nature. The books consisted of conversations about nature between a father and his children, and the most important phrase I remember was 'said Fred'. The things Fred said about nature made me hate him, and to my mind, even then, the people were presented as more important than anything they said. I could have murdered that Fred and his father with pleasure.

The subject that received most attention in school was arithmetic, or sums as we called it. First thing in the morning, standing on our feet, was mental arithmetic. And whoever was mentally quickest and most accurate moved closer to the head of the circle. Then we went to our desks and did arithmetic and working out sums on our slates, later in

copïau. Felly bob dydd, hyd onid oeddem wedi gwneud digon o rifyddiaeth cyn gadael yr ysgol elfennol, ar gyfer arholiad Gadael Ysgol y Bwrdd Canol, ac eithrio dwy adran fechan. Byddwn yn hoffi'r pwnc hwn, yn enwedig os caem broblem i'w datrys, heb gyfarwyddyd sut i fynd ati. Caem eistedd yn y wers wnïo, ac i sgrifennu traethodau hefyd; am y gweddill o'r gwersi, sefyll bob amser a slaes efo chansen ar draws ein traed, os deuem dros y llinell sialc. Y wers y caem fwyaf o lonyddwch a heddwch ynddi fyddai gwnïo.

Ni chofiaf yn iawn beth oedd cyfrwng ein haddysg – credaf mai hanner yn hanner o Gymraeg a Saesneg. Byddai'n anobeithiol i neb allu dysgu dim inni yn Saesneg yn gyfan gwbl, gan na ddeallem ddim o'r iaith honno. Cofiaf i'r prifathro geisio am un wythnos ein rhwystro rhag siarad Cymraeg, drwy ein curo os gwnaem hynny. Ond dim ond am wythnos y parhaodd hynny. Mae'n debyg iddo weld ei bod yn anobeithiol ein rhwystro. Fe ddysgid y Gymraeg inni fel pwnc, gramadeg, a chyfieithu yn unig, allan o ryw lyfr coch. Byddem yn cydadrodd gyda'n gilydd, 'Canaf, ceni, cân', etc. Pan arholid ni yn y pethau hyn ar ein pennau ein hunain, ni fedrwn i byth ddweud, 'Canaf, ceni, cân', yn gywir. Ond medrwn eu defnyddio yn gywir iawn mewn brawddegau, diolch i'm haddysg yn yr ysgol Sul. Ni ddysgem farddoniaeth Gymraeg fyth, ac eithrio dau ddarn y cofiaf eu dysgu yn ysgol y babanod, sef 'Wrth ddychwel tuag adref' ac 'Aros mae'r mynyddau mawr'. Dysgem beth barddoniaeth Saesneg, Shakespeare gan mwyaf. Fel yn y Gymraeg, gramadeg Saesneg a bwyid i'n pennau. Ie, 'pwyo' yw'r gair, oblegid wrth ddysgu dadelfennu brawddeg a dosbarthu gwaith geiriau mewn brawddeg ('analeisio' a 'pharsio', fel y galwem hwynt), dysgu fel parot y byddem, cael enghreifftiau wedi eu paratoi, ac yna dweud y rheiny a'r dadelfennu, etc., ar ôl yr athro lawer gwaith.

Caem ein curo am bob dim, am fod yn hwyr, am fethu ateb, am siarad ac am bob drygioni. Daeth rhyw chwiw wirion i'r ysgolion o ddal eich pìn dur mewn ffordd neilltuol i ysgrifennu, drwy ddal eich bysedd allan i gyd yn wastad ar y pìn. Llyncodd y prifathro y chwiw, a deuai o gwmpas gyda chansen. Os gwelai figwrn i fyny, i lawr â'r gansen yn

copybooks. The same thing every day until, by the time we left the primary school, we had done enough arithmetic for the School Leaving Exam of the Central Board, except for two small sections. I liked this subject, especially if we were given a problem to solve without instructions about how to solve it. We were allowed to sit down during sewing lessons and also to write essays. In all other lessons it was standing only, and a lash of the cane across our feet if we overstepped the chalk line. The lesson where we had most peace and quiet was sewing.

I don't quite remember which language was the medium of our education. I think it was half Welsh and half English. It would have been useless for anyone to teach us anything wholly in English, as we did not understand that language. I remember the headmaster trying for one week to stop us speaking Welsh by beating us when we did. It lasted just a week. He probably saw that it was useless to stop us. Welsh was taught as a subject, just grammar and translation, out of a red book. We would chant in unison, 'I sing, you sing, he sings', and so on. When we were tested individually on these things I could never say 'I sing, you sing, he sings' correctly. But I could use them perfectly in sentences thanks to my education in Sunday school. We learned no Welsh poetry, except for two pieces I remember learning in the infants school, 'Wrth ddychwel tuag adref' (Coming Home), and 'Aros mae'r mynyddau mawr' (The Great Mountains Remain). We learned some English poetry, mainly Shakespeare. Just as in Welsh, it was English grammar that was battered into our heads. Yes, battered is the word, because in learning to deconstruct a sentence (parsing and analysis as it was called), we were given sentences as examples which we learned parrot-fashion, taking them apart and repeating them over and over after the teacher.

We were beaten for everything, for being late, for not answering, for talking and for every little misdemeanour. The latest silly fad in education was a new way to hold your steel pen as you wrote, holding all your fingers straight along the pen. Our headmaster swallowed the new fad, and came around with a cane. If he spotted a raised knuckle, down came the cane hard on the knuckle, and that in winter, when our

galed ar y migwrn, a hynny yn y gaeaf pan fyddai'r grepach ar ein dwylo. Fy mhechod parotaf i oedd siarad yn y gwersi anniddorol. Os na byddai diddordeb yn y wers, yna creai geneth arall a minnau ein diddordeb ein hunain drwy wau stori yn ddistaw efo'n gilydd. Stori am anifeiliaid fyddai'r stori hon, a'r prif gymeriad ynddi, o bob dim, fyddai dafad fawr ddylach na'r cyffredin. Âi'r stori ymlaen o ddiwrnod i ddiwrnod, a thyfodd yn saga fawr. Stori ddigrif oedd, ac felly y caem ein dal, pan ddoem i'r troeon digrif yn y stori. 'Dwn i ddim ba sawl slap a gefais i a'm cyfeilles ar gorn y ddafad honno.

Anaml iawn y deuai dim i amrywio ar undonedd bywyd yr ysgol. Caem lawenydd mawr pan ddôi Mr Hughes, y Post, Rhostryfan, i rannu orenau inni cyn y Nadolig. Cofiaf unwaith i ddyn ddyfod i'r ysgol efo arth ac i daflu ei lais. Gwnaed llwyfan bach iddo yng nghornel yr ystafell fawr. Ni chofiaf fawr am y perfformiad, ac y mae'n rhaid na fwynheais ddim arno. Aethai'r stori ar led y gallasai'r arth ein bwyta, a chofiaf na theimlais yn ddiogel nes imi gyrraedd adref y noson honno.

Dro arall y tynnwyd y partisiynau i lawr oedd i gael araith ymadawol y plismon plant. Daethai ei dymor i ben, a chafodd yntau annerch yr holl ysgol. Wedi iddo gyrraedd ei berorasiwn gofynnodd yn rheithegol, 'A oes yma unrhyw blentyn a fedar ddweud mod i wedi gwneud cam â fo yn ystod yr amser y bûm i'n treio eich cael i'r ysgol?' Ar hynny dyna law yn saethu i fyny o ganol y dyrfa plant. Llaw Griffith Jones, a alwem yn 'gwas bach', bachgen bach heb fod yn gryf ei iechyd. Yn hollol hunanfeddiannol, gofynnodd Eos Beuno, 'Wel, Griffith Jones 'y machgen i, pa gam wnes i â chi erioed?' 'Dim byd,' ebe G. Jones, 'dyn ffeind iawn gwelis i chi bob amser.' Ond ni chafodd Eos Beuno afael ar ei berorasiwn wedyn.

Byddai'n dda gennyf bob amser weld prynhawn yn dyfod i'w ddiwedd. Ar ddiwrnod glawog cyrhaeddem adref yn wlyb diferyd, ond byddai dillad sych yn y popty bach wrth ochr y tân yn ein disgwyl, a thamaid cynnes i'w fwyta. Yn y gaeaf byddai adeg swper chwarel mor agos i'r amser y deuem o'r ysgol fel na byddai amser inni gael te, dim ond

fingers were numb with cold. My most frequent sin was to talk in boring lessons. If the lesson was dull then another girl and I would make our own interest by creating a story together quietly. The story was about animals, and the main character was a sheep who was stupider than normal. The story grew from day to day, and became a great saga. It was a funny story, which was why we were caught, when we came to the comical parts of the tale. I don't know how many slaps I had because of that sheep.

Things rarely happened to relieve the boredom of school life. We enjoyed it when Mr Hughes, the Post, Rhostryfan, came to give out oranges before Christmas. I remember once a man came to school with a bear, and to throw his voice. A small stage was erected for him in a corner of the big room. I don't remember much about the performance, so I can't have enjoyed it. A rumour went around that the bear could eat us, and I remember I didn't feel safe until I got home that night.

The other occasion when the partitions were taken down was for the truancy officer's farewell speech. His term of service had come to an end, and he was allowed to address the whole school. As he approached his conclusion, he asked rhetorically, 'Can any child say that I ever treated him unfairly when I tried to get him to school?' At that a hand shot up in the middle of the crowd of children. The hand of Griffith Jones, 'gwas bach' (little servant) we called him, a small boy whose health wasn't good. Absolutely confident, Eos Bowen asked, 'Well, Griffith Jones, my boy, what ill did I ever do to you?' 'Nothing,' said Griffith Jones, 'you were always kind.' But Eos Bowen didn't get to grips with his conclusion after that.

I was always glad to see the afternoon come to an end. On a rainy day we'd arrive home drenched, but there would be dry clothes waiting in the warming oven by the fire, and a hot snack. In winter our quarry supper time was so close to when we got in from school that there was no time to have tea, just

powlied o botes. Yna, wedi clirio'r bwrdd ar ôl bwyd byddai pawb â'i ben yn ei lyfr cyn nesed i'r lamp ag y byddai modd. Llyfrau Cymraeg fyddai'r rhai hynny bob amser, ac ynddynt hwy y caem ddiddordeb, nid yn y llyfrau ysgol.

Dylwn ychwanegu hyn am fy addysg:

Daeth y diweddar Mr Huw J. Huws, a fu'n drefnydd athrawon Cymraeg ysgolion Caerdydd am flynyddoedd lawer, yn athro i Rostryfan pan oeddwn i yn y pedwerydd safon, ac oherwydd i'r athro hynaf ymfudo i America y flwyddyn ddilynol, gwnaed Mr Huws yn athro hynaf, a bu gyda ni yn y pumed, chweched a'r seithfed safon. Yr oedd yn athro gweithgar iawn, ac yr oeddwn wedi cyrraedd oed erbyn hynny i allu cymryd mwy o ddiddordeb mewn pethau a oedd yn anniddorol imi gynt. Deuthum i hoffi'r gwersi hanes; cofiaf y byddai'n rhoi un wers yr wythnos inni ar hanes datblygiad y Senedd. Daethom i wybod rhywbeth am Shakespeare hefyd. Mae'n wir mai darnau adrodd oedd y darnau, ond byddai ef yn egluro'r cysylltiadau inni, fel y deuem i wybod rhywbeth am y dramâu eu hunain.

Ar ôl i Mr Huws fyned i Gaerdydd, daeth Mr David Thomas (Bangor yn awr) yn athro i Rostryfan, a bu gwahaniaeth mawr yn y Gymraeg. Ymadawswn i â'r ysgol erbyn hyn, ond deuai fy mrodyr adref ac adrodd cywyddau Gwilym Hiraethog a darnau barddonol eraill.

Ond yr oedd gennym ddiwylliant arall, a chystal imi egluro yn y fan yma mai ystyr y gair 'gennym' yw fy ffrindiau yn ogystal â'm brodyr. Caem lawer iawn o fwynhad ar y mynydd, yn yr haf. 'Y Mynydd Grug' y galwem ni Foel Smatho, a rhan o'n gwaith yn yr haf fyddai mynd i'r mynydd i dynnu grug i'w roi o dan y das wair. Wedi inni ei dynnu, byddai'n rhaid ei gael i lawr i'r gadlas trwy wahanol foddion, weithiau mewn trol, a weithiau fe'i cerid ar y cefn mewn rhaff. Byddai un hen wraig yn gwneud hyn am dâl, ei dynnu a'i gario. Y grug hwn fyddai sylfaen y das, a phan ddechreuid torri'r das i'r gwartheg yn y gaeaf, cariem y grug gwywedig i'r cwt grug, a'i gario oddi yno fesul tipyn yn ffagl i ddechrau tân yn y bore. Rhan o waith fy mrodyr cyn mynd i'r ysgol yn y bore fyddai rhoi'r grug mewn bocs a dyfod ag ef i'r tŷ. Gwaith un arall fyddai

a bowl of soup. Then, after clearing the table after our meal everyone would have their heads down over a book as close to the lamp as possible. They would always be Welsh books, as it was in them our interest lay, not in school books.

I must add this about my education:

The late Mr Huw J. Hughes, Welsh advisor for Cardiff for many years, came to Rhostryfan as a teacher when I was in standard four, and because the senior teacher emigrated to America the following year, Mr Hughes was promoted to senior teacher and he was with us in standard five, six and seven. He was a very hard-working teacher, and I had reached the stage when I could take more interest in subjects which had previously bored me. I came to enjoy history lessons. I recall that he gave us one lesson a week on the evolution of Parliament. We came to know something of Shakespeare too. True, they were passages for recitation, but he would always explain the connections to us, so we began to understand something of the plays themselves.

When Mr Hughes left for Cardiff, Mr David Thomas (now of Bangor), came to teach in Rhostryfan, and there was a great difference in the Welsh lessons. I had left the school by then, but my brothers came home reciting poetry by Gwilym Hiraethog and other pieces of poetry.

But we had another culture, and I should explain that by 'we' I mean my friends as well as my brothers. We enjoyed the mountain in summer. 'Y Mynydd Grug', the heather mountain, as we called Moel Smatho, and it was part of our work in summer to go up the mountain to pull heather for a base for the haystack. Once pulled, it had to be carried down to the stackyard in various ways, sometimes on a cart, sometimes roped and carried on the back. There was one old woman who earned money doing this, pulling and carrying. The heather formed the base of the stack, and when we started breaking into the stack for the cattle in winter, we took the wilted heather to the shed, and brought it in bit by bit as kindling for the fire in the morning. It was one of my brothers' jobs before going to school in the morning to fill a box with heather and bring it into the house. Another's job was

llnau'r cwt ieir, a'm gwaith i fyddai hwylio brecwast. Ond hoffem grwydro'r mynydd er ei fwyn ei hun, ac nid rhyw hoffter ffug yr hoffa rhai pobl farddonllyd sôn amdano oedd hyn, eithr hoffter a etifeddasom drwy genedlaethau o hynafiaid a dreuliasai eu bywyd ar fryniau Llŷn, Eifionydd ac Arfon. Pan fyddai ar blant Rhostryfan eisiau rhoi blas enwau arnom, 'merlod mynydd' fyddai un o'r blas enwau hynny, ac fel 'hen blant y mynydd yna' y cyfeirid atom gan blant Rhostryfan. Ni byddai ein hawydd ni byth yn fawr am fynd i'r dref. Mae'n wir y dyheem am fynd ar ddyddiau gŵyl, ond blinem ar ei phalmentydd caled a sŵn carnau ceffylau ei lorïau glo. Ac ni allaf feddwl am blentyn a faged fel y ni, yn medru 'torri cyt' mewn gwisg ginio mewn gwledd yn Llundain byth.

Gwir hyfrydwch inni oedd mynd i'r mynydd i droi ein traed fel y mynnem ar ddydd o haf. Darganfod am y tro cyntaf y llysieuyn hwnnw, 'Corn carw', a thynnu ei gordeddiadau cyndyn oddi am fonau'r grug, gan obeithio na thorrai cyn inni gael llathenni ohono. Yna hel gruglus, y llus bychain, chwerw eu blas, a dyfai yng nghanol y grug. Cymerai amser hir i gael digon i wneud teisen blat ohonynt, ond byddai'r deisen honno yn llawer gwell na theisen lus.

Ar ddiwrnod tawel, sŵn y trên yn mynd i mewn i'r bont a dyfod allan yn y pen arall yn Sir Fôn. Byddai'r bechgyn yn chwilio am nythod cornchwiglod ac yn pysgota yn y ffrydiau, ac ni chlywais i gystal blas ar frithyll byth wedyn ag ar y brithyll hynny a ddaliai fy mrodyr yn afon bach Pen Bryn. Ffriai Mam hwy mewn menyn. Trwy ganol y mynydd-dir hwn rhedai lôn gul a elwid yn Lôn Wen, oherwydd y garreg wen a oedd yn ei phridd.

Yn is i lawr, ac yn nes i'r Bont Newydd, rhyw hanner y ffordd rhwng Rhostryfan a rhan isaf y Waun-fawr, yr oedd darn o dir a elwid yn 'Bicall'. Ni wn ystyr y gair, ond clywais Mr Gilbert Williams yn awgrymu mai'r 'Bicyll' oedd y ffurf wreiddiol. Yr oedd yno ddigon o goed cyll a choed mwyar duon, a dyma ein cyrchfan ni yn nechrau Medi. Os byddai'r ysgol heb agor byddem yn cychwyn ar doriad y dydd i hel mwyar duon i'r Bicall, gan obeithio mai ni fyddai'r cyntaf yno, ac y caem helfa fras wedi i'r coed gael llonydd dros y

cleaning out the henhouse, and mine was to prepare the breakfast. But we loved wandering the mountain for its own sake, not for some notional pleasure as described poetically, but from a love bred in us through generations of forebears who had spent their lives on the hills of Llŷn, Eifionydd and Arfon. When the Rhostryfan children invented nicknames for us, 'mountain ponies' was one, and we were referred to by the children of Rhostryfan as 'those old mountain children'. We were never drawn to the town. It is true that we hankered to go there on festival days, but we tired of the hard pavements and the noise of the hooves of coal lorry horses. And I could never imagine that a child raised as we were could ever dress up in a dinner suit for a function in London.

It was pure joy for us to go to the mountain on a summer day and to follow our feet wherever we wanted. To find for the first time that twining plant we called 'corn carw', stags horn, and to pull its reluctant windings from the roots of the heather, hoping it would not break until we had yards of it. Then, to gather heathberries, sour-tasting berries growing among the heather. It took a long time to gather enough for a tart, but that tart would be much better than a bilberry tart.

On a quiet day the sound of a train going into the tunnel and emerging on the other side on Anglesey. The boys looked for plovers' nests, and fish in the streams, and I never since tasted any trout better than the trout my brothers caught in the little Pen Bryn river. Mam fried them in butter. Through the heart of this mountain land ran a narrow lane called 'Y Lôn Wen', the White Lane, because of the white stone in its earth.

Further down, closer to Bont Newydd, halfway between Rhostryfan and lower Waun-fawr, was a stretch of land called the Bicall. I don't know the meaning of the word, but I heard Mr Gilbert Williams suggest that 'Bicyll' (cyll, hazel) was its original name. There were indeed many hazels there, and brambles, so this was our destination in September. If school hadn't yet opened, we'd set out at break of day to gather blackberries on the Bicall, in the hope of being the first there for a good harvest, as the bushes were left in peace on

Sul. Gan y byddai llawer o'r un feddwl, ni byddai'r helfa mor fras, er y caem ddigonedd. Un peth a wnaem cyn cyrraedd adref efo'r mwyar duon fyddai gorwedd ar dop un cae a ddringem, cae hollol syth a elwid yn 'Cae Allt', a rowlio ar ein hochrau i lawr i'w waelod. Yr oedd gennym ddigon o ynni i ddringo i'w ben eilwaith. Yn anffortunus weithiau, fe rowliai'r fasged fwyar duon hefyd.

Anaml yr aem i gyfeiriad y chwarel, o'r hyn lleiaf y ni, genod. Byddai arnaf fi ofn edrych i waelod twll y chwarel. Ond yno yn y domen rwbel y darganfuom y rhedyn hwnnw a elwir yn 'rhedyn mynydd' neu 'redyn chwarel' – 'parsley fern' yn Saesneg. Dotiem arno, a cheisiasom ei dyfu gartref, ond ni welais neb yn llwyddo i'w dyfu. Y llechen las oedd ei gysgod a'i nodd.

Yr uchod a'n bywyd o gwmpas y capel a'r ysgol oedd ein bywyd. Ni chrwydrem lawer oddi wrthynt. Caem fyned weithiau, ond anaml iawn, i'r dref ar brynhawn Sadwrn. Byddai plant y pentref i gyd yn cael mynd i'r dref, un ai ar ddydd Iau Dyrchafael neu ar Lun y Sulgwyn, llai ar y cyntaf. Yr oeddem ni yn rhan o'r lleiafrif, gan fod fy nhad a weithiai yn y Cilgwyn yn perthyn i Glwb Pisgah, a mwyafrif y rhieni a weithiai yn un o'r ddwy chwarel gyfagos, yn perthyn i Glwb Capel Wesla. Byddai'r cyntaf yn 'cerdded', h.y. cerdded mewn gorymdaith drwy'r dref ar ddydd Iau Dyrchafael, a'r olaf ar ddydd Llun Sulgwyn. Cymdeithasau dyngarol oedd y rhai hyn y cyfrennid iddynt ar gyfer salwch, cyn dyfod yr Yswiriant Iechyd. Byddem ni'n siomedig iawn mai ar ddydd Iau Dyrchafael y cerddai clwb fy nhad, gan fod mwy o hwyl a riolti yn y dref ar y Llungwyn. Cofiaf imi gael mynd unwaith ar y Llungwyn, drwy garedigrwydd pobl Tŷ Hen, y tyddyn nesaf, a oedd yn berchenogion car bychan dwy olwyn a merlen. Yr oeddynt newydd gael rhwber am yr olwynion a chloch am wddf y ferlen, a'r boddhad mwyaf a gefais y diwrnod hwnnw oedd clywed y ferlen yn tuthio, a minnau fel ledi yn y tu ôl. I wneud iawn am ein siom o beidio â myned i'r dref y dydd hwn, âi Mam â ni am dro weithiau. Cofiaf unwaith inni gael y tro amheuthun o fynd gyda hi i hel danadl poethion i'r moch. Daeth ddannodd loerig arnaf fi, a bu'n rhaid imi

113

Sunday. As many others had the same idea the harvest was not so rich, but we'd have enough. One thing we did before going home with the blackberries was to lie down at the top of one of the fields we had climbed, a completely straight field called Cae Allt, and roll down on our sides to the bottom. We had enough energy to climb up again a second time. Unfortunately sometimes the basket of blackberries rolled too.

We rarely went towards the quarry, or at least not we girls. I was scared of looking down into the quarry bottom. But it was in the rubble tip that we found the fern called 'rhedyn mynydd', mountain fern, or 'rhedyn chwarel', quarry fern – 'parsley fern' in English. We loved it, and tried to grow it at home but I never saw anyone succeed in growing it. The blue slate was its shelter and succour.

The above and our way of life around the chapel and the school was our life. We did not stray far from them. We could sometimes go, though rarely, to town on Saturday afternoon. All the village children were allowed to go to town, either on Maundy Thursday or Whit Monday, fewer on the former. We were among the few, because my father worked in Cilgwyn and belonged to the Pisgah Club, while most of those fathers who worked in one of the two nearby quarries belonged to the Wesla Chapel Club. The first would 'walk', that is walk in procession through the town on Maundy Thursday, the latter on Whit Monday. They were philanthropic societies to help the sick, before the coming of Health Insurance. We were very disappointed that my father's club walked on Maundy Thursday, as there was more fun and festivity in the town on Whit Monday. I remember going once on Whit Monday through the kindness of the people at Tŷ Hen, the neighbouring smallholding, who owned a small two-wheel cart and a pony. They'd just had rubber put on the wheels, and a bell on the pony's neck, and what I enjoyed most that day was hearing the trotting of the pony, and me like a lady behind. To make up for our disappointment at not going to town that day, Mam sometimes took us for a walk. I remember once having a rare trip, going with her to collect nettles for the pigs. I got a bad toothache, and I had to turn

droi'n ôl. Wrth ffrwcsio gyda'r goriad yn y drws, torrais y clo, a gorweddais â'm boch ar lawr oer y tŷ llaeth i dorri'r boen. Daeth Nhad adref o rywle ddiwedd y prynhawn a berwodd wlydd dom a dal yr ager o dan fy wyneb. Cysgais y cwsg melysaf a gefais erioed.

back. Because I was flustered with the key in the door I broke the lock, and laid with my cheek on the cold floor of the dairy to ease the pain. Dad came back from somewhere at the end of the afternoon and he boiled chickweed and held the steam under my face. I slept the sweetest sleep I had ever known.

VI

Chwaraeon Plant

Nid wyf am ymddiheuro am roi pennod ar chwaraeon plant yn y fan yma, oblegid credaf eu bod gymaint rhan o'n diwylliant â dim; ac efallai y bydd y ffeithiau o help i haneswyr rywdro. Nid rhaid i neb ddarllen y bennod hon, os dymunant beidio.

Y mae un peth na ellais erioed ei ddeall ynglŷn â chwaraeon plant. Sut y mae plant yn gwybod pa bryd i newid o un chwarae i'r llall? Nid chwarae pob math o bethau ar draws ei gilydd y bydd plant, ond daw clefyd poeth o chwarae cylchyn, o chwarae marblis, chwarae top, neu chwarae barcud. Ni ŵyr neb na'r dydd na'r awr y dechreua'r clefyd, ond y mae'n dechrau ymhob ardal yr un pryd. Bydd plant Pwllheli a phlant Caernarfon, plant y Waun-fawr a phlant y Felin-heli yn chwarae'r un peth ar yr un amser o'r flwyddyn. Dyna un o ddirgeledigaethau'r Cread i mi. Nid yw chwaraeon plant wedi newid llawer er pan oeddwn i'n blentyn. Mae dull y chwarae wedi newid ond nid y chwarae ei hun. Yr wyf fi'n cofio y chwyldro mawr a fu mewn chwarae marblis.

Chwarae marblis gyda sglent y byddid pan oeddwn yn fychan. Darn o lechen denau oedd sglent. Rhoddid marblen yr un gan y chwaraewyr mewn cylch ar y ffordd (ac yr oedd heddwch ar y ffordd y pryd hynny). Sefid ychydig lathenni i ffwrdd, y chwaraewyr i benderfynu'r pellter, a lluchid y sglent at y marblis. Os llwyddid i luchio'r marblis allan o'r cylch, yna cadwai'r enillydd y marblis. Os na luchiai ddim ond un, cadwai honno. Wedyn, rhoddid dwy yr un i mewn, etc. Yn lle defnyddio sglent, byddid hefyd yn defnyddio togo – sef marblen fawr wydr o wahanol liwiau, i hitio'r marblis allan. Yr oedd yn anos eu cael allan efo thogo nag efo sglent, ac yr oedd gan fechgyn fantais, gan eu bod yn gallu sodro neu daro'r togo yn well na genethod. Ond daeth newid, aeth y marblis cylch allan o fod, a daeth marblis twll yn eu lle. Yn lle cylch, byddai twll ar y ffordd, sefid bellter i ffwrdd, a cheisid lluchio'r farblen i mewn i'r twll. Os nad âi i

117

VI

Children's Games

I am not going to apologise for including a chapter on children's games here, because I believe they are as much a part of our culture as anything, and maybe the facts will be of help to historians one day. Nobody is obliged to read this chapter if they prefer not to.

There is something I could never understand about children's games. How do children know when to change from one game to another? They do not play all kinds of games criss-cross each other, but there will be a craze of playing hoop, or playing marbles, playing top, or playing kite. Nobody knows the day or the hour that the fever begins, but it begins everywhere at the same time. Pwllheli children and Caernarfon children, the Waun-fawr children and the Felinheli children will be playing the same thing at the same time of the year. This is one of the mysteries of Creation to me. Children's games have not changed much since I was a child. The way of playing has changed, but not the games themselves. The great revolution that I remember was in playing marbles.

Marbles used to be played with a '*sglent*' when I was small. A *sglent* was a thin slate. A marble from each player was placed in a circle on the road (and there was peace on the roads in those days). Standing a few yards away, the distance decided by the players, the *sglent* would be thrown at the marbles. If marbles were successfully cast out of the ring, the winner would keep them. If he only cast one out, he would keep that one. Then the players put in two marbles each, and so on. Instead of a *sglent*, a *togo* would also be used, that is a large multi-coloured glass marble. It was harder to put out the marbles with the *togo* than with the *sglent*, and boys were at an advantage as they could put out or throw the *togo* better than the girls. But came a change, the marble circle game went out, the marbles in a hole came in. Instead of a circle, there would be a hole in the road, we'd stand a distance away and try to get the marble into the hole. If it didn't go in the first time you could go to it and try to get it in, not by throwing, but by

mewn ar y tro cyntaf, gellid myned ati, a cheisio ei chael, nid trwy ei lluchio, eithr gyda'r bys wedi ei hitio yn y bawd yn gyntaf, neu ei lluchio i mewn drwy ei hitio gyda'r togo. Y cyntaf i gael ei farblen i mewn ar y tro cyntaf a enillai'r marblis. Chwarae cybyddion oedd chwarae marblis, neu chwarae pobl yn gwneud arian. Byddai'r rhan fwyaf o'r plant yn dechrau'r tymor gyda gwerth dimai, rhyw hanner dwsin i fyny i ddeg o farblis, glân newydd. Byddai'r lleill yn dechrau efo chydaid o'r tymor cynt. Yn y gobaith o ennill, byddem yn gwneud warpaig, sef bag o ryw hen ddefnydd y caem afael arno, a llinyn crychu i gau ei geg. Ar ddiwedd tymor byddai gan rai lond warpaig fawr o farblis, a choleddai hwynt yn hollol yr un fath ag y coleddai cybydd ei bres. Cofiaf fod gan Dei, fy mrawd ieuengaf, lond warpaig go fawr ar ddiwedd un tymor, a dweud y gwir yn ddistaw bach, yr oedd fy mam yn cymryd diddordeb mawr ynddi, a chadwyd hi'n ofalus yng nghwpwrdd y palis. Ond rhwng hynny a'r tymor nesaf diflannodd y warpaig a'i chynnwys, a Mam a oedd fwyaf ei helynt yn ei chylch. Holai a stiliai, a Dei ei hun yn bur ddigynnwr', ac yn osgoi pob holi.

Modd bynnag, yr oedd gwraig ein gweinidog acw ryw ddiwrnod, a dyma hi'n dweud stori bach dlos iawn am Dei a'i merch Dilys. Plant rywle rhwng wyth a deuddeg oed oeddynt ar y pryd. A stori Mrs Curig Williams oedd, ei bod yn edrych allan drwy ffenestr y parlwr ryw ddiwrnod a gweled bechgyn o'r ffordd yn lluchio topis i'w gardd at ei genethod a chwaraeai yno. Ni allai hi weled pwy oedd y bechgyn a luchiai'r topis, ond yn y man fe hitiwyd Dilys yn ei phen â thopen, ac aeth i grio. Toc, daeth Dei, fy mrawd, i'r ardd a rhoi ei fraich am wddw Dilys i geisio ei chysuro. Amlwg ei fod yn credu mai ei dopen ef a'i hitiodd. Drannoeth, aeth â'i warpaig a'i farblis iddi, fel iawn dros ei bechod.

Chwarae a thipyn o farddoniaeth yn perthyn iddo oedd Pont y Seiri. Ffurfiai dau blentyn bont drwy gydio dwylo a sefyll gyferbyn â'i gilydd. Byddai'r holl blant eraill yn sefyll y tu allan i'r bont, ac un arbennig ar y blaen. Byddai un o'r ddau ar ben y bont yn gofyn:

'Pwy ddaw, pwy ddaw trwy bont y seiri?'

flicking it with a finger against your thumb, or by hitting it with the *togo*. The first to get his marbles in on the first go would win the marbles. Marbles was a miser's game, or a game for people making money. Most of the children started the season with a halfpenny worth, half a dozen to ten new, clean marbles. The rest would start with a bagful from the previous season. In the hope of winning we'd make a '*warpaig*', a bag made of some old material with a drawstring to close its mouth. By the end of the season some would have a large *warpaig* full of marbles which they would cherish as a miser cherishes his money. I remember Dei, my youngest brother, once had a large, full *warpaig* at the end of the season, and, to whisper the truth, my mother took a great interest in it and it was kept carefully in the partition cupboard. But between then and the next season the *warpaig* and its contents disappeared, and the most concerned was Mam. She questioned and enquired, and Dei, quite unconcerned, avoided all questions.

However, our minister's wife was in the house one day, and she told us a sweet story about Dei and her daughter Dilys. They were children between eight and twelve years old at the time. And Mrs Williams's story was that she was looking out of the parlour window one day when she saw boys on the road throwing clods of earth at her daughter playing in the garden. She couldn't see who the boys throwing the clods were, and in a while Dilys was struck on the head by a clod and she began to cry. My brother Dei went into the garden and put his arm round Dilys's neck to try and comfort her. Obviously he thought it was his clod that had struck her. Next day he took her his marbles to pay for his sin.

A game with a bit of poetry in it was Pont y Seiri (the Carpenters' Bridge). Two children made a bridge by joining hands and standing face to face. All the other children stood outside the bridge, a chosen one in front. One of those at the end of the bridge would call:

'Who comes, who comes through the carpenters' bridge?'

Yna byddai blaenor y dorf tu allan yn gweiddi:
'Myfi, myfi, a'm holl gwmpeini.'

Yna deuai'r cyntaf o'r dorf ymlaen a thu mewn i'r canllawiau, a gofynnid yn ddistaw iddo, 'Pa un fasa orau gin ti, llond cwpwrdd gwydr o aur, ynte llond trôr o berlau?' Dylswn ddweud y byddai dau ben y bont wedi dewis un o'r pethau yna ymlaen llaw, ac ni wyddai'r un a holid dros beth y safai p'run. Wedi i'r plentyn ddewis âi a sefyll y tu ôl i'r un a safai dros y peth hwnnw, a rhoi ei freichiau am ei wasg. Wedyn eid drwy'r un cwestiwn ac ateb, hyd nes dihysbyddid y dorf i gyd. Erbyn y diwedd byddai'r ddwy garfan yn weddol gyfartal, os byddai'r pethau a oedd i'w dewis yn weddol gyfartal; ac yna ceid tynnu nes byddai un garfan wedi trechu'r llall. Nid yr enghraifft a roddais yn hollol oedd y pethau y caem ddewis ohonynt, ond rhywbeth cyffelyb. 'Oranges and lemons' y gelwid y chwarae yn Saesneg, ond ni allaf ddweud ai rhwng y ddau ffrwyth yna y byddai'r Saeson yn dewis bob tro. Ond gwn y byddai gennym ni amrywiaeth o ddewis, ond nid pethau syml fel oren a lemon fyddent byth, ond pethau nas gwelsom erioed ac nas gwelwn fyth, megis llond cwpwrdd o aur neu lond trôr o berlau. Gallem roddi ffrwyth i'n dychymyg, a chael pleser wrth eu dychmygu, hyd yn oed os na chaem eu gweld.

Yr wyf wedi anghofio peth o'r chwarae pum carreg er mai dyma fy hoff chwarae pan oeddwn yn blentyn. Chwarae i enethod ydoedd, ac yn un heb gweryla na gwthio na thynnu – un y medrech ei chwarae ar eich pen eich hun. Yr oedd yn rhaid cael pum carreg lefn, gorau po lyfnaf. Yna dodi siôl neu glustog ar y bwrdd. Yr oedd y darnau elfennol yn hawdd. Rhoddid un garreg ar y siôl, taflu carreg arall i'r awyr, a phigo'r garreg i fyny oddi ar y siôl fel y byddai'r garreg arall yn disgyn i'ch llaw. 'Codi un' y gelwid hynny. Yna dodid dwy garreg ar y siôl, yna dair, yna bedair, taflu un garreg i fyny a chasglu'r lleill. Wedyn, yr oedd pethau anos i'w gwneud, megis dodi pedair o'r cerrig ar ffurf sgwâr, lluchio un garreg i fyny, a thra fyddai honno yn yr awyr, cymryd eich bys a hel y cerrig eraill at ei gilydd, un ar y tro, yna casglu'r pedair i'ch llaw fel o'r blaen. Ni allaf gofio'r pethau cymhleth yma i gyd. Ond yr oedd un a elwid

Then the leader of the crowd outside would shout:
'Me! Me and all my company.'

Then the first of the crowd stepped forward between the pillars and was asked quietly, 'Which would you prefer, a glass cupboard full of gold or a drawer full of pearls?' I should tell you that the two who formed each end of the bridge had chosen one already, and the one who was asked did not know which stood for what. When the child had chosen, he went and stood behind the one that stood for his choice, and put his arms round his waist. Then they would go through the same question and answer until the crowd of children was emptied. In the end the two groups were about equal, if the options were fairly equal, and they tugged against each other until one side won. The example I gave was not quite what we chose, but something similar. The game was called Oranges and Lemons in English, but I don't know if it is always between those two fruits that the English choose. But I do know that we had a variety of choices, though never simple things like oranges and lemons, but things we had never seen and would never see, like a cupboard full of gold or a drawer full of pearls. We could use our imagination, and enjoyed imagining them even if we never saw them.

I have forgotten part of the game of Five-stones, though this was my favourite game when I was a child. It was a game for girls, one with no quarrelling or pushing or pulling, one you could play on your own. You had to have five stones, the smoother the better. Then, place a shawl or a cushion on the table. The first bit was easy. A stone was put on the shawl, another thrown in the air, and you picked up the stone from the shawl as the other stone fell into your hand. This was called 'Picking up One'. Then two stones were put on the shawl, then three, then four, throwing one stone up in the air and gathering the rest. Then there were more difficult things to do, like placing four of the stones to form a square, throwing one up, and while that was in the air with your fingers gathering the other stones together, one at a time, then collecting the four into your hand as before. I don't remember all the complicated details. But there was one called 'ironing'.

yn 'smwddio'. Rhoddid tair carreg ar y siôl ar ffurf hetar, cedwid un garreg yn y llaw, a lluchid un i'r awyr. Ond yr oedd yn rhaid rhoi'r garreg a oedd yn y llaw i lawr yn lle un o'r cerrig eraill, h.y. pigo un garreg i fyny a dodi'r un yn y llaw yn ei lle, a disgwyl y llall o'r awyr. Nid oedd hynny yn anodd gyda'r garreg gyntaf, ond gyda'r ail a'r drydedd, yr oedd yn rhaid i chwi nid yn unig newid y garreg yn eich llaw ag un ar y siôl, ond yr oedd yn rhaid i'r un yn eich llaw ddisgyn wrth ymyl y gyntaf a phigo'r llall i fyny, a gorfod gwneud hyn cyn i'r garreg ddisgyn o'r awyr. Wedi i chwi gael y tair at ei gilydd, taflu'r garreg i'r awyr eto, a gollwng yr un yn eich llaw wrth ymyl y lleill. Yna, fel o'r blaen, casglu'r pedair at yr un a luchid. Fel yna y byddai'r diwedd bob tro. Sylwer fel yr oeddem yn anfodlon ar wneud yr hyn a oedd hawdd gyda'r chwarae hwn a chwarae marblis. Mynd ymlaen at yr anodd y byddem o hyd.

Byddaf yn mynd yn gaclwm gwyllt bob tro y clywaf bobl yn sôn am 'swing' (fel y gwneir o hyd ar y radio, neu ei ddarllen mewn stori). 'Siglen 'denydd' oedd ein gair ni. Hyd yn oed os oedd yr enw yn un lleol, credaf fod y gair 'siglen' ei hun yn un ardderchog am 'swing'. Byddem yn clymu rhaff wrth ddwy goeden a rhoi sach i'r plentyn eistedd arno. Fe ddaeth cynllun gwell wedyn o gael darn o bren a dau dwll ynddo, a rhoi'r rhaff drwyddynt, er mwyn i'r plentyn gael eistedd yn fwy cysurus. Nid ein siglo ein hunain y byddem, fel y gwelwn blant mewn parciau-chwarae heddiw, ond byddai rhywun yn gafael yn y rhaff a rhoi hergwd iddi, a'r sawl a fyddai ar y siglen yn cael ias o ofn braf wrth fynd drwy'r awyr. Gellwch, o gofio am yr ias hon o ofn, ddeall peth o awydd llanciau ifainc am ehedeg mewn llong awyr.

Ni chaem gyfle i chwarae 'tonnau'r môr' yn aml, gan fod yn rhaid cael styllen go fawr a chref i'w chwarae. Ar yr unig achlysur imi gofio adeiladu tŷ newydd yn agos inni, fe gawsom ddigon o chwarae tonnau'r môr. Aem yno wedi i'r gweithwyr fyned adref, a rhoi'r ystyllen ar draws casgen, neu ar draws pentwr o bridd a godasid wrth wneud y sylfaen. Y peth oedd, yr oedd yn rhaid i'r pentwr pridd neu'r gasgen fod yn uchel, neu byddai ein pàs ni i'r awyr yn isel. Hefyd yr oedd yn rhaid bod yn ofalus cadw canol y

Three stones were placed on the shawl in the shape of an iron, one stone was kept in the hand and another thrown in the air. But you had to replace the stone in your hand with one of the other stones, that is, pick up a stone and put the one from your hand in its place, and catch the other one from the air. That wasn't difficult with the first stone, but with the second and third you had not only to exchange the stone in your hand for one on the shawl, but the one in your hand had to land close to the one on the shawl, and before the stone fell from the air. Once you'd got the three together, you'd throw the stone into the air again, and drop the one in your hand close to the others. Then, as before, collect four to the one that was thrown. That's how it ended every time. It is notable that we were unwilling to do what was easy in this game, and play marbles. On to the difficult every time.

I get very cross every time I hear people use the word 'swing' in Welsh (as happens all the time on radio, or you read it in a story.) '*Siglen 'denydd*' was our name. Even if this is a local name, I think the word '*siglen*' itself is a good word for 'swing'. We would tie a rope to two trees and place a sack for a child to sit on. Later came the better idea of using a piece of timber with two holes in it, and threading the rope through them, so that a child could sit more comfortably. We didn't swing on our own, as we see children in playgrounds today, but someone would take the rope and give it a shove, and the one on the swing would feel a frisson of fear flying through the air. Recalling this thrill of fear, you can understand part of the desire of young men to fly in an airship.

We did not often get the chance to play 'waves of the sea', as you needed quite a big, strong plank to play. The one time I remember a new house being built near us, we had plenty of playing 'waves of the sea'. We went there after the workers had gone home, and put the plank across a barrel, or on an earth pile raised while building the foundations. The thing was, the pile or the barrel had to be high, or our flight through the air would be low. Also we had to be careful to keep the centre of the plank on the barrel, or one would be thrown to

styllen ar y gasgen, neu fe deflid un i'r llawr. Yr oedd eisiau cryn fedr i chwarae tonnau'r môr a chael yr ias o bleser wrth fyned i fyny ac i lawr. Ond nid oedd dim harddach na gweld y styllen yn mynd i fyny ac i lawr a phlentyn ar bob pen iddi, a'i symudiadau mor rheolaidd â rhwyfau ar afon.

Erthyl o air yw'r gair 'sgipio' a glywir ac a welir heddiw, hyd yn oed gan athrawon. Ni chlywais y gair 'sgipio' erioed yn fy hen gartref, dim ond 'neidio trwy gortyn'. Rhaff wair a fyddai gennym ar y cychwyn, er mawr ofid i 'nhad pan ddeuai hi'n gynhaeaf gwair, ac eisiau rhaffau i rwymo beichiau. Yr oedd yn rhaid cael rhaff weddol hir, pan fyddai dau yn troi, ac un neu ddwy yn myned i mewn i'r rhaff i neidio. Hwn oedd y chwarae anhawsaf; ni allai genethod bach iawn ei chwarae (a chwarae i enethod yn unig ydoedd). Gallai'r rhai a droai'r rhaff newid y symudiad yn sydyn, a chyflymu gymaint fel na fedrai ein traed gyflymu digon. Y sawl a enillai'r gamp fyddai'r un a ddaliai hwyaf i neidio dros y cortyn heb iddo'i baglu. Wedyn y daeth y rhaff i un, a phrynid hon yn y dref, gyda darn o bren ar bob pen i'r llaw afael ynddynt. Nid oedd neidio ar ei ben ei hun mor anodd, gan y gallech lywio symudiad y cortyn i ateb symudiad eich traed. Ond o safbwynt ymarfer i'r holl gorff, yr oedd yn well. Ni wn am unrhyw ymarfer gwell i'r holl gorff na neidio trwy gortyn ar eich pen eich hun, yn enwedig os gwneid ef y ddwy ffordd, trwy droi y cortyn at ymlaen, ac at yn ôl. Amrywid symudiad y traed hefyd; yn lle neidio a chodi'r ddau droed gyda'i gilydd, gellid eu codi ar yn ail. Meddylier am yr ymarfer a gâi'r traed, y coesau a'r breichiau, ac yn wir, yr holl gorff.

Chwarae poblogaidd ymhlith genethod oedd chwarae 'london' (ynganer mor Gymreigaidd ag y mae modd), a elwir heddiw yn 'Hopscotch', ac y sydd wedi newid llawer, ond nid mewn egwyddor. Ar y ffordd y chwaraeid hi, a mercid 'caeau' allan â sialc neu â llechen. Yr oedd london wyth gae a london deuddeg cae, chwe chae bach a dau gae mawr yn un, a naw cae bach a thri mawr yn yr un fawr. Y gamp oedd cicio tôn (darn o garreg neu bren) ag un troed o un cae i'r llall a thrwy'r london i'r pen, heb roi'r troed arall i lawr, a heb i'r tôn fynd ar y llinell. Canfyddem fod y tôn

the ground. Skill was needed to play 'waves of the sea' and to feel the thrill of pleasure in going up and down. There was nothing more beautiful than to see the plank going up and down with a child at each end, its motion as rhythmic as oars on a river.

'Sgipio' is an ugly word that you hear and see today, even from teachers. I never heard the word 'sgipio' in my old home, but 'jumping through a cord'. A hay rope was what we had at first, to the great grief of my father when it came to hay-making, and rope was needed to bind the loads. We needed quite a long rope, with two turning the rope and one or two going in to jump. This was the most difficult game, and very small girls could not play it (and it was a game for girls only). Those turning the rope could change the movement suddenly, and speed up so much that our feet couldn't go fast enough. The winner was the one who went on the longest jumping over the rope without it tripping her. Then there was the rope for one, and this was bought in the town, with a piece of wood at each end to hold in the hand. Skipping on your own was not as difficult, because you could control the movement of the rope to match the movement of your feet. But from the point of view of exercise for the whole body it was better. I know of no whole body exercise better than skipping on your own, especially if done in two ways, turning the rope forward, then backward. The motion of the feet also varied; instead of jumping and lifting both feet together, they could be lifted in turn. Think of the exercise the feet, legs and arms had, and truly the whole body.

A game popular among girls was the game 'London', (pronounce in as Welsh a way as possible), which is called 'Hopscotch' today, and is much changed, though not in spirit. It was played on the road, and 'fields' were marked in chalk or with slate. There was an eight-field london, and a twelve-field london, six small fields and two big fields in one, and nine small fields and three big in the other, the big one. The skill was to kick a 'tôn' (a piece of stone or wood) with one foot from one field to the other and through the london to the end, hopping without putting the other foot down, and without the *tôn* going on the line. We found the wooden *tôn*

pren yn rhy ysgafn, ac nid oedd wybod ym mha le y disgynnai; yr oedd yr un carreg yn sadiach, er ei fod yn difetha mwy ar ein hesgidiau neu ein clocsiau. Os disgynnai'r tôn yn agos i'r llinell, yr oedd yn anodd ei gael i'r cae arall, oblegid yr oedd yn rhaid ei gael ag un gic a heb roi eich troed ar y llinell o gwbl. Dyna paham ei bod yn anos chwarae london â chlocsiau, gan eu bod yn lletach, ac felly yn anos myned â hwy i le cyfyng rhwng y tôn a'r llinell i fedru symud y tôn i gae arall. Os gallech fyned yn ddidramgwydd trwy'r london i gyd heb roi eich troed i lawr, heb i'r tôn fyned ar y llinell, a symud o gae i gae ag un gic, yna caech gychwyn wedyn, a'r un a âi felly heb fethu fwyaf o weithiau a enillai'r gamp. Yr oedd rhai ohonom wedi dyfod yn gymaint o feistriaid ar y chwarae hwn oni wyddem i'r dim sut dôn a weddai i'n troed, a byddem yn byrticlar iawn wrth ddewis un, cael carreg rhyw fodfedd o dew a rhyw dair neu bedair modfedd ysgwâr, ac mor esmwyth ag oedd yn bosibl. Wedi cael tôn felly, cadwem ef yn ofalus.

Chwarae i enethod oedd 'Jinni Jones', er yr ymunai'r bechgyn weithiau i gael hwyl am bennau'r genethod yn crio ar y diwedd, a dyrysu ein sbort drwy chwerthin yn lle crio eu hunain. Byddai un eneth yn cynrychioli'r fam, ac yn sefyll wrth ryw gongl neu gilfach a wnâi'r tro i gynrychioli tŷ. Byddai geneth arall y tu ôl iddi – Jinni Jones – yn guddiedig os byddai hynny'n bosibl. Deuai'r dorf genethod at y tŷ, curo'r drws, a llafar-ganu, 'Ddaw Jinni Jones i chwarae?' Atebai'r fam, 'Na ddaw, mae hi'n golchi' (neu'n gwneud rhyw waith arall). Deuai'r genethod yn ôl a llafar-ganu wedyn yr un fath, ac atebai'r fam ei bod yn gwneud rhywbeth arall. Yna digwydd newid sydyn yng nghanol y chwarae, trewir Jinni Jones yn wael, a phan ddywed y fam hynny, mae ganddynt hwythau ateb, 'Drwg iawn wir' (a lafar-genir). Pan ddônt yn ôl y tro nesaf mae Jinni Jones yn waeth, ac mae mwy o deimlad yn y 'Drwg iawn wir'. Yn y diwedd mae Jinni Jones yn marw, a'r plant yn crio, ond yn gwella'n ddigon da i ofyn pryd mae'r cynhebrwng. Yna cludir Jinni Jones gan bedair a'i dodi ar laswellt i orwedd. Yn ei llyfr ar lên gwerin dywed Countess Martinengo-Cesaresco, mai chwarae yw hwn sy'n perthyn i nifer o

too light, and there was no knowing where it would land; the stone one was steadier, even though it scuffed our shoes more, or our clogs. If the *tôn* fell close to the line it was difficult to get it into the other field, because it had to be done with one kick and without putting your foot on the line at all. That is why it was harder to play london in clogs, as they were broader, and so harder to step in a limited space between the *tôn* and the line to move the *tôn* to another field. If you could go without mishap through the whole london without putting your foot down, without the *tôn* going on the line, moving from field to field with one kick, you were allowed to start again, and whoever did it the greatest number of times won the game. Some of us had become such masters of the game that we knew precisely which kind of *tôn* suited our foot, and we were very particular about choosing one, a stone about one inch thick and about three or four inches square and as smooth as possible. Once a *tôn* like that was found we treasured it.

'Jinni Jones' was a girls' game, though sometimes the boys joined in to make fun of the girls weeping at the end, and to spoil our fun by laughing instead of weeping themselves. One girl would play the mother, and would stand by a corner or nook representing a house. Another girl would be behind her – Jinni Jones – hidden if possible. The crowd of girls would come to the house, knock on the door, and chant 'Will Jinni Jones come out to play?' The mother would answer, 'No she won't, she's doing the washing' (or doing some other work). The girls would return and chant again as before, and the mother would reply that she was doing something else. Then there would be a sudden change in the middle of the game, Jinni Jones would fall ill, and when the mother tells them this they would chant a reply, 'Very sorry'. When they return again Jinni Jones is worse, and there is more feeling in the 'Very sorry'. In the end Jinni Jones dies, and the children weep, but recover enough to ask when the funeral will be. Jinni Jones is then carried by four girls and laid down on the grass. In her book on folklore Countess Martinengo-Cesareco

wledydd, ac o dan yr enw rhyddieithol Jinni Jones y ceir y Ffrangeg, 'Jeanne ma joie'. Rhydd hi y ffurf Saesneg yn ei llyfr, ac yn honno, nid yw'r plant yn dweud dim mewn atebiad, dim ond gofyn y cwestiwn. Maent yn hollol ryddieithol drwy'r chwarae, a gofynnant beth ddylai lliw eu dillad fod yn yr angladd. 'Chwarae ar gân' y geilw'r awdur y math yma o chwarae, a thybia mai rhywbeth tebyg i hyn oedd y drasiedi gyntaf a actiwyd erioed, cyn amser Æschylus, a pheth hollol naturiol yw i blant gael eu tynnu at y pethau trist hyn. Galar fel hyn yw eu llawenydd. Digon tebyg mai o Loegr y daeth y chwarae hwn i Gymru, a byddai'n ddiddorol gwybod pwy a'i cyfieithodd i'r Gymraeg. Pe benthycid y chwarae heddiw, mae'n sicr mai yn Saesneg y gwneid hynny.

Yna, yr oedd chwaraeon a oedd yn gyffredin i'r wlad, 'Kiss in the ring' a elwid gennym ni yn 'Chwarae Cîs', 'Donci Mul' (*Leapfrog*) i'r bechgyn. Chwarae coetiau i'r bechgyn eto. Bechgyn a fyddai'n chwarae sbondio hefyd. Teflid botwm gan un, a botwm gan un arall ar y wal. Yr un a fedrai rychwantu'r pellter rhwng y ddau fotwm efo'i fawd a'i fys bach a gâi gadw'r ddau fotwm. 'Pìn a wela sioe' hefyd, lle y codid pìn am gael gweld rhywbeth a debygem a fyddai'n werth ei weld.

Byddai'r bechgyn yn chwarae cylchyn efo bach, gyrru'r cylchyn ar hyd y ffordd yn y bach, gwaith go anodd. Wedi methu, byddai rhai yn gadael i'r cylchyn rowlio ei hun a'i hitio rŵan ac yn y man efo'r bach. O efail y gof y ceid y cylchyn a'r bach, a pharhâi am byth.

Ddiwedd Awst byddai'r bechgyn yn chwarae 'barcud', na, nid kite. Byddai paratoi mawr ar wneud y barcud, chwilio am hen weiren ambarél yn ffrâm a darn o bren, papur a phast – a chynffon. Y peth mawr oedd cael pwysau cywir i'r barcud, er mwyn iddo fynd i fyny yn iawn a pheidio â disgyn. Y pleser oedd ei weld yn esgyn i'r uchelderau yn ysgwyd ei gynffon ac yn edrych i lawr arnom, oblegid byddid wedi gofalu rhoi llygaid a thrwyn a cheg iddo.

Yna byddai gennym chwaraeon o'n dyfais ni ein hunain. Yr oedd llawer o'r chwarae tŷ gennym ni ein hunain yn waith dychymyg, er bod chwarae tŷ fel chwarae efo dol, yn perthyn i bob gwlad. Ond gwaith ein dychymyg ni fyddai

says that this is a game that belongs to a number of countries, and behind the ordinary name Jinni Jones lies the French, 'Jeanne ma joie'. She gives the English version in her book, and in that one the children do not give an answer, only ask the question. They are completely matter of fact throughout the game, asking what colour their clothes should be for the funeral. 'Playing by song' is what the author calls this kind of game, and thinks that something like it would have been the first tragedy ever acted, before the time of Æschylus, and that it is entirely natural for children to be drawn to such tragedy. Such grief is their joy. It is likely that it was from England that the game came to Wales, and it would be interesting to know who translated it into Welsh. If the game were borrowed today, it would certainly be played in English.

Then there were games that were common in the countryside. 'Kiss in the Ring', called 'Kissing Game' by us, 'Leapfrog' for the boys. Quoits was also for the boys. It was boys who played '*sbondio*' too. A button would be tossed onto a wall by one boy, then a second button by another boy. The one who could bridge the distance between the two buttons with his thumb and little finger could keep both buttons. 'Pin to see the show' also, where a pin was paid to see something we thought worth seeing.

The boys would play hoop with a hook, spinning the hoop along the road with the hook, quite a difficult task. After failing some would let the hoop bowl along on its own, hitting it now and then with the hook. The hoop and hook were obtained from the smithy, and would last forever.

At the end of August the boys played '*barcud*' – no, not 'kite'. There were great preparations to make the *barcud*, to search for old umbrella spokes for the frame, a piece of wood, paper and paste – and a tail. The big thing was to get the right weight for the *barcud*, so that it would rise properly and not fall. The pleasure lay in seeing it lift to the heights shaking its tail and looking down on us, because they remembered to give it eyes and a nose and a mouth.

Then there were the games we made up ourselves. Much playing house was for us the work of our imagination, though playing house, like playing with a doll, belongs to every

gwisgo'r ddol, neu'r gath, os na byddai gennym ddol, a gwaith ein dychymyg ni fyddai penderfynu lle byddai'r dresel i fod yn y tŷ, sut fwsog i gynrychioli carped, faint o droadau a fyddai yn llwybr yr ardd. Wedyn, byddem yn gwisgo amdanom yn nillad rhai hŷn, a beth mwy difyr na mynd i ryw hen gist a thynnu allan ddillad yn perthyn i oesoedd cyn y dilyw, a gwisgo amdanom ynddynt? Cofiaf fod gan Mam hen gêp. Cepiau a wisgid gan ferched gweddol ifanc yn niwedd y bedwaredd ganrif ar bymtheg. Cêp o sidan du a phatrwm blodau o'r un lliw oedd y gêp hon, les o gwmpas ei hymyl a leinin satin coch ynddi. Gwisgwn hi o'r tu chwith allan fel sgert, a meddwl fy mod yn grand ddychrynllyd. Cofiaf sgert arall gan fy mam o sidan caerog du, a rhesi o sidan caerog gwyrdd ynddi, a degau o fân ffriliau o'r un defnydd yn ei haddurno.

Mae'n siŵr mai bodloni rhyw reddf greadigol y byddem drwy dorri ymaith oddi wrth y chwaraeon arferol a mynd at y rhai gwreiddiol a gyfansoddem ein hunain. Byddai'r rhai hyn yn debyg i straeon ac yn tyfu weithiau i fod yn un stori fawr.

Ni wn i beth oedd arwyddocâd yr holl chwarae hyn; byddai gan seicolegwyr eu heglurhad, y mae'n debyg. Ond wrth edrych dros y chwaraeon y soniais amdanynt eisoes, chwi welwch eu bod yn eu rhannu eu hunain i wahanol fathau. Rhai ohonynt, megis chwarae marblis, pìn a wela sioe, sbondio, yn bodloni'r ysfa am gasglu, a hefyd yn dangos medr. Chwarae london, neidio trwy gortyn, yn dangos medr. Chwarae siglen a thonnau môr yn rhoi pleser corfforol inni. Jinni Jones yn bodloni'r teimladol yn ein hysbryd, chwarae tŷ a doliau yn rhoi cyfle i'n dychymyg. Yr oedd yna chwaraeon rhyfygus hefyd, a fodlonai ein dyhead am y peryglus o hyd, megis dringo coed a neidio o uchder mawr i lawr, slefrio ar y rhew yn y gaeaf uwchben ceunant i'r ochr arall. Mae swyn i'r rhan fwyaf o bobl ieuainc mewn perygl.

country. But it was the making of our own imagination when we dressed the doll, or the cat if we didn't have a doll, and it was our imagination when we decided where the dresser would go in the house, what sort of moss would be the carpet, how many turns we would have in the garden path. Then we would dress up in old grown-up clothes, and what more interesting than going to some old chest and pulling out clothes that belonged to times before the flood and dressing up in them? I remember that Mam had an old cape. Capes were worn by quite young women at the end of the nineteenth century. It was a black silk cape with a self-coloured pattern of flowers, lace round its border and a lining of red satin. I wore it inside out as a skirt, and thought myself very grand. I remember another skirt my mother had in black ribbed silk with rows of brocaded green silk, decorated with dozens of little frills of the same material.

We were surely satisfying some creative urge by turning away from the usual games to those we created ourselves. These were like stories, and sometimes they grew into a great saga.

I do not know the meaning of all this playing, though no doubt psychologists would have their explanation. But through looking at the games I have already mentioned, you can see that they fall into different kinds. Some of them, like playing marbles, a pin to see the show, *sbondio*, show an urge to collect, and also some skill. Playing london, skipping, show skill. Playing on a swing and waves of the sea giving us physical pleasure. Jinni Jones satisfied the emotional in our souls, playing house and dolls gave opportunities for our imagination. There were daring games too, which satisfied our yearning for danger, like climbing trees and jumping from a great height to the ground, skating on ice in winter across a ravine to the far side. There is magic in danger for most young people.

VII

Fy Nheulu

Cymeraf ddiddordeb mawr mewn tras, nid oherwydd balchder, ond oherwydd chwilfrydedd. Hoffaf wybod o ba le y deuthum, a cheisiaf ddychmygu sut bobl oedd fy hynafiaid, ac mae'r hyn a wnaethant yn y byd o ddiddordeb mawr i mi. Hyd y gwelaf, pobl falch o'u crefft oedd fy hynafiaid o bob tu, a phobl y gellid dibynnu arnynt.

Bydd yn well imi ddechrau gyda theulu fy mam, gan fod mwy o hanes iddynt, oherwydd iddynt fod yn llai symudol na theulu fy nhad. Yr wyf yn ddyledus iawn i Mr Gilbert Williams, Rhostryfan, am lawer o wybodaeth a gefais ganddo amdanynt. Bu tipyn o sôn am un ochr i'r teulu yn *Y Genedl* yn y flwyddyn 1936, oherwydd i ddisgynnydd i frawd hynaf fy nain, a oedd yn byw yn Efrog Newydd, ysgrifennu i'r *Genedl* am y teulu. Ni byddwn i'n gweld *Y Genedl* y pryd hynny, ond casglaf fod Mr Gilbert Williams wedi crybwyll teulu fy nain yn y golofn 'Lloffion' a ysgrifennai i'r papur hwnnw.

Ganed fy nain, Catrin Cadwaladr, mam fy mam, yng Nghefn Eithin, tyddyn heb fod yn bell o'r Groeslon a Llanwnda, yn Sir Gaernarfon, ddydd Gŵyl Ifan, 1823. Merch Cefn Eithin oedd mam fy nain, a briodasai â Hugh Robinson. Dywed John W. Davies, y perthynas o Efrog Newydd, yn ei lythyr yn *Y Genedl*, ei fod yn deall mai dyn wedi ei achub o longddrylliad (nid yw'r môr yn bell o Gefn Eithin) oedd Hugh Robinson, ac mai ef oedd y cyntaf o'r enw, ac iddo briodi â merch y dyn a oedd yn ffermio Cefn Eithin i Arglwydd Newborough. Ond nid yw'n wir mai ef oedd y cyntaf o'r enw, ac felly annhebyg yw'r stori am y llongddrylliad. Ŵyr oedd Hugh Robinson i William Robinson, Plas Mawr, y Groeslon, a aned yn 1729. Casglaf oddi wrth yr ohebiaeth yn *Y Genedl* fod Robinsiaid yng Nghymru er adeg y Tuduriaid. Yr oedd cangen ohonynt yn Nyffryn Nantlle, ac yng Nghaernarfon hefyd mi gredaf. Aeth plant Hugh

VII

My Family

I take a great interest in lineage, not out of pride, but out of curiosity. I like to know where I came from, and I try to imagine what kind of people my ancestors were, and what they did in the world is of great interest to me. As far as I can see, my ancestors on both sides were people proud of their craft, and people who could be depended on.

I had better begin with my mother's family, as there is more of their history, because they moved about less than my father's family. I am indebted to Mr Gilbert Williams, Rhostryfan, for the great amount of information I had from him. There was quite a deal of mention of one side of the family in *Y Genedl* in 1936, because a descendant of my grandmother's eldest brother, who lived in New York, wrote to *Y Genedl* about the family. I did not see *Y Genedl* at the time, but I gather that Mr Gilbert Williams mentioned my grandmother's family in his 'Lloffion' column, which he wrote for the paper.

My grandmother, Catrin Cadwaladr, my mother's mother, was born in Cefn Eithin, a smallholding not far from Groeslon and Llanwnda, in Caernarfonshire, on St John's Day, 1823. My grandmother's mother was a daughter of Cefn Eithin who married one Hugh Robinson. John W. Davies, the relative from New York, said in his letter to *Y Genedl* that he understood that Hugh Robinson was a man who had been rescued from a shipwreck (the sea is not far from Cefn Eithin), and that he was the first of that name, and that he married the daughter of the man who farmed Cefn Eithin for Lord Newborough. But it is not true that he was the first of that name, so the shipwreck story is unlikely. Hugh Robinson was the grandson of William Robinson, Plas Mawr, y Groeslon, who was born in 1729. I gather from the correspondence in *Y Genedl* that the Robinsons had been in Wales since Tudor times. There was a branch of the family in Dyffryn Nantlle, and in Caernarfon too I believe. The children of Hugh

134

Robinson yn Hughes, yn ôl arfer yr oes honno o gymryd yr enw cyntaf yn gyfenw. Ond dywed Mr Gilbert Williams mai wrth yr enw 'Cadi Robins' yr adwaenai ei fam ef fy nain. Fy nain oedd yr ieuengaf o dŷaid mawr o blant, a phan oedd hi yn ddyflwydd oed daeth clefyd i Gefn Eithin, a chymerodd ei modryb fy nain ati i Bont Wyled gerllaw. Nid aeth hi byth yn ôl i Gefn Eithin, ond aros gyda'i modryb. Dywedir stori am fy nain a'i brawd hynaf, Hugh Hughes, tad y John W. Davies uchod. Mae'n siŵr fod Hugh gryn ugain mlynedd yn hŷn na'm nain, ac ar ôl priodi fe aeth i fyw i Gaernarfon. Un diwrnod daeth dyn at fy nain ar y stryd yn y dref a gofyn iddi, 'Dwad i mi, Cadi fy chwaer wyt ti?' Nid adwaenai'r ddau ei gilydd, oherwydd ei magu hi ym Mhont Wyled. Saer maen ar Ystad y Faenol ar hyd ei oes oedd yr Hugh Hughes yma, ac yr oedd yn un o'r rhai a adeiladodd Wal y Faenol rhwng y Felinheli a Bangor. Dywed John W. Davies, yn yr un llythyr, fod Hugh Roberts, cyfreithiwr a oedd yn byw yn Llwyn Brain, Llanrug, yn gefnder i'w daid, ac felly i'm nain. Yr oedd yr Hugh Roberts hwn yn berthynas i deulu Trefarthen, Sir Fôn, ac i'r Barnwr Bryn Roberts, ond ni ŵyr awdur y llythyr sut yr oedd yn perthyn. Os nad oedd fy nain yn adnabod ei brawd hynaf, yr oedd digon o gyfathrach rhyngddi a'i chwiorydd. Priododd un chwaer iddi Lewis Williams, Pant Coch, Rhostryfan, gerllaw tŷ fy nain, y hi yn nain i'r diweddar Isander. Yr oedd chwaer arall iddi (ni wn ym mha le yr oedd hi yn byw) yn nain i W. J. Roberts, arolygwr ysgolion, a fu farw'n sydyn yn Llandudno yn ystod y rhyfel diwethaf. Aeth chwaer arall iddi, Martha, a Nain gyda'i gilydd i Sir Fôn i weini ar fferm. Priododd Martha yno, ac ŵyr iddi hi oedd Mr J. H. Roberts, Ysgol Cybi, Caergybi. (Rhyfedd cymaint o'r teulu a briododd â Rhobertiaid!) Gwn hefyd fod hen lanciau Clogwyn y Gwin, Rhyd-ddu, yn ewythrod i'm nain (ond ni wn sut). Chwi gofiwch yr ysgrif arnynt hwy yn *Cymru Fu*, dynion a oedd yn enwog am eu nerth corfforol, ac yn baffwyr heb eu hail.

Robinson became Hughes, according to the tradition of taking a father's first name as a surname. But Mr Gilbert Williams says that his mother knew my grandmother by the name of 'Cadi Robins'. My grandmother was the youngest in a large household of children, and when she was two years old sickness came to Cefn Eithin, and her aunt took her to her house at Bont Wyled nearby. She never went back to Cefn Eithin, but stayed with her aunt. A story is told of my grandmother and her eldest brother, Hugh Hughes, grandfather of the above-mentioned John Davies. Hugh must have been about twenty years older than my grandmother, and after marrying he went to live in Caernarfon. One day a man went up to my grandmother in the street in the town and asked her, 'Tell me, are you my sister Cadi?' The two did not recognise each other, because she was raised in Pont Wyled. This Hugh Hughes was a stone mason on the Faenol estate all his life, and he was one of the men who built the Faenol wall between Felinheli and Bangor. John W. Davies said in the same letter that Hugh Roberts, a solicitor living in Llwyn Brain, Llanrug, was a cousin of his grandfather, and so of my grandmother. This Hugh Hughes was related to the family of Trefarthen, Anglesey, and to Judge Bryn Roberts, but the writer of the letter did not know in what way they were related. Though my grandmother did not know her eldest brother, there was plenty of contact between her and her sisters. One sister married Lewis Williams, Pant Coch, Rhostryfan, near my grandmother's house, she being grandmother to the late Isander. Another of her sisters (I don't know where she lived) was the grandmother of W. J. Roberts, schools inspector, who died suddenly in Llandudno during the last war. Another of her sisters, Martha, and Nain went to serve on a farm in Anglesey. Martha married there, and her grandson was Mr J. H. Roberts of Ysgol Cybi, Holyhead. (Surprising how many of the family married a Roberts!) I know too that the bachelors of Clogwyn y Gwin, Rhyd-ddu, were uncles to my grandmother (but I don't know how). You may recall the essay about them in *Cymru Fu*, men famed for their physical strength, and boxers without equals.

Mab Ty'n Drain, Llanaelhaearn, oedd fy nhaid, tad fy mam – Richard Cadwaladr, mab Cadwaladr ac Ann Ffowc. Dywed Mr Gilbert Williams fod y Ffowciaid yn Llandwrog ers ugeiniau o flynyddoedd. Credaf mai Cadwaladr Ffowc yw un o'r enwau tlysaf a glywais erioed, a phan af i'r byd nesaf, credaf yr af i chwilio amdano. Crydd ydoedd, a chrydd tlawd iawn yn ôl fel y clywais fy mam yn sôn. Ym Mhen y Groeslon, Rhostryfan, yr oedd yn byw pan fu farw. Ni allodd fforddio prynu dodrefn o unrhyw werth hyd oni phriododd fy nhaid, a'm taid a roes iddo'r dodrefn a fyddai y pryd hynny – cloc, dresel a chwpwrdd deuddarn. Priododd Mari Cadwaladr, chwaer fy nhaid, â Siôn Dafydd, mab Siôn o Lŷn. Hon oedd y fodryb a alwai Mam yn 'Modryb Bryn Llys' – yr oedd Bryn Llys wrth ymyl Pantcelyn, tŷ fy nhaid a'm nain, a bu'r teulu yno am genedlaethau lawer. Clywais fy mam yn sôn am chwaer arall i'm taid a fyddai'n arfer dyfod i Bantycelyn. Arferai hi smocio pibell glai, ac un o'r pethau cyntaf a ddywedai wedi cyrraedd fyddai, 'Lle mae dy bibell di, Dic?'

Ychydig flynyddoedd yn ôl bûm yn aros yn Llandwrog, a myned i'r fynwent yno. Rhyfeddais at y nifer o deulu fy nain a gladdesid yno, teulu Cefn Eithin. Gwelais fedd William Robinson, Plas Mawr, fy hen hen hen daid. Mae bedd Cadwaladr Ffowc, tad fy nhaid, wrth ymyl bedd Glasynys, ac wrth ei ochr mae bedd John Cadwaladr, brawd fy nhaid a fu farw yn 24 mlwydd oed. Yn y gofrestr yn yr eglwys, darllenais mai yn Ffestiniog y bu farw, a geill mai ei ddisgynyddion ef (er na wn hynny, dyfalu yr wyf) yw'r teulu o'r un enw yn Ffestiniog. Dyfalu yr wyf y gallai fod ganddo blentyn, a bod ei wraig wedi ei chladdu yn Ffestiniog.

Cyn priodi yr oedd fy nhaid yn gweithio yn chwarel Llanberis, a'm nain yn llaethreg ar fferm yn Sir Fôn. Yr oedd merch ifanc yn cyd-weini gyda'm nain, ac yn caru gyda ffrind i'm taid, ac yntau'n gweithio yn chwarel Llanberis. Lladdwyd y ffrind hwn yn y chwarel, a gorchwyl prudd fy nhaid oedd myned yr holl ffordd i Sir Fôn i dorri'r newydd i'w gariad. Ar y pryd, yr oedd rhyw ffrigwd yn bod rhwng

My grandfather Richard Cadwaladr, my mother's father, was the son of Cadwaladr and Ann Ffowc, Ty'n Drain, Llanaelhaearn. Mr Gilbert Williams says that there have been Ffowcs in Llandwrog for many decades. I think Cadwaladr Ffowc is one of the most beautiful names I have ever heard, and when I go to the next world I think I will go and look for him. He was a shoemaker, and a very hard up shoemaker, I heard my mother say. He was living in Pen y Groeslon, Rhostryfan, when he died. He could not afford to buy good furniture until my grandfather married, and it was my grandfather who gave him the furniture available at the time – a clock, dresser, and a two-tier cupboard. My grandfather's sister Mari Cadwaladr married Siôn Dafydd, son of Siôn of Llŷn. This was the aunt Mam called 'Modryb Bryn Llys' – Bryn Llys was near Pantcelyn, my grandparents' house, and the family lived there for many generations. I heard my mother talk of another of my grandfather's sisters who used to come to Pantcelyn. She used to smoke a clay pipe, and one of the first things she said when she arrived was 'Where's your pipe, Dic?'

A few years ago I went to stay in Llandwrog, and went to the cemetery there. I was surprised at the number of my grandmother's family who were buried there, the Cefn Eithin family. I saw the grave of William Robinson, Plas Mawr, my great, great, great grandfather. The grave of Cadwaladr Ffowc, my grandfather's father, is next to the Glasynys grave, and by its side is the grave of John Cadwaladr, my grandfather's brother who died aged 24. In the church register I read that he died in Ffestiniog, and it is possible that his descendants (though I don't know this, I am only guessing) are the family of that name in Ffestiniog. I am guessing that he had a child, and that his wife was buried in Ffestiniog.

Before marrying, my grandfather worked in Llanberis quarry, and my grandmother was a dairymaid on a farm in Anglesey. There was a young girl in service with my grandmother, courting a friend of my grandfather who worked in the quarry in Llanberis. This friend was killed in the quarry, and it was my grandfather's sad duty to go all the way to Anglesey to break the news to his girlfriend. At the

fy nhaid a'm nain, ac nid oedd Cymraeg rhyngddynt. Gyda char a cheffyl yr âi Richard Cadwaladr i Sir Fôn, ar ôl caniad, a chyrraedd yno berfeddion o'r nos, a thaflu graean at y ffenestr. Tybiodd y ferch ifanc arall mai i weld fy nain y daethai, a thrist iawn fu ei ymweliad iddi hi. Ond y noson hon daeth fy nhaid a'm nain yn ffrindiau, ac ni buont yn hir wedyn cyn priodi.

Yn 1847 y bu hyn, ac aethant i fyw i Bantcelyn, tyddyn ar gwr pentref Rhostryfan, mewn rhan o'r ardal a elwir yn 'Caeau Cochion'. Yno y buont byw drwy gydol eu hoes faith. Bu'r mab hynaf yn byw yno wedyn, hyd ei farw, a'i fab yntau am flynyddoedd lawer. Yno y mae merch fy nghefnder yn byw yn awr.

Yn Eglwys Llanwnda y priodasant. Mae'n debyg mai Eglwyswyr oedd teulu Cefn Eithin, h.y. os oeddent yn mynychu lle o addoliad. Gwn i fam fy nain, gwraig Cefn Eithin, fynd i berthyn i gapel Brynrodyn yn ddiweddarach. Aeth blaenor ati i'r llawr a dweud wrthi, yn ôl dull yr oes honno, 'Mae'n siŵr ych bod chi'n ystyried ych hun yn bechadures fawr.' Dyma hithau'n dweud fel bwled o wn, gan snyffian ei gwrthwynebiad, 'Nac ydw i wir, tydw i ddim yn meddwl mod i ddim gwaeth na rhywun arall.'

Yr oedd brecwast priodas fy nain mewn temprans ym Mhen Deitsh, Caernarfon. Ar y pryd, yr oedd Owen Jones, Cae Morfudd, gŵr i'w chwaer, yn y carchar. A dyma pam (yr wyf yn ddyledus eto i Mr Gilbert Williams am y wybodaeth): Yr oedd gweithwyr chwarel y Cilgwyn yn 1847 heb eu talu gan y cwmni ers wythnosau, ac er mwyn ennill arian pan oedd y cwmni mewn anawsterau ariannol, penderfynodd nifer o'r chwarelwyr fyned i'r chwarel ar eu cyfrifoldeb eu hunain, er gwaethaf rhybuddion gan gynrychiolydd y Goron. (Mae'n debyg fod y gweithwyr yn gwerthu'r llechi ar eu liwt eu hunain.) Un diwrnod daeth y cynrychiolydd ar warthaf y gweithwyr, a threfnu i'w gwysio gerbron y llys gwladol. Dedfrydwyd wyth ohonynt i garchar. Dyma'u henwau: Owen Jones, Robert Griffith, William Hughes, John Davies, Robert Evan Davies, David Jones, Robert Parry a John Lewis. Am nad oedd eu trosedd o'r math cyffredin cafodd fy nain ganiatâd i anfon peth o'r

time, there was some quarrel between my grandfather and grandmother, and they weren't talking. Richard Cadwaladr went by horse and carriage to Anglesey after a day's work, arriving late at night, and he threw gravel at the window. The young girl assumed it was my grandmother he had come to see, and the visit was a very sad one for her. But that night my grandfather and my grandmother made it up, and soon after they were married.

It was 1847, and they went to live in Pantcelyn, a smallholding on the outskirts of Rhostryfan, in part of the area known as Caeau Cochion. They lived there throughout their long lives. Then their eldest son lived there until his death, and his son for many more years. It is there that my cousin's daughter lives now.

They were married in Llanwnda church. The Cefn Eithin family were probably churchgoers, that is if they attended a place of worship. I know that my grandmother's mother, the woman of Cefn Eithin, later joined Brynrhodyn chapel. A deacon approached her and said to her, in the manner of those days, 'I'm sure you consider yourself a great sinner.' And she said, quick as a bullet, sniffing her objection, 'Certainly not. I don't think I'm any worse than anyone else.'

My grandfather's wedding breakfast was in the Temperance Hall in Pen Deitsh, Caernarfon. At the time, Owen Jones, Cae Morfudd, her sister's husband, was in prison. And this is why (and I'm indebted once again to Mr Gilbert Williams for the information): in 1847 the workers of Cilgwyn quarry had not been paid by the company for weeks, and to earn money while the company was in financial difficulties a number of quarrymen decided to go to the quarry at their own responsibility, despite warnings from the representative of the Crown. (The workers were probably selling slates on their own behalf.) One day the representative came in pursuit of the workers and arranged to summon them before a civil court. Eight of them were sentenced to prison. Their names were Owen Jones, Robert Griffith, William Hughes, John Davies, Robert Evan Davies, David Jones, Robert Parry and John Lewis. As theirs was not a common crime, my

brecwast priodas i'r carchar i'w brawd-yng-nghyfraith, Owen Jones.

Mae gennyf yn fy meddiant lun nodedig iawn, sef llun fy nhaid a'm nain a deuddeg o'u plant, a'r rheiny i gyd wedi priodi. Mae dros 65 mlynedd er pan dynnwyd y llun, ac mae ei liw bron yn berffaith, er ei dynnu gan ddyn heb fod yn dynnwr darluniau wrth ei alwedigaeth, a hithau'n tywallt y glaw. Sulgwyn oedd hi, a'r plant a oedd yn byw bellaf wedi digwydd dyfod adref dros yr ŵyl. Gallwyd anfon neges i'r rhai a oedd yn byw wrth ymyl, ac felly y cafwyd y llun. Ganed tri ar ddeg o blant ym Mhantcelyn, ond bu un farw yn bump oed o'r diphtheria, salwch a gafodd fy ewythr John yr un pryd ac a roes fyddardod parhaol iddo.

Nid wyf yn cofio llawer am fy nhaid, oblegid bu farw pan oeddwn i yn bedair a hanner oed. Ond cofiaf ef yn bur dda yn dyfod i'r tŷ lle y ganed fi, Bryn Gwyrfai, ychydig cyn inni symud oddi yno i Gae'r Gors, ac yn dweud wrth Mam y byddai ganddo lai o ffordd i ddyfod i edrych amdani y tro wedyn, ac y câi sbario cerdded y gongl heibio i'r capel. Ond ni chafodd ddyfod, oblegid bu farw'n lled fuan wedyn, tua 74 mlwydd oed. Dyn gweddol dal, golygus ydoedd, o bryd golau a llygad glas; wyneb llwyd, addfwyn, a rhyw ddifrifwch ynddo. Dyna'r argraff a gaf oddi wrth ei ddarluniau. Yr oedd y deuddeg plentyn yn bur debyg i'w gilydd, a'r bechgyn, yn enwedig, yn debyg i'w tad, y cwbl o bryd golau iawn pan oeddent ieuainc. Yn wir, yr oedd yn hawdd iawn adnabod y Dywaldiaid, fel y gelwid hwynt, ymhobman. Saer coed yn y chwarel oedd fy nhaid yn ei flynyddoedd olaf, ac yr oedd yn gelfydd iawn gyda'i ddwylo. Yr oedd wedi troi rhyw siambar yn y tŷ, a elwid yn 'siambar dywyll' yn weithdy, ac yno, ac ef yn llifio, y rhedodd fy modryb Lusa, dair oed, a'r llif yn ddamweiniol yn torri ei bys bach i ffwrdd. Cofiaf yno seston lechen fawr o'i waith yn dal y dŵr glaw o dan y fargod. Er mai llawr llechi a gofiaf fi ym Mhantcelyn, buasai yno lawr pridd unwaith, a chodasai fy nhaid lwyfan fechan, ryw chwe modfedd o uchder ac yn ddigon llydan i ddal y dodrefn. Ar ran isaf y llechi hyn, cerfiasai luniau pysgod a phethau felly.

grandmother was allowed to send some of the wedding breakfast to the prison for her brother-in-law, Owen Jones.

I have in my possession a very special picture, a portrait of my grandfather and grandmother with their twelve children, including all the married ones. It is over 65 years since the picture was taken, and its colour is almost perfect, though it was taken by a man who was not a professional photographer, and it was pouring with rain. It was Whitsun, and the children who lived furthest away had happened to come home over the holiday. A message was sent to those who lived nearby, and so the picture was taken. There were thirteen children born at Pantcelyn, but one died aged five of diphtheria, a fever my uncle John caught at the same time, which left him permanently deaf.

I don't remember much about my grandfather, because he died when I was four and a half years old. But I remember him quite well coming to the house where I was born, Bryn Gwyrfai, shortly before we moved from there to Cae'r Gors, and telling Mam that he would have a shorter distance to come and see her next time, and that he would be spared walking round the corner past the chapel. But he never came, because he died soon afterwards, about 74 years old. He was quite a tall, handsome man with fair hair and blue eyes; a pale gentle face with humour in it. That is the impression I have from his photographs. The twelve children looked alike, and the boys especially were like their father, all very fair when they were young. Indeed, it was very easy to recognise the Dywaldiaid, as they were known, everywhere. My grandfather was a carpenter in the quarry in his later years, and he was very skilled with his hands. He had turned a room in the house, known as 'the dark room', into a workshop, and it was there, while he was sawing, my aunt Lusa, three years old, ran and the saw accidentally cut off her little finger. I remember a large slate cistern of his making, to collect rainwater under the eaves. Though it is the slate floors that I remember in Pantcelyn, there had once been an earth floor, and my grandfather had built a small platform about six inches high and wide enough to accommodate the furniture. On the lower edge of these slates he had carved images of fish and

Mae gennyf yn fy meddiant yma gestan drôr lechen fechan o'i waith a dyrnau pres iddi. A chofiaf hefyd gartref, esgid lechen wedi iddo ei gwneud, a ddefnyddid gennym i ddal y drws yn agored. Mae'n sicr gennyf mai ef hefyd a wnaeth y bwrdd llechen helaeth a fyddai yn y tŷ llaeth ym Mhantcelyn.

Y peth a ddaw gyntaf i'm meddwl wrth gofio am fy nain Pantcelyn yw cadernid. Hen wraig ydoedd pan gofiaf hi gyntaf – bu farw yn niwedd 1912 yn 89 mlwydd oed, a minnau ar ddechrau fy ail flwyddyn yn y coleg. Yr oedd yn gadarn iawn o gorff. Ni bu erioed yn sâl hyd o fewn deng niwrnod cyn ei marw, pan gafodd ergyd o'r parlys. Er ei bod mor hen, yr oedd ganddi gorff siapus, heb fod yn rhy dew nac yn rhy denau. Yr oedd ganddi dipyn o henc yn niwedd ei hoes, effaith damwain fechan a gafodd; ond nid effeithiodd hynny ddim ar ei chorff. Dau lygad glas, miniog a oedd ganddi, yn wir yr oedd yr un ffunud â'r hen wraig yn y darlun 'Salem', ond bod yr olaf yn ymddangos yn dalach. Credaf fod hen wragedd ers talwm yn ymddangos yn debyg i'w gilydd am nad oedd ganddynt ddannedd. Prin y cofiaf yr un hen wraig a chanddi ddannedd gosod.

Hyd y gwn hefyd, yr oedd fy nain yn bur gadarn o bersonoliaeth, dywedaf hyd y gwn, gan nad adwaenwn moni'n ifanc, a hyd y cofiaf hefyd, ni chlywais neb yn dweud ei bod yn styfnig yn ei henaint, peth sy'n nodweddiadol o hen bobl. Ond bu hi'n ddigon ffodus i osgoi'r amgylchiadau sy'n dyfod â styfnigrwydd hen bobl i'r golwg. Ni bu'n rhaid iddi ddibynnu llawer ar neb. Hyd y sylwais pan mae hen bobl yn colli eu haelwydydd eu hunain ac yn gorfod dibynnu ar bobl eraill yr ânt yn styfnig. Flynyddoedd cyn ei marw adeiladodd fy ewythr John, ei mab hynaf, dŷ yn nhalcen tŷ Pantcelyn a gwnaeth ddrws o un tŷ i'r llall, nid yn unig er mwyn medru myned i dŷ fy nain yn gynt, ond am mai ef a ddaliai'r tir y pryd hynny, a defnyddient dŷ llaeth yr hen dŷ. Medrai fy nain wneud y rhan fwyaf o ddyletswyddau tŷ hyd y diwedd, a gwnâi ei merched-yng-nghyfraith y pethau eraill iddi.

Yr oedd rhyw lymder yn ei hwyneb – efallai mai yn ei henaint y daeth, a byddai arnaf fi ofn y llymder hwnnw braidd. Ni fedrai oddef ffolineb, ac ni fedrai oddef rhai

other things. I have here in my possession a small slate chest of drawers that he made with brass knobs on it. And I remember that at home we had a slate shoe he had made, which we used to keep the door open. I am sure it was he who made the ample slate table in the dairy at Pantcelyn.

What first comes to mind when I think of Nain Pantcelyn is strength. She was an old woman when I first remember her – she died at the end of 1912 aged 89, and I in my second year at College. She was physically very strong. She was never ill until ten days before her death, when she became paralysed. Even though she was so old, she had a shapely body, neither too fat nor too thin. She had a bit of a limp at the end of her life, the effect of a minor accident, but it had no effect on her body. She had a pair of sharp blue eyes, indeed, she was just like the old woman in the painting, 'Salem', though the latter seemed taller. I think old women in the past looked alike because they had no teeth. I remember hardly any old woman who wore false teeth.

As far as I can tell my grandmother had a strong personality. I say as far as I can tell because I didn't know her when she was young, and also as far as I remember I heard no one say she was stubborn in her old age, which is typical in old people. But she was lucky to avoid the circumstances that brings out the stubbornness in the old. She was not greatly dependent on anyone. As far as I can see it's when old people lose their independence and must depend on other people that they become stubborn. Years before her death my uncle John, her eldest son, built a house on the gable end of Pantcelyn and created a door between the two houses, not just so that he could go more quickly to my grandmother's house, but because by that time he had the land, and used the dairy of the old house. My grandmother could manage all her household chores to the end, and her daughters-in-law did the other things for her.

There was something stern about her face – maybe it came in her old age – and I was a little afraid of that severity. She could not tolerate stupidity, and she could not tolerate other

pethau eraill ychwaith, megis os arhosech ar ei haelwyd yn rhy hir. Gwyddwn yn iawn pan fyddai wedi blino ar fy nghwmpeini, medrai ddangos hynny mewn rhyw ddull oer; a phan ddywedwn i, 'Rydw i am fynd rŵan' byddai ei 'Dos ditha' yn dangos yn eglur iawn beth oedd ei dymuniad. Yr oedd ei Chymraeg yn gadarn a chyhyrog, a diau bod ei 'Dos ditha' yn berffaith gywir yn y defnydd a wnâi ohono. Gyda llaw, byddai hi bob amser yn dweud 'dwyd' am 'deud' (dweud).

Ni wn a sylwasoch faint o rywbeth tebyg i ddirmyg sydd mewn rhai rhagenwau personol. Ni allaf feddwl am fwy o ddirmyg mewn dim nag mewn cwestiwn fel hyn: 'Beth sydd ar *hwnnw* neu *honno*?' a'r bobl sy'n siarad yn adnabod yr 'hwnnw' yn iawn.

Yr oedd gan fy nain drwyn synhwyrus, beirniadol, y math o drwyn y disgwyliech ei gael gan feirniad llenyddol, ac yr *oedd* hi'n feirniadol, yn craffu ac yn sylwi ar bob dim. Efallai bod hynny yn nodwedd oes heb ynddi ormod o lyfrau na phapurau newydd. Yr oedd yn rhaid iddynt edrych ar bethau drwy eu llygaid eu hunain ac nid trwy lygaid neb arall. Aeth Lisi, merch Bryn Llwyd, y tŷ nesaf, â'i chariad i weld fy nain cyn iddynt briodi. Gwnaeth yr hen wraig iddo sefyll ar ganol y llawr a throi o gwmpas, er mwyn iddi gael gweld sut un ydoedd!

Yr oedd yn gynnil ryfeddol; yr oedd yn rhaid i bawb bron fod yn yr oes honno os oeddent am dalu eu ffordd. Nid cynnil gyda bwyd ac angenrheidiau oedd hi, eithr cynnil gyda chysuron. Ni welais fawr erioed fatting ar yr aelwyd na chlustog ar gadair ganddi. Buasai'n diarhebu at neb yn cymryd sebon i olchi llawr, a chredaf mai gyda graean gwyn y byddai'n dal i sgwrio'r bwrdd mawr. Anaml y byddai'n prynu dillad newydd hefyd. Bodis du a phais stwff lwyd a wisgai (mae ei phais olaf yma gennyf fi, hi a wisgai Lowri Lew pan chwaraeid *Tri Chryfion Byd*). Gwisgai het fach wellt ddu am ei phen bob amser, a chap les du a bwnsiad o ruban du a phiws wrth ei glustiau o dan yr het. Credaf mai bonet a wisgai i fynd i'r capel a chêp. Ond byddai ganddi ddigon o fwyd bob amser, a hwnnw'n fwyd plaen da, menyn digon o ryfeddod, yn dyfod o dŷ llaeth cyn oered ag unrhyw

things either, for example, if you stayed at her house too long. I knew when she had tired of my company. She could show it in a cold way, and when I said, 'I'm off now', her 'Go off with you' clearly expressed her wish. Her Welsh was strong and muscular, and surely her 'Go off with you' was exactly what she intended. By the way, she always pronounced '*dweud*' (said) as '*dwyd*'.

I don't know whether you've noticed how much of something like contempt there can be in some personal pronouns. I can't imagine more contempt than in a question like 'What's with *him* or *her*?' when those speaking know the person well.

My grandmother had a sensitive, critical nose, the sort of nose you'd expect a literary critic to have, and she *was* critical, observant and missing nothing. That might be a characteristic of an age with few books and newspapers. They had to look at things with their own eyes and not through the eyes of others. Lisi, the daughter of Bryn Llwyd next door, took her fiancé to see my grandmother before they were married. The old lady made him stand in the middle of the floor and turn around, so that she could see what he was like!

She was very thrifty, everyone had to be in those days if they were to make ends meet. She was not sparing with food or necessities, but she was sparing with comforts. I almost never saw a mat on her hearth or a cushion on a chair. She would be shocked to see anyone use soap to wash the floor, and I think she still scoured the big table with white gravel. She hardly ever bought new clothes. She wore a black bodice and a petticoat of grey cloth (I have her last petticoat here, the one worn by Lowri Lew when she played in *Tri Chryfion Byd* [The Three Forces of the World. Love. Poverty. Death]). She always wore a small black straw hat and a cap of black lace beneath the hat with a bunch of black and purple ribbons at her ears. I think she wore a bonnet and cape to go to chapel. But she always had plenty of food, and it was good plain food, wonderful butter out of a dairy as cold as any fridge,

gwpwrdd rhew, llaeth enwyn a godai ddyn sâl o'i wely i'w yfed, digonedd o gaws a chig moch ac wyau. Caws croen coch fyddai ei chaws hi. Yr oedd tatws Pantcelyn yn datws blodiog gwynion, a phleser oedd eu bwyta. Ni welais erioed fwyd o dun yno.

Er mai cas oedd gwastraff ganddi, eto nid oedd yn llaw gaead. Cofiaf iddi roddi sofren felen yn fy llaw pan gychwynnwn i'r coleg. Yr oedd hynny yn bensiwn pedair wythnos iddi hi y pryd hwnnw, ac aml iawn y cefais goron neu hanner coron ganddi wedyn. Pan oedd ei mab, f'ewythr Harri, yn y coleg yn y Bala, deuai â myfyrwyr arall adref gydag ef i aros dros y gwyliau, rhywun heb dad neu fam, neu heb gartref, a hynny fwy nag unwaith. Pan ddaeth myfyriwr hollol amddifad yno un tro, fy nain a aeth i'r dref i brynu ei grysau iddo. Diamau gennyf ei bod fel llawer o bobl yr oes honno yn gymdogol yn ei dyddiau cynnar. Cofiaf un stori a glywais gan fy mam, stori a lynodd yn fy nghof oherwydd ei thristwch. Yr oedd cymdoges i'm nain yn wael dan y diciâu ers tro. Wedi i'r dynion fyned i'r chwarel yn y bore, rhedodd fy nain yno i edrych sut yr oedd pethau arni, a'i chanfod wedi marw ar lawr y siambr a phlentyn bach pedair oed yn crio yn y gwely. Amlwg fod y wraig wedi teimlo'n sâl ar ôl i'w gŵr fyned at ei waith, a'i bod wedi codi, a bod gwaed wedi torri yn ei brest. Byddaf bob amser yn cysylltu rhyw ffresni oer â thŷ Pantcelyn, ac eithrio'r gwely wenscot yn y siambr ffrynt. Ni byddai'r drws byth ynghau, ac nid oedd ynddo simnai fawr ychwaith, ddim yn yr amser a gofiaf fi beth bynnag. Nid oedd yno gadair esmwyth, dim ond setl a chadair freichiau. Yr oedd yno un peth nad oedd yn gyffredin yn amser fy mhlentyndod i, ond a fuasai'n beth cyffredin flynyddoedd cyn hynny, sef 'uffern' ar yr aelwyd. Darn o haearn a thyllau ynddo oedd yr uffern, a thwll odano. Yn lle myned â'r lludw o'r grât allan bob dydd, tynnid ef o'r twll lludw o dan y grât a'i roi ar yr uffern, er mwyn i'r lludw fyned i lawr, a gadael y marwor ar yr wyneb. Diwedd bob wythnos codid caead yr uffern a chodi'r lludw i bwced i fyned ag ef allan. Er bod yr uffern yno yn fy adeg i, ni ddefnyddid hi. Bu'r gegin honno yn gegin brysur ar un adeg, adeg magu'r plant. Yr oedd yno

buttermilk that would raise a sick man from his bed to drink it, plenty of cheese, bacon and eggs. Her cheese would be the sort with a red rind. Pantcelyn potatoes were white and floury, and a pleasure to eat. I never saw food from a tin there.

She hated waste but she was not mean. I remember her putting a gold sovereign into my hand when I started College. It was four weeks' pension for her at the time, and I often had a crown or half a crown from her after that. When her son, my uncle Harri, was in the college in Bala, he would bring other students home with him to stay for the holidays, someone with no father or mother, or homeless, and it happened more than once. Once, when a student who was totally destitute came, it was my grandmother who took him to town to buy him shirts. I am sure she was very neighbourly in her youth, as many were in those days. I remember a story I heard from my mother, a story that stayed in my mind because it was so sad. One of my grandmother's neighbours had been ill with TB for some time. When the men had left for the quarry in the morning, my grandmother ran to see how she was, and found her lying dead on the bedroom floor with a four-year-old child in the bed crying. It looked as if the woman had fallen ill after her husband had gone to work, and she had got up, and had suffered a haemorrhage. I always associate the house at Pantcelyn with a sharp coldness, except for the cupboard bed in the front room. The door was never closed, nor was there an inglenook, at least, not in the time I remember. There was no easy chair, only a settle and a chair with arms. There was one thing that was rare in my childhood, but which had been common in earlier times, and that was an '*uffern*' ('hell') on the hearth. The *uffern* was a piece of metal pierced with holes, with a pit underneath it. Instead of removing the ashes from the grate every day, they were taken from the ashpit under the grate and placed on the *uffern*, so that the ash dropped through, leaving the embers on the surface. At the end of each week the top of the *uffern* was raised and the ashes put in a bucket to take outside. Although there was an *uffern* there in my time, it was never used. That kitchen had been a busy place once, when children were raised there. There was always a cradle to rock, and a

grud i'w siglo bob amser, a throell i nyddu, a phlant yn dysgu adnodau a phenillion. Byddai fy nain yn nyddu efo'r droell fach, wlân a llin, ac yn gyrru'r edafedd i'w wneud i'r gwehydd. Gwnâi lenni ffenestri a llenni i'r gwely wenscot efo'r lliain. Cofiaf y droell fach honno yn y siambar ac wedyn yn yr ysgubor, ond gadawyd iddi bydru yno heb neb yn gweld dim gwerth ynddi. Yn yr un gegin y dysgodd fy mam a'i chwaer, Margiad, lyfr Jona drwyddo i gyd a'i ddweud ar un adroddiad. Byddai'r ddwy yn siglo'r crud bob yn ail, cofier mai plant oeddent, a weithiau, er mwyn newid, yn gorwedd ar draws y crud ac yn adrodd yr adnodau. Rhoddid gwobr yn y Capel Bach (sef capel yr Annibynwyr yn Rhostryfan) i'r un a allai adrodd llyfr Jona drwodd gywiraf o flaen yr ysgol Sul. Hyd y cofiaf, Mam a'i chwaer oedd yr unig ddwy a'i dysgasai. Gwrandewid arnynt gan y pregethwr a bregethai yno y Sul hwnnw, 'pregethwr dannedd duon' y galwai fy mam ef. Twrn fy mam a oedd gyntaf. Pan oedd hi ar fin dechrau, dyma'r byd yn mynd yn ddu o flaen ei llygaid a bu'n rhaid iddi stopio. Yr oedd y pregethwr yn un caredig, y mae'n rhaid, oblegid dyma fo'n dweud wrthi am stopio ac ailddechrau. Yr oedd y tywyllwch wedi diflannu erbyn hynny, ac aeth hithau drwyddo o'i ddechrau i'w ddiwedd heb yr un camgymeriad. Ond ni chafodd fy modryb Margiad y clwt o dywyllwch o flaen ei llygaid, ac aeth hithau drwyddo heb yr un camgymeriad. Oherwydd yr anffawd i'm mam, ei chwaer a gafodd y wobr.

Mae gennyf fi ryw gorneli tywyll a chorneli golau yn fy meddwl ynglŷn â chaeau. Ni wn pam y mae rhai caeau fel diwrnod heulog i mi a'r lleill fel tywyllwch tywydd terfysg. Dim ond imi weld ambell gae bydd yn codi fy nghalon. Bydd cae arall yn rhoi'r felan imi. Mae gennyf gof mai'r effaith olaf a gâi weirglodd Pantcelyn arnaf. Yr oedd yn bell o'r tŷ, ac yr oedd yn rhaid mynd â'r drol ar hyd ffordd drol go bell cyn dyfod ati. Caf argraff ei bod yn un wleb a'i bod fel petai wedi ei chysgodi rhag yr haul. Beth bynnag oedd yr achos, ni fedrwn ei hoffi. Efallai fod a wnelo rhyw storm o law taranau a ddigwyddodd un cynhaeaf gwair, a hynny ar ganol cario'r weirglodd, rywbeth â'r peth. Efallai mai am ei bod yn bell o'r tŷ y casawn hi. Ni byddwn yn mynd i

spinning wheel to turn, and children learning their Bible and verses. My grandmother used a small spinning wheel to spin wool and flax to make thread for the weaver. With the flax she made curtains for the windows and drapes for the cupboard bed. I remember that small spinning wheel in the bedroom and later in the barn, but there it was left to rot, with nobody seeing any value in it. It was in that same kitchen that my mother and her sister Margiad learned the whole book of Jonah by heart and recited it all in one go. The two girls would take turns to rock the cradle, and, being children, would sometimes for a change lie over the cradle to recite the verses. In Capel Bach, the Independent chapel in Rhostryfan, a prize was awarded for whoever could recite the book of Jonah with fewest mistakes in front of the whole Sunday school. As far as I recall Mam and her sister were the only two who learned it. They were heard by the preacher who happened to be there that Sunday, the 'black teeth preacher', as my mother called him. It was my mother's turn first. As she was about to begin, everything went black before her eyes, and she had to stop. The preacher must have been the kindly sort because he told her to pause and to begin again. The blackness had disappeared, and she recited it from beginning to end without a single mistake. My aunt Margiad did not get the blackness over her eyes, and she too went right through without one mistake. Because of my mother's mishap, it was her sister who won the prize.

I have bright and dark corners in my mind about fields. I don't know why some fields are like a sunny day to me, while others are like the darkness of stormy weather. I only have to look at a particular field and it will lift my heart. Another field will make me downhearted. I remember getting the latter impression from the Pantcelyn hayfield. It was far away from the house and we had to take the cart down a long track to get to it. I seem to remember that it was a wet field and as if shaded from the sun. Whatever the reason, I could not like it. Maybe a thunderstorm that struck once at haymaking time, in the middle of carrying hay, has something to do with it. Perhaps the fact that it was so far from the house made me hate it. I did not often go to the haymaking at Pantcelyn, and

gynhaeaf gwair Pantcelyn yn aml, ac nid oes gennyf atgof melys o gwbl am yr ychydig droeon y bûm. Cofiaf gael fy mrifo'n fawr unwaith yno, er na ddaeth neb i wybod hynny. Rhaid mai'r adeg y cafodd fy nain ddamwain ydoedd, oblegid yr oedd ganddi eneth o forwyn ar y pryd, geneth, yn ôl gair pawb, glên a hynaws iawn. Gofynnais i Mary pan oedd pawb allan yn y cae gwair, a gawn i un o'r rhosod gwynion a dyfai o gwmpas drws y tŷ i'w roi yn fy mrest. Ni ddywedodd ddim, ond yn lle torri rhosyn imi, aeth allan at wal y cae lle'r oedd pren ysgaw, a thorri blodyn ysgaw imi. Yna chwiliodd am bìn a chymerodd drafferth fawr i'w binio yn fy mrest, a dweud y gwnâi hwnnw'r tro llawn cystal. Rhyw syniad y gwna rhywbeth y tro i blentyn oedd y tu ôl i'w hymddygiad, oblegid ni allaf feddwl y buasai gan fy nain wrthwynebiad i roddi rhosyn i neb. Prun bynnag, fe'm brifwyd yn druenus; nid anghofiais y loes byth, ac ni chredaf imi fyned yno i'r cynhaeaf gwair byth wedyn. Gardd gaeedig iawn a oedd yno hefyd, na allesid ei gweld o'r lôn, a dôr yn myned iddi. Ar un adeg byddai rhes o gychod gwenyn yn perthyn i'm hewythr Harri ynddi.

Cyn gadael teulu Pantcelyn mae arnaf chwant adrodd stori am f'ewythr Harri y soniais amdano uchod. Priododd ef â merch yr Hendre Ddu, ger y Bala. Catherine Ellis oedd ei henw morwynol, a daeth, wrth gwrs, yn Catherine, neu Kate (fel y gelwid hi), Cadwaladr ar ôl priodi. Cof bychan iawn sy gennyf amdani, oblegid bu hi farw ymhen blwyddyn ar ôl fy nhaid. Ymhen blynyddoedd lawer iawn yr oedd fy ewythr yn yr Hendre Ddu pan oedd ei dad-yng-nghyfraith yn rhoi'r gorau i ffarmio (credaf mai dyna a ddigwyddai) yr oedd yno symud dodrefn, beth bynnag. Yr oedd yno dwll mawn o dan y simnai fawr wedi ei orchuddio â phapur. Tynnwyd y papur, ac yn y twll fe ddowd o hyd i un o'r cyfieithiadau cyntaf o'r Testament Newydd, a'r enw ar ei glawr oedd 'Catherine Cadwaladr'. Bûm yn sôn am hyn wrth Mrs Elena Puw Morgan – yr oedd ei mam hi yn gyfnither i wraig f'ewythr Harri – a'i hesboniad hi ydoedd, fod yr un teulu yn yr Hendre Ddu ers rhai canrifoedd, a bod Cadwaladr yn enw yn y teulu, a bod cymryd yr enw cyntaf

the few times I went have left no pleasant memories. I remember once being really hurt there, and nobody got to know about it. It must have been when my grandmother had had an accident, because she had a maid at the time, a girl who, according to everyone, was kind and polite. When they were all out in the hayfield, I asked Mary if I could have one of the white roses which grew around the door to wear on my chest. She said nothing, but instead of cutting a rose for me, she went out to the wall to the field where there was an elder tree, and she cut a blossom for me. Then she looked for a pin and carefully pinned it to my chest, and said it would be just as good. Some notion that anything would do for a child lay behind her action, because I don't think my grandmother would have objected to anyone having a rose. Anyway I was very hurt, and I never forgot the hurt, and I don't think I ever went there again for haymaking. There was also an enclosed garden that could not be seen from the road, with a door going to it. At one time there was a row of beehives in there belonging to my uncle Harri.

Before finishing with Pantcelyn, I'd like to tell a story about the my uncle Harri that I mentioned above. He married the daughter of Hendre Ddu, near Bala. Her maiden name was Catherine Ellis, and of course she became Catherine, or Kate (as she was known), Cadwaladr after her marriage. I have very little recollection of her, as she died the year after my grandfather. Years later my uncle was at Hendre Ddu when his father-in-law was retiring from farming (I think that is what was happening) and the furniture was being removed. Below the big chimney there was a peat hole covered up with paper. The paper was removed, and in the hole was discovered one of the earliest translations of the New Testament into Welsh, and the name inside the cover was Catherine Cadwaladr. I mentioned this to Elena Puw Morgan – her mother was my uncle Harri's wife's cousin – and her explanation was that the same family had lived at Hendre Ddu for centuries, and that Cadwaladr was a family name, and that

yn gyfenw yn arferiad y pryd hwnnw. Yr oedd yno Elis Cadwaladr ar un adeg.

Mae gennyf stori bur wahanol i'w dweud am deulu fy nhad. Nid oeddent hwy yn hanfod o'r cyffiniau, er na ddaethent o bell. Mwy na hynny, ni chlywais erioed mo'm tad yn sôn am ei hynafiaid, os gwyddai rywbeth amdanynt, er y byddai'n myned i gladdu rhai ohonynt i Lŷn weithiau. Bu'n claddu hen fodryb yno unwaith, 103 oed, a chofrestr ei bedydd ar y bwrdd er mwyn i bawb gredu ei bod yn 103. Symudodd fy hen daid a'm hen nain o du fy nhad o ochr Garn Fadryn, yn Llŷn, i Lanllyfni i gychwyn, ac oddi yno ymhen tipyn, ni wn faint, i ochr Moeltryfan, y cwbl ohonynt. Clywais ddywedyd fod fy nhad yn bedair oed ac ar ben y llwyth mud pan fudent, ond ni wn pa un ai ar y llwyth mud o Lŷn i Lanllyfni ai ar y llwyth mud o Lanllyfni i Foeltryfan. Egluraf, er mwyn y rhai nad ydynt gyfarwydd â'r ardal, mai Moeltryfan y gelwir y rhan uchaf o'r ardal, sydd yn agor i'r chwarel o'r enw hwnnw, ac yn wynebu Bron y Foel, neu Cesarea, fel y gelwir ef heddiw. Mae Rhosgadfan ei hun ychydig yn is i lawr ac ychydig yn nes i'r Waun-fawr. Bu fy hen nain yn byw wedyn (ni allaf ddweud a oedd fy hen daid yn fyw yr adeg hon) yn Hafod y Rhos, Rhosgadfan. Y rheswm dros imi gofio hyn ydyw imi glywed fy nhad yn dweud iddo fynd i dŷ ei nain i Hafod y Rhos, yn llaw ei fam, pan oedd yn blentyn rywle rhwng pedair a chwech oed, a thra oedd ei fam a'i nain yn sgwrsio wrth y tân, iddo ef fynd i'r drôr yn y bwrdd mawr (bwrdd cwpwrdd, fel y gelwir ef gan rai) a bwyta pwys o fenyn cyfa fesul tamaid. Modd bynnag, ym Mryn Ffynnon, tyddyn bychan yn agos i chwarel Cors y Bryniau, yr oedd fy nhaid a'm nain yn byw. Credaf mai yno yr aethant ar ôl priodi ac ni symudasant oddi yno hyd o fewn rhyw flwyddyn a hanner cyn marw fy nhaid.

Un o'r Waun-fawr oedd fy nain, mam fy nhad, ond fe'i clywais hi yn dweud unwaith mai o Sir Fôn y daethant i'r Waun-fawr. Aeth rhai o deulu fy nhaid a'm nain i fyw i ochrau Llanrug, a chofiaf chwaer i'm taid o Lanrug yn dyfod i'w gladdu, hen wraig dlos iawn, a chanddi wallt gwyn fel gwlân y ddafad, llygaid fel dwy eirinen a bochau cochion

taking a first name as a surname was traditional at the time. There was an Elis Cadwaladr at one time.

I have quite a different story to tell about my father's family. They did not come from the neighbourhood though they weren't from very far away. Other than that I never heard my father speak of his forefathers, if he knew anything about them, though he occasionally attended their burials in Llŷn. He buried an old aunt there once, 103 years old, and her baptism certificate on the table so that everyone would believe she was 103. My great-grandfather and great-grandmother on my father's side moved from near Garn Fadryn to Llŷn, first to Llanllyfni, and after a while they moved again. I heard it said that my grandfather was four years old and on top of the load when they moved, but I don't know whether it was the removal load from Llŷn to Llanllyfni or the load from Llanllyfni to Moeltryfan. For the sake of those unfamiliar with the area, I will explain that the upper part of the district is known as Moeltryfan, close to the quarry of that name, and opposite Bron yr Haul, or Cesarea as it is called today. Rhosgadfan itself is a bit lower down and closer to Waun-fawr. My great-grandmother then lived (I don't know if my great-grandfather was alive then) in Hafod y Rhos, Rhosgadfan. The reason I remember this is that I heard my father say that he went to his grandmother's house, to Hafod y Rhos, hand in hand with his mother, when he was a child of between four and six years old, and while his mother and grandmother were talking by the fire he went to the drawer in the big table (a cupboard table as some called it then) and ate a whole pound of butter morsel by morsel. However, it was at Bryn Ffynnon, a smallholding near the Cors y Bryniau quarry, that my grandmother and grandfather lived. I think it is there that they went after their marriage, and did not move from there until a year and a half before the death of my grandfather.

My grandmother came from Waun-fawr, my father's mother, but I heard her say that they had come to Waun-fawr from Anglesey. Some of my grandfather and grandmother's family went to live near Llanrug, and I remember my grandfather's sister from Llanrug coming to his burial, a very beautiful old woman with white hair like sheep's wool, eyes

glân. Bu hi fyw i fod yn 97 mlwydd oed, a deellais mor
ddiweddar â 1945 ei bod yn nain i'r diweddar Mr J. J.
Williams, Birkenhead, a bod Mr Williams felly yn gyfyrder i
mi. Dyna'r tro cyntaf imi wybod. Aeth llawer o'r teulu i
America hefyd, byddai cefnder i'm tad yn ymwelydd pur
gyson â'r wlad hon, a chofiaf rai eraill o'r teulu yn croesi i
Eisteddfod Genedlaethol Caernarfon yn 1906. Ond am fy
nain y soniwn; yr oedd ganddi hi deulu tua'r Waun-fawr o
hyd, un chwaer iddi a gofiaf yn arbennig (caf sôn amdani
eto) ac yr oedd ganddi frawd, mi gredaf, yn byw yno, a'i fab
ef oedd Mr Evan Evans, teiliwr, a fu farw yn y Waun-fawr yn
1916; yr oedd ef felly yn gefnder i'm tad. Mae'n wir ddrwg
gennyf na buasai gennyf amser i fynd i chwilio i mewn i
hanes y teulu. Ni buasai'n anodd mynd ar eu trywydd
unwaith y cawn ben llinyn arni, ac un pen llinyn fyddai
gwybod pwy oedd tad Mr Evan Evans.

Gan fy mod yn dyfod o ail briodas yr oedd fy nwy nain
a'm dau daid yn weddol hen pan gofiaf hwynt gyntaf. Mae'n
siŵr yr edrychent i mi y pryd hynny yn hŷn nag oeddent
mewn gwirionedd. Cofiaf fy nhaid Bryn Ffynnon yn well
na'm taid Pantcelyn, oherwydd bu'r cyntaf fyw hyd 1904, a
chofiaf ei gladdu fel petai ddoe, gan mai'r Sadwrn cyn imi
ddechrau yn yr Ysgol Sir ydoedd. Yr oedd arnaf ei ofn
braidd am ei fod yn flaenor; nid oedd raid imi ofni
ychwaith, oblegid hen ŵr rhadlon, caredig ydoedd. Gan fod
ein tŷ ni yn agos i'r capel, a Bryn Ffynnon ymhell, deuai i'n
tŷ ni i gael te ambell brynhawn Sul, a bob amser i frecwast
naw ar ddydd Llun Diolchgarwch. Parchus ofn oedd yr ofn a
fyddai arnom, gan y byddai bob amser yn gofyn gras bwyd.
Ac ystyried y byddem yn y seiat a'r cyfarfod gweddi bob
wythnos, ac yntau hefyd, ni chofiaf gymaint amdano ag am
rai o'r blaenoriaid eraill. Ei dawelwch a'i natur dda a gyfrifai
am hynny, mi gredaf. Byddai rhai o'r blaenoriaid yn ein
cynghori, a dweud y drefn weithiau, ond ni chlywais fy
nhaid erioed yn gwneud hynny. Siaradai yn fyr ac i bwrpas
bob amser. Ond weithiau medrai yntau sodro pobl a'i
chyrraedd hi yn bur annisgwyl. Cofiaf unwaith fod rhai
ohonom wedi bod yn cadw twrw tua'r festri mewn cyfarfod
darllen. Yr oedd y sawl a'n cymerai ar ôl ei amser, aethom

like two plums and clear rosy cheeks. She lived to be 97 years old, and I discovered as late as 1945 that she was a grandmother to the late Mr J. J. Williams of Birkenhead, and that Mr Williams was therefore my second cousin. That is the first I knew of it. Many of the family went to America, a cousin of my father was quite a regular visitor to this country, and I remember other family members making the crossing for the Caernarfon National Eisteddfod of 1906. But it was about my grandmother that I was talking; she still had family around Waun-fawr, I remember one sister in particular (I will talk of her later) and she had a brother, I believe, living there, and his son was Mr Evan Evans, a tailor, who died in Waun-fawr in 1916, and therefore one of my father's cousins. I deeply regret that I have not had the time to investigate the history of that family. It would not be difficult to get on their trail if I had a lead, and an important lead would be to know who Mr Evan Evans's father was.

As I come from a second marriage, my two grandmothers and my two grandfathers were already quite old when I first remember them. I'm sure they looked older to me then than they really were. I remember my Bryn Ffynnon grandfather better than my Pantcelyn grandfather, because the former lived until 1904, and I remember his funeral as if it were yesterday, because it was the Saturday before I started at the County School. I was a bit scared of him because he was a deacon, but there was no need for me to be afraid of him because he was a gracious, kindly old man. Because our house was close to the chapel and Brynffynnon far away, he sometimes came to our house for tea on Sunday afternoons, and always to nine o'clock breakfast on Thanksgiving Monday. Our fear was a respectful fear, as he always said grace before meals. Although we went to the *seiat* and the prayer meeting every week and so did he, I don't remember as much about him as of the other deacons. His quiet and good-natured quality account for that, I think. Some of the deacons would give us advice and tell us off sometimes, but I never heard my grandfather do that. Though sometimes he would bring someone to heel, and quite unexpectedly. I remember once that some of us were noisy in the vestry at a

ninnau i chwarae ymguddio tu cefn i'r festri, a phan ddaeth yr athro, cymerasom arnom nad oeddem yno, ac yna godi fesul un a rhoi ein hwynebau ar y ffenestr. Nid edrychai'r peth yn ddigon i godi helynt yn y seiat yn ei gylch. Ond fel arall y bu, a dywedodd un blaenor hi'n hallt ofnadwy, yn giaidd o gas. Twrn fy nhaid oedd olaf, ac ni ddywedodd lawer, ond diweddodd fel hyn, 'Gofaled y rhai sy'n dysgu'r plant ddyfod yno mewn pryd.' Wrth gwrs, dyna oedd gwraidd y drwg i gyd. Fe'i dywedodd yn hollol ddistaw ond fe aeth yr ergyd adref.

Bob tro y bûm ym Mryn Ffynnon gyda'r nos, ni welais fy nhaid yn gwneud dim ond darllen yn ei gadair freichiau wrth y tân, ac âi ymlaen i ddarllen fel pe na bai neb yno. Gallaf ei weld yrŵan efo'i farf wen, ei wefus uchaf lân, lydan, a'i lygaid tywyll, pell oddi wrth ei gilydd, ei lyfr ar fraich y gadair, ac yntau yn ei fwynhau gymaint nes gwenu wrtho'i hun. Un tro, pan oedd Nain yn rhoi dŵr oer yn y boiler wrth ochr y tân collodd y piseraid am ben traed Taid, a gwaeddodd yntau dros y tŷ gan godi ei draed bron at ei ben, 'Dyna chdi wedi 'i gneud hi, Cadi, wedi fy sgaldian i.' Dyna faint ei ddiddordeb yn ei lyfr a'i angofusrwydd o bethau y tu allan. Ychydig sy gennyf i'w ddweud am fy nheidiau a'm neiniau oherwydd imi eu hadnabod yn eu henaint pan nad oedd ganddynt hwy ddiddordeb ynom ni na ninnau ynddynt hwythau. Deuthum i'w hadnabod gan mwyaf drwy glywed sôn amdanynt ar yr aelwyd gartref: ac wrth feddwl, rhyfedd cymaint a siaredid gan fy rhieni am eu teulu. O'm cof yr ysgrifennaf y pethau hyn, ac eithrio'r pethau a ddyfynnaf, a'r rheswm fy mod yn eu cofio cystal ydyw y byddai trafod arnynt o hyd ac o hyd ar yr aelwyd; nid unwaith na dwywaith y clywais hanes llosgi Taid efo dŵr oer, ond ugeiniau o weithiau. Credaf mai peth da oedd eu bod yn sôn am y teulu fel hyn, ac yn cadw'r hanesion amdanynt yn fyw; mae'n magu ymwybod o barhad llinell a thylwyth ac o'ch cysylltiad â'r gorffennol. Ni chredaf fod plant heddiw yn cael hanes eu teulu ar yr aelwyd. Rhoddir gormod o amser i'r radio a phethau felly.

Adwaenwn fy nain Bryn Ffynnon yn well, oherwydd iddi fyw yn hwy na'm taid. Hen wraig dal yn tueddu i gwmanu

reading meeting. The person who took us was late, and we hid behind the vestry, and when the teacher arrived we pretended we weren't there, then stood up one after another and peered through the window. The matter did not seem bad enough to be an issue in the *seiat*. But on the contrary, one deacon was very judgmental, very nasty. My grandfather's turn to speak about it came last, and he said little, ending thus, 'Those who teach the children should take care to arrive on time.' He said it quietly, but the shot went home.

Whenever I went to Bryn Ffynnon in the evening I never saw my grandfather doing anything but read in his armchair by the fire, and he would go on reading as if no one were there. I can see him now, with his white beard, his clean wide upper lip and his dark wide-apart eyes, his book on the arm of his chair and he enjoying it so much that he smiled to himself. Once, when Nain was filling the boiler beside the fire with cold water she spilt the water in the pitcher on Taid's feet, he shouted to raise the house, and lifted his feet nearly as high as his head, 'Now you've done it, Cadi, you've scalded me.' This was how much interest he took in his book, and how absent-minded he was about external things. I have few stories about my grandfathers and grandmothers because I knew them in their old age when they had no interest in us nor we in them. I came to know them mainly through hearing talk of them on the hearth at home; now I think about it, it was surprising how much my parents talked about their family. I write these things from memory, apart from the stories I quote, and the reason I remember them so well is that they would be spoken of over and over again at home, and it was not once or twice that I heard the story of scalding Taid with cold water, but scores of times. I think it was a good thing that they talked about the family like that, and kept their stories alive, growing an awareness of the continuity of line and family and your connection with the past. I don't think that children today learn their family history at home. Too much time is spent with the radio and such things.

I knew my Bryn Ffynnon grandmother better, because she lived longer than my grandfather. She was a tall old woman

oedd hi, yn lân ofnadwy yn ei thŷ, ac yn hoffi gwneud bwyd. Byddai'n bleser mynd yno i gael ei theisen a'i bara brith. Yr oedd yn un ardderchog am wneud cyfleth, ac yr oedd yn un o'r bobl y dywedid amdanynt eu bod yn 'credu' wrth wneud bwyd. Ni chlywais yr ymadrodd yna yn ei gysylltiad â choginio ers blynyddoedd maith. Dywedid os oeddech yn rhoi menyn yn lle lard mewn teisen eich bod yn 'credu', neu os rhoddech wyau yn lle peidio â'u rhoi. Mae'n siŵr gennyf fi fod Mrs Beeton wedi credu llawer. Wel, un o'r credinwyr oedd fy nain. Rhoddai bwys cyfan o fenyn yn ei chyfleth amser y Nadolig, cymerai drafferth i'w dynnu a'i gyrlio a'i roi ar lechen gron wedi ei hiro efo menyn, ac ni phrofais fyth wedyn y fath gyfleth ychwaith. Buasai fy nain Pantcelyn yn gwaredu rhag y fath wastraff. Byddai ei bwrdd cynhaeaf gwair yn un o 'wleddoedd y bywyd', a nefoedd i'w henaid, ni wnaeth erioed wahaniaeth rhwng y plant a'r bobl mewn oed a eisteddai wrth ei bwrdd. Wedi porthi'r olaf, gwnâi wledd arall i ni'r plant wedyn, ac mae'n rhaid ei bod wedi blino'n sobr. Dynes a ddylsai gael arian mawr oedd fy nain i brynu moethau a phethau da bywyd. Gwyddai beth a oedd yn dda a pheth nad oedd.

Ond ysywaeth, ni bu ganddi erioed ddimai dros ben, er iddi weithio'n galed ar hyd ei hoes, a dioddef digon o boenau'r byd yma. Heddiw, byddaf yn meddwl mwy amdani hi nag am yr un o'm hynafiaid, oblegid i Ffawd fod mor angharedig wrthi, ac iddi hithau fod mor garedig ei hun wrth bawb. O'r mymryn a oedd ganddi fe roddai yn hael, caech groeso a charedigrwydd bob amser yn ei thŷ, ac ni wyddai pa bryd i stopio rhoi. Buaswn wedi hoffi ei hadnabod pan oedd yn ddynes ifanc, er mwyn gwybod a gafodd hi lawenydd. Nid ei bod yn drist yn ei henaint, medrai chwerthin yn braf, ond y pryd hwnnw yr oedd tu hwnt i allu mwynhau llawer ar fywyd, pallodd ei golwg cyn iddi fyned cyn hyned â llawer o bobl, ac anfantais fawr oedd hynny. Nid wyf yn meddwl iddi gael llawer o hawddfyd hyd yn oed pan oedd yn ieuanc. Cofiaf amdani yn adrodd ei hanes yn gweini mewn rhyw fferm, hi a'i chwaer, heb fod yn bell o'i chartref. Bob dydd Llun byddent yn codi am bedwar o'r gloch y bore i olchi (mae'n siŵr na byddai'n llawer hwyrach

with a tendency to stoop, very clean about the house, and fond of cooking. It was a pleasure to go there for her cake and *bara brith*. She was a great one for making toffee, and was one of those people they said 'believed' when they cooked. I haven't heard this expression in connection with cooking for many years. It is said that if you put butter instead of lard in a cake, you 'believed', or if you used eggs rather than not. I am sure Mrs Beeton believed a great deal. Well, one of the believers was my grandmother. She put a whole pound of butter in her toffee at Christmas time, and carefully pulled and curled the toffee on a round slate greased with butter, and I never tasted such toffee. My Pantcelyn grandmother would have been shocked by such waste. Her haymaking table would be the 'feast of a lifetime', and bless her, she made no distinction between the children and the adults who sat at her table. After feeding the latter she made another feast for us children afterwards, and she must have been exhausted. My grandmother was a woman who should have had plenty of money to buy comforts and the good things of life. She knew what was good and what was not.

But unfortunately she never had a halfpenny to spare, though she worked hard all her life, and endured enough of the sufferings of this world. Today, I think about her more than any of my forefathers, because Fate was so unkind to her and she was so kind to everybody. What little she had she gave generously, and you would always have a welcome and kindness in her house, and she did not know when to stop giving. I would like to have known her when she was a young woman, to know she had experienced happiness. Not that she was sad in her old age, she could laugh heartily, but she was past being able to enjoy much of life, her eyesight failed sooner than with most people, and this was a great handicap. I don't think she had an easy life even when she was young. I recall her telling a story of serving on a farm, she and her sister, not far from home. Every Monday they had to rise at four in the morning to do the washing (they probably didn't get up much later on other days) but on Mondays they worked

arnynt yn codi y dyddiau eraill), ond ar ddydd Llun dalient i weithio ymlaen yn hwyr. Rhyw nos Lun, pan ddaeth un o'r gweision i mewn i nôl ei swper a chael y morynion wrthi'n dal i weithio, aeth ar ei liniau ar lawr yn y fan a'r lle, a gweddïo, 'Diolch iti o Dduw,' meddai, 'na wnaethost mona' i'n ferch, achos mae diwrnod merch cŷd â thragwyddoldeb.' Priododd yn ugain oed, ac ni chafodd lawer o bethau'r byd hwn wedyn, wrth fagu tyaid o blant, colli llawer ohonynt, a hynny yn nhrai a llanw cyflog y chwareli. Mae'n debyg nad oedd ei bywyd ddim gwahanol i fywyd gwragedd eraill yn yr oes honno, ond o hynny a welais ar fy nain yn ei hen ddyddiau, tybiaf y buasai ganddi'r gynneddf i allu mwynhau pethau da bywyd, dillad da, hardd a bywyd moethus. Tybio hynny yr wyf, efallai mai fel yna yr oedd hi hapusaf. Collodd rai o'r plant yn fabanod, collodd un mab yn un ar hugain oed, un arall yn chwech ar hugain, a'r bachgen hynaf yn ddeuddeg oed mewn damwain erchyll yn y chwarel.

Mae gennyf yma o'm blaen gerdyn coffa bychan ac iddo ymyl ddu, y cerdyn a alwem ers talwm yn 'mourning card', a dyma beth sydd arno – rhof ef yn yr orgraff yr ysgrifennwyd ef ynddi:

Er parchus goffadwriaeth
am
ROBERT OWEN ROBERTS
Bryn Ffynon, Rhos Cadfan,
Yr hwn a fu farw
(trwy ddamwain)
Rhagfyr 23ain, 1861
Oed, 12 mlwydd

Profwyd doethineb rhyfedd – Duw Ion mawr
Yn myn'd a'n mab hoyw-wedd;
Am fis bron mewn gogonedd –
Cantor fu, cyn torri'i fedd.
Dewi Arfon

Cofiaf fod y cerdyn hwn wedi ei fframio, a llun y bachgen deuddeng mlwydd oed dan y cerdyn, ac yn crogi ar y pared

on till it was late. One Monday night, when one of the men came in to get his supper and found the girls still working, he went down on his knees and prayed, 'Thank you, Oh God,' he said, 'that you did not make me a girl, because a girl's day is as long as eternity.' She was married at twenty, and she did not have many worldly things after that, with raising a houseful of children, losing many of them, and all that in the ebb and flow of quarry wages. Probably her life was no different from that of other women of the time, but from what I saw of my grandmother in her old age, I guess she must have had the spirit to relish the good things of life, good clothes, beautiful things and a comfortable life. I am guessing, perhaps she was happier as she was. She lost some of her children as babies, one son at twenty-one, another twenty-six, and the eldest boy at twelve in a terrible accident in the quarry.

I have here before me a small memorial card with a black border, the card we used to call a 'mourning card', and this is what it says – I use the orthography as it was written:

In respectful remembrance
of
ROBERT OWEN ROBERTS
Bryn Ffynon, Rhos Cadfan
Who died
(in an accident)
December 23rd, 1861
Age, 12 years

Proved His wondrous wisdom – God great joy
To take our bright-faced boy;
Almost a month in glory –
Before they dug his grave – a singer was he.
Dewi Arfon

I remember this card was framed, with a picture of the twelve-year-old boy beneath the card, and at one time it hung on the

yn fy hen gartref ar un adeg. Y tebyg yw fod Mam wedi mynd ar ôl y ffasiwn yn sydyn, yn ddiweddarach, ac wedi ei dynnu o'r ffrâm. Bachgen ag wyneb crwn, llawn ydoedd. Ef oedd brawd hynaf fy nhad ac yr oedd ddyflwydd yn hŷn nag ef. Pe na baech yn gweld dim ond y cerdyn fel yna, fe'ch gwnâi yn drist. Sylwer mai dau ddiwrnod cyn y Nadolig ydoedd, ac mai dim ond deuddeg oedd oed y bachgen.

Lawer gwaith y clywsom ni am y ddamwain hon gartref, gan fy nain a'm tad. Yr oedd fy nhad, er nad oedd ond deg oed, yn gweithio yn y chwarel ers blwyddyn. Y noson cyn y ddamwain, sef nos Sul, aeth fy nhad a'i frawd allan, i'r beudy neu rywle, mynd i gadw cwmni i'w frawd yr oedd fy nhad gan ei bod mor dywyll, ac yn sydyn fe sgrechiodd rhyw aderyn mawr wrth eu pennau. Yr oedd y sgrech mor annaearol nes codi ofn arnynt, ac wedi mynd i'r tŷ, dywedodd Robert wrth ei fam nad oedd am fynd i'r chwarel drannoeth, oherwydd y sgrechfeydd a glywsai. Yr oedd yn gweithio yn y twll, er ei ieuenged, a daeth cwymp mawr o graig i lawr a'i gladdu dani. Buwyd fis heb gael ei gorff, dyna ystyr 'Am fis bron mewn gogonedd' yn englyn Dewi Arfon. Y rheswm am hynny ydoedd, fel y deallwyd wedyn, fod gwynt y cwymp wedi taflu'r bachgen lathenni lawer o'r man lle safai, a hwythau yn chwilio amdano yn y fan honno, ac yn lluchio mwy o'r graig arno, mae'n siŵr. Ymhen blynyddoedd, wedi llwyr glirio'r cwymp, daeth fy nhaid o hyd i glocsen Robert. Cafodd fy nain freuddwyd rhyfedd cyn y ddamwain, meddai hi. Yr oedd Bryn Ffynnon yng nghanol mawndir mynydd, a'r llidiart yn arwain i'r ffordd, nad oedd ddim gwell na ffordd drol yn fy amser i, a'r ffordd hon yn mynd i'r ffordd a arweiniai i'r pentref ar un ochr, ac yn cario ymlaen at y tyddynnod eraill a Moel Smatho, y mynydd rhyngom a'r Waun-fawr ar yr ochr arall. Ond i fynd i'r chwarel, chwarel y Cilgwyn oedd y chwarel lle bu'r ddamwain, ni byddai neb yn mynd drwy'r llidiart, eithr yn dal ar y chwith oddi wrth ddrws y tŷ a thorri ar draws y caeau ar hyd llwybr a dros gamfa i'r mynydd arall, sef Moel Tryfan. Wel, fe freuddwydiodd fy nain ryw noson ychydig cyn y ddamwain, fod cerbyd caeedig yn dyfod dros y gamfa

wall in my old home. Probably Mam, suddenly following fashion, later removed it from its frame. He was a boy with a round, full face. He was my father's older brother and two years older than him. If you saw nothing else but the card it would make you sad. Remember it was two days before Christmas, and the boy was only twelve years old.

Many times we heard about this accident at home, from my grandmother and my father. My father, although he was only ten years old, had been working in the quarry for a year. The night before the accident, which was a Saturday, my father and his brother went out to the cowshed or somewhere, my father going to keep his brother company as it was so dark, and suddenly a large bird screeched just over their heads. The screech was so unearthly that it really frightened them, and when they got back to the house Robert told his mother he wasn't going to the quarry next day because of the screeches he had heard. He was working in the pit, despite his youth, and a great fall of rock came down and buried him. For a month they could not retrieve his body, which explains 'Am fis bron mewn gogonedd' (for almost a month in glory) in Dewi Arfon's 'englyn'. The reason for that was, it was later realised, that the blast of the rock fall had blown the boy yards from where he had been standing, and in searching for him, they had probably thrown more rock over him. Years later, after the rockfall had been completely cleared away, my grandfather came upon Robert's clog. My grandmother said she had a strange dream before the accident. Bryn Ffynnon was in the middle of mountain peatland, the gate leading to a road, which was no better than a cart track in my day, and this road led to the village on one side and continued to the other smallholdings and Moel Smatho, the mountain between us and Waun-fawr, on the other side. But to get to the quarry, the Cilgwyn quarry where the accident happened, no one would go through the gate, but instead turned left past the door of the house and cut across the fields along a path and over a stile to the other mountain, Moel Tryfan. Well, one night a little before the accident, my grandmother dreamed that there was a closed carriage coming over the stile and

ac ar hyd y llwybr, yn aros o flaen y tŷ, yna yn torri yn ei hanner, un hanner yn mynd yn ei ôl dros y gamfa, a'r hanner arall yn mynd yn ei flaen drwy'r llidiart ac i'r ffordd. Felly yn union y dowd â chorff Robert adref o'r chwarel. Yr oedd ei arch yno ers mis bron, a chariwyd ef ar elor o'r chwarel a thros y gamfa y dygwyd ef. Yna, ddydd ei angladd dygwyd ef mewn hers drwy'r llidiart i'w gladdu ym mynwent Betws Garmon. Byddai'n amhosibl i ddamwain fel yna ddigwydd heddiw i fachgen deuddeg oed, gan na byddai yn gweithio yn y chwarel, heb sôn am fod yn gweithio i lawr yn y twll. A'r fath ddyddiau tywyll a fu'r rhai hynny i'm taid a'm nain, ac i 'nhad, gan ei fod yn ddigon hen i sylweddoli, ac yn gydymaith i'w frawd mewn gwaith a chartref.

Ym Mryn Ffynnon y treuliodd fy nhaid a'm nain eu hoes bron i'r diwedd. Ffeiriasant dŷ efo'u merch, a'i mab hi sy'n byw yno rŵan. Bu fy nhaid farw yn fuan wedyn. Aeth golwg fy nain yn rhy ddrwg iddi fyw ar ei phen ei hun, a bu'n rhaid iddi fynd i fyw at rai o'i merched. Bu farw yn y Bontnewydd yn 1917.

Gwisgo allan a wnaeth fy nain, ac yr oedd diwedd ei hoes yn bur undonog, a dweud y lleiaf. Yr oedd ei chlyw yn drwm, ei golwg yn rhy ddrwg i ddarllen na gwnïo, ac ni fedrai wneud fawr ddim heblaw eistedd yn y gadair a synfyfyrio. Nid oedd yn ei hardal gynefin ychwaith, fel na châi weld ei hen gyfeillion yn aml. Deuai i fyny atom ni am wyliau bob haf; caf sôn am un o'r ymweliadau hynny eto yn nes ymlaen. Yr oeddem ni yn saith o deulu a'r tŷ yn fychan, ond gwnaem le i Nain am bythefnos yn yr haf. Felly, diflannu a wnaeth Nain druan oddi ar wyneb y ddaear, heb salwch, dim ond gwisgo allan yn denau, ac erbyn y diwedd ei chof wedi mynd hefyd. Bu farw fy ewythr Robert, tad Robert Alun Roberts, Bangor, a 'nhad a aeth â'r newydd i'w fam. Ond erbyn hynny ni wyddai pwy ydoedd ei mab, a dyna a ddywedodd wrth fy nhad, nad oedd hi yn ei nabod. Ffaith greulon a roes ddiwedd stori fer i mi, er nad yw gweddill y stori yn wir o gwbl am fy nain. Bu hi ei hun farw ymhen deufis wedyn, wedi byw oes faith, a dioddef blin gystuddiau, heb adael yr un ddimai ar ei hôl, na dimai o

along the path, and it stopped in front of the house, then it split in half, one half going back over the stile and the other half going through the gate and onto the road. That was exactly the way Robert's body was carried home from the quarry. His coffin had been there for nearly a month, and he was carried on a bier from the quarry and over the stile. Then on the day of his funeral he was taken in a hearse through the gate to be buried in the graveyard at Betws Garmon. Such an accident would never happen today to a twelve-year-old boy, as he would not be working in the quarry, particularly not working down in the pit. And such dark days they were to my grandfather and my grandmother, and to my father, as he was old enough to understand, and was his brother's companion at work and home.

It was in Bryn Ffynnon that my grandfather and grandmother spent their lives almost to the end. They exchanged houses with their daughter, and it is her son who lives there now. My grandfather died soon afterwards. My grandmother's eyesight became too poor for her to live alone, and she had to go to live with some of her daughters. She died in Bontnewydd in 1917.

My grandmother was worn out, and the end of her life was monotonous to say the least. She was hard of hearing, her sight was too poor to read or sew, and she could do little more than sit in her chair and muse. She was not in her own neighbourhood either so she did not very often see her old friends. She came to us for a holiday every summer, and I will talk of one of these visits later. We were a family of seven and the house was small, but we made room for Nain for a fortnight in the summer. So poor Nain disappeared off the face of the earth, not through illness but just fading away, and by the end her memory had quite gone. My uncle Robert died, father of Robert Alun Roberts of Bangor, and it was my father who took his mother the news. But by then she did not know who her son was, and said so to my father, that she did not know him. The cruel fact gave me the ending for a short story, though the rest of the story is not true at all of my grandmother. She died two months later, having lived a long life and suffered grievous afflictions, without leaving a

166

ddyled i neb ychwaith, wedi byw bywyd gonest, gweithgar, difalais, cymdogol a charedig. 'Yr hen greadures annwyl' oedd y disgrifiad amlaf a geid gan fy mam am fy nain, ac ni allaf feddwl am well disgrifiad gan ferch-yng-nghyfraith am ei mam-yng-nghyfraith. 'Yr hen greadures annwyl' a ddywedaf finnau.

halfpenny behind, or a halfpenny of debt either, having lived an honest, hard-working life, without malice, neighbourly and kind. 'The dear old creature' was my mother's usual phrase for my grandmother and I cannot think of a better description by a daughter-in-law of her mother-in-law. 'The dear old creature' is what I say too.

VIII

Fy Nhad

Dof yn awr at y rhan anhawsaf o'r llyfr, sef disgrifio fy rhieni. Hyd yma ni fu'n anodd bod yn wrthrychol wrth sôn am fy nheulu, ond pan ddoir y tu fewn i furiau'r cartref, caf gryn anhawster mi wn, oblegid mae'n anodd sefyll y tu allan i berthynas mor agos.

Yr oedd fy nhad yn ddeugain oed pan aned fi, ac ni chofiaf mohono erioed â chnwd o wallt ar ei ben yn ei liw cynhenid. Mae gennyf ddarlun lliw ohono a dynnwyd rywdro tuag amser fy ngeni, darlun a ymddengys yn naturiol iawn: llygaid gwinau byw, gwallt cringoch a mwstás coch. Nid oedd yn dal, ond yr oedd yn ddyn del iawn. Ei wyneb yn siriol a chynhesol. Anaml yr edrychai'n brudd, ond pan wnâi, byddai'n brudd iawn.

Ni chafodd ysgol ar ôl pasio ei naw mlwydd oed. Cedwid ysgol yn Rhostryfan y pryd hynny, tua 1860, gan ryw ddyn a fedrai ychydig Saesneg, mae'n debyg, ond aeth yn sgarmes rhyngddo ef a'm tad, a hitiodd fy nhad ef yn ei ben efo riwler, gan brin fethu ei lygad. Dywedodd fy nhaid wrth Nain y noson honno am iddi chwilio am drywsus melfaréd iddo, er mwyn iddo fynd i'r chwarel drannoeth. Ni wn ar y ddaear sut y bu i Nain gael trywsus yn barod iddo yr adeg honno ar y dydd – torri hen un i'm taid, neu un ar ôl ei frawd hynaf reit siŵr. Ond bore trannoeth ar doriad y dydd, yr oedd fy nhad yn cychwyn gyda'i frawd dyflwydd yn hŷn, a'i dad am chwarel y Cilgwyn. Bu'n gwneud y daith honno am yn agos iawn i hanner canrif.

Priododd fy nhad y tro cyntaf yn ifanc iawn yn ôl arfer y dyddiau hynny, yn ei het silc. Credaf y byddai yn ei gwisgo yn ddiweddarach i fynd i gladdu rhai o berchenogion y Cilgwyn. Ond 'pìn a wela sioe' oedd hi, yn y cwpwrdd gwydr, hyd oni ddaeth drama i'r ardal. Gellwch benderfynu beth a ddigwyddodd wedyn, rhoi benthyg yr het i gwmni drama, diofalwch a pheidio â dychwelyd.

VIII

My Father

I now come to the hardest part of the book, which is to describe my parents. Up to now it has not been difficult to be objective when talking about my family, but between the four walls of home I know I will have problems, because it is hard to stand outside such a close relationship.

My father was forty when I was born, and I never remember him with a head of hair in its original colour. I have a colour photograph of him taken at about the time of my birth, a picture which seems entirely natural: lively brown eyes, red hair and a red moustache. He wasn't tall, but he was a very handsome man. His face warm and cheerful. He rarely looked sad, but when he did, he looked very sad.

He had no education after he was nine years old. There was a school in Rhostryfan at the time, around 1860, kept by a man who had a little English, it seems, but it became a battle between him and my father, and my father hit him on the head with a ruler, narrowly missing his eye. That night my grandfather told Nain to find him some corduroy trousers so that he could go to the quarry next day. I don't know how on earth my grandmother managed to have trousers ready for him at that time of day – almost certainly by cutting down an old pair of my grandfather's or one of his older brother's. But next morning at daybreak my father was setting out with his brother, who was two years older, and his father for the Cilgwyn quarry. He made that journey for almost half a century.

My father married for the first time when he was very young, as was the custom in those days, in his silk hat. I think he wore it again later to bury some of the owners of Cilgwyn. But it was 'a pin to see the show' in the glass-fronted cupboard until a play came to the neighbourhood. You can decide what happened next: the hat loaned to the drama company, somebody's carelessness, and the hat never returned.

Yn ôl tystiolaeth pawb a'i hadwaenai yr oedd fy nhad yn weithiwr caled. 'Dyn didrugaredd wrtho'i hun', dyna'r disgrifiad ohono. Yr oedd yn ddyn gwydn, cryf ei galon, ac yr oedd hynny yn help iddo ddal ati heb ddiffygio. Nid tipyn o beth oedd dechrau ar ddiwrnod caled o waith wedi cerdded am dri chwarter awr drwy bob tywydd ar hyd ffordd amlwg. Yr oedd yn ddyn trefnus a chychwynnai i'r chwarel bob dydd o'r adeg a gofiaf fi, mewn digon o bryd fel y câi hanner awr o orffwys yn y caban cyn dechrau ar ei waith. Gofalai am fynd i'w wely tua naw, gydag eithriad, bob nos. Ymweliad cyfeillion a'i cadwai ar ei draed yn hwy na hynny. Unwaith y cofiaf iddo fod yn amhrydlon yn y capel, a hynny wedi dechrau'r drefn o gau'r drysau yn ystod y darllen a'r gweddïo, pan gafodd ei gau yn y lobi. Bu'r peth yn ei boeni am amser hir, ac nid oedd fiw ei bryfocio yn ei gylch.

Fel y gwyddys, mewn partneriaeth y bydd chwarelwyr yn gweithio, tri, efallai, yn gweithio yn y graig yn y twll, yn tyllu, a thri yn y sièd yn llifio, naddu a hollti. Rhennid y cyflog ar ddiwedd y mis y pryd hwnnw. Gosodid pris ar y llechen i'r chwarelwyr ar ddechrau'r mis, ac nid oedd dechrau'r mis gosod yn digwydd ar yr un pryd â dechrau'r mis cyflog, gan fod y cyflogwyr yn dal pythefnos mewn gafael. Byddai pris y llechen i'r gweithiwr yn codi ac yn gostwng yn ôl sefyllfa'r fasnach lechi ar y pryd. Fel y gellir meddwl, anodd fyddai cael gweithwyr gwastad mewn criw o hanner dwsin. Mae dynion diafael i'w cael ym mhobman bob amser, a hefyd ddynion gwan o gyfansoddiad. Mewn amgylchiadau felly, digwydd pen trymaf y gwaith i'r rhai sy'n fodlon ac abl i'w wneud. Nid hap a damwain a benderfynai asiad y criw bob amser, ond byddai'r stiward yn aml yn dewis dyn gweithgar i'w roi ym mhen rhai salach. Digwyddodd hyn lawer gwaith i'm tad o fwriad. Clywais rai yn sôn am hyn yn y blynyddoedd diwethaf wrth sôn am fy nhad. Gweithiai ef heb feddwl amdano'i hun, ac ni chlywid ef yn cwyno llawer ar y rhai gwannaf ychwaith. Mynd ymlaen â'i waith a wnâi ef.

Un tro, cyn fy ngeni i, aeth i wneud rhywbeth uwchben y twll yn yr awr ginio, llithrodd y trosol o'i law a syrthiodd

According to the testimony of all who knew him, my father was a hard worker. 'A man who showed himself no mercy' was the way he was described. He was a tough man, strong of heart, which helped him to carry on without tiring. It was no small thing to begin a hard day's work after walking for three quarters of an hour in all kinds of weather along an exposed road. He was a well-organised man who set off for the quarry, every day that I remember, in plenty of time to have half an hour's rest in the cabin before starting his work. He made sure he was in bed every night at about nine o'clock, with an exception. Visits from friends kept him on his feet later than that. I once remember him late for chapel, and that at the time when they had begun closing the doors during the reading and prayers, and he was shut in the lobby. It worried him for a long time, and we dared not tease him about it.

As is well known, quarrymen work as a team of, possibly, three working on the rock face in the pit, and three in the shed, sawing, hewing and splitting. At the time wages were shared at the end of the month. A price for the slate was set for the quarrymen at the beginning of the month, but the start of the price-setting month did not coincide with monthly pay time, as the employer kept a fortnight in hand. The price of slate to the workers would rise and fall according to conditions in the slate market at the time. As can be imagined, it was difficult to get workers of equal worth in a crew of half a dozen. There are men who slack to be found everywhere, and men of a weak constitution too. In situations like this the heaviest burden falls on those most willing and able. It was not always the luck of the draw that decided the crew, but the steward would often choose a hard-working man to head a poor crew. This was often deliberately done to my father. I heard some talk of this in recent years when speaking of my father. He worked without considering himself, and he was not heard to complain much either about the weaker men. He just went on with his work.

Once, before I was born, he went to do something above the pit in the dinner hour and the crowbar slipped from his

yntau i lawr i'r twll. Ond bu'n ddigon hunanfeddiannol i geisio gafael mewn darn o graig, ac fe lwyddodd. Cryn orchest oedd gallu dal ei afael felly â'i ddwylo, hyd oni ddeuai rhywun i'w waredu. Ond fe wnaeth, er y tystiai ei fysedd beth a gostiodd yr ymdrech iddo. Modd bynnag, nid ei fysedd a ddioddefodd eithr ei gefn. Diamau iddo ei daro wrth ddisgyn. Y pryd hwnnw eid â chwarelwyr a gâi ddamwain adref mewn bocs tebyg i arch ond heb gaead arno. Dyma gychwyn fy nhad adref, nifer o ddynion a'r bocs. Gwrthododd yntau'n bendant fynd i'r bocs, ond daliodd y dynion i gerdded gydag ef a chario'r bocs. Yr oeddynt yn ddigon call i wybod y gallai fod wedi brifo'i ben hefyd. Ymlaen y cerddai fy nhad, ac ni roes i mewn hyd onid oedd o fewn ychydig ffordd i'w gartref, ac yntau wedi diffygio'n llwyr erbyn hynny. Bu gartref am un mis ar ddeg wedi'r ddamwain hon, a bu ei heffaith ar ei gefn am byth.

Yr oedd yn ddyn twt gyda phob dim. Byddai'n rhaid cael y beudy, y tŷ gwair a phobman yn dwt. Byddai mewn tymer ddrwg os âi'r ieir i'r tŷ gwair ar ôl dechrau torri'r gwair ddechrau'r gaeaf. Gan mai grug fyddai sylfaen y das, a hwnnw wedi crino ac yn cael ei gario i'r tŷ yn y gaeaf i ddechrau tân, byddai llwch yn y fan lle buasai'r grug. Yn naturiol ddigon, gan fod ochrau'r tŷ gwair yn agored, deuai'r ieir yno i grafu a chodi'r llwch. Gwylltiai Nhad, gwerthai Mam yr ieir, a byddem heb wyau am sbel. Ond yr oedd fy nhad yn bur hoff o gig moch ac wy, a phrynid ieir wedyn.

Cofiaf am fy nhad yn trwsio to'r beudy: yr oedd yn ddigon hawdd neidio oddi ar lawr ar do'r beudy yn y cefn o ochr y gadlas. Pan oedd newydd osod llechi newydd ar y to, daeth Dei, fy mrawd ieuengaf, heibio o rywle – yr oedd yn wyliau ysgol: neidiodd ar y to a rhedeg ar hyd-ddo yn ei esgidiau, a 'nhad ei hun wedi tynnu ei esgidiau rhag gwneud drwg i'r llechi. Gwylltiodd fy nhad yn gudyll, ac aeth Dei i'r tŷ at Mam wedi torri ei grib yn arw, oblegid yr oedd ef a Nhad yn ffrindiau mawr. Toc, aeth fy mrawd i dorri'r gwrych yn y cae gyferbyn â'r beudy, a daliai Nhad i weithio ar y to, y ddau'n gweithio'n wyllt, ond heb air o Gymraeg yn croesi'r llwybr a oedd rhwng y ddau. Bob hyn a

hand and he fell towards the pit edge. But he had enough presence of mind to try and grasp a rock, and it worked. It was some feat to grab that rock and hold on until someone came to rescue him. But he did it, and his fingers bore witness to the effort it cost. However, it was not his fingers which were really injured, but his back. He must have struck it in falling. At the time injured quarrymen were carried home in a box like a coffin but without a lid. So here is my father, on his way home, with a number of men and the box. He absolutely refused to get into the box, but the men continued to walk with him, carrying the box. They had the sense to realise he may also have hit his head. On walked my father, and he did not give in until he was a short distance from home, and absolutely exhausted. He was home for eleven months after the accident, and suffered with his back ever after.

He was a tidy man in all he did. The '*beudy*', the hay shed and everywhere must be kept tidy. He would be cross if the hens went into the hay barn once he had begun to cut into the stack at the onset of winter. Heather formed the base of the stack, so as it had dried and been brought into the house in winter as kindling for the fire, there would be dust where the heather had been. Of course the hay shed was open-sided, and the hens came to scratch and raise the dust. Dad would lose his temper, my mother would sell the hens, and we would be without eggs for a while. But my father was fond of his bacon and eggs, so more hens were bought.

I remember my father mending the *beudy* roof. It was easy to jump onto the back of the cowshed roof from the side of the yard. When he had just put new slates on the roof, my youngest brother Dei appeared out of nowhere – it was in the school holidays – jumped onto the roof and ran along it in his shoes, Dad having removed his shoes to avoid damaging the slates. My father completely lost his temper, and Dei went into the house to Mam, quite crestfallen, as he and Dad were great friends. Then my brother went out to cut the hedge opposite the *beudy*, and Dad went on with his work on the roof, both working frenetically, with not a word of Welsh passing between them across the path. Every now and again

hyn byddwn i'n mynd ar hyd y llwybr i nôl dŵr o'r pistyll neu rywbeth felly, a phob tro yr awn i'r tŷ byddai Mam yn gofyn a oeddynt wedi dechrau siarad â'i gilydd. 'Dim eto' fyddai fy ateb innau bob tro, hyd at amser te. Daeth heddwch y pryd hynny.

Pan wnâi fy nhad ryw swydd o gwmpas y tŷ neu'r caeau, fe'i gwnâi ar gyfer y ganrif nesaf, gan mor solet y byddai. Yr oedd yn rhaid rhoi sylfaen hyd yn oed i fwgan brain. Cofiaf ei fod wrthi un dechreunos, ar y Sadwrn, yn gwneud bwgan brain yn y cae tatws, a minnau yn y tŷ ar fy mhen fy hun yn ceisio gwneud fy Lladin ar gyfer y Llun. Daeth yntau i'r tŷ a gofyn a wyddwn lle i gael rhywbeth i wisgo'r bwgan brain. Neidiais yn awyddus i helpu gan mor falch oeddwn o adael Cicero a'i fygythion. Cefais hyd i hen het a chôt iddo ef ei hun, a darn o hen gyrten les. Wedi mynd i'r cae yr oedd yn werth gweld ffrâm y bwgan brain; ni fuasai corwynt yn ei daflu, gan mor ddwfn oedd y sylfaen yn y ddaear. Gwisgwyd ef yn barchus, a rhoddais yr het am ei ben ar fymryn o osgo, ar ongl yn union fel y gwisgai Nhad ei het. Yr oedd y cae hwn yn wynebu'r capel, a bore trannoeth, wrth fynd i'r gwasanaeth, meddai mab un o'r cymdogion, 'Ylwch Owen Roberts, Cae'r Gors, yn trin ei gae ar ddydd Sul'!

Yr oedd gan fy nhad ddigon o synnwyr digrifwch i allu chwerthin am ei ben ei hun. Oherwydd hynny, yr wyf am ddweud stori amdano na buaswn yn ei dweud efallai oni bai mai ef ei hun a'i dywedodd yn ei erbyn ei hun. Byddai'n chwerthin nes byddai'r dagrau yn powlio o'i lygaid wrth ddweud y stori hon. Mwy na hynny, yr oedd ei synnwyr digrifwch mor gynnil fel y gwyddai'n iawn beth oedd gwir golyn stori. Digwyddodd hyn pan oedd yn briod y tro cyntaf. Bu ei wraig gyntaf yn wael ei hiechyd am amser hir cyn marw. Oherwydd hynny, byddai fy nhad yn mynd, ar ben mis, i lawr i Gaernarfon i dalu am lo, blawd, etc., gan nad oedd fawr o siopau yn yr ardal y pryd hynny. Byddai'n rhaid cerdded y pedair milltir yno ac yn ôl. Y nos Sadwrn tan sylw, yr oedd wedi gorffen talu'r biliau, ac wedi prynu popeth yr oedd arno ei eisiau, ac yn cychwyn adref o'r Maes. Pan oedd gyferbyn â'r Britannia, pwy a welodd ond ei gyfaill Wmffra Siôn. 'Hei, Owan, lle'r wyt ti'n mynd?'

I went along the path to fetch water from the spring, or some such task, and every time I returned to the house Mam would ask were they speaking yet. 'Not yet,' was my answer every time, until teatime. Then peace returned.

If my father did a job about the house or the fields, it would serve for a hundred years, so sound would it be. There had to be a foundation even for a scarecrow. I remember him one Saturday evening making a scarecrow on the potato field, and I on my own in the house trying to do my Latin for Monday. He came into the house and asked if I knew where he could get something to dress the scarecrow. I leapt up, keen to help, and glad to abandon Cicero and his threats. I found him an old hat and an old coat of his, and a scrap of old lace curtain. I went out to the field, and the frame of the scarecrow was worth seeing; a hurricane would not bring it down, so deeply sunk into the earth was its base. It was dressed respectably, and I put the hat on its head at a slight tilt, the angle just the way Dad wore his hat. This field faced the chapel, and next morning, on their way to the service, a neighbour's son said, 'Look! Owen Roberts, Cae'r Gors, working his field on a Sunday!'

My father had enough of a sense of humour to laugh at himself. Because of that I am going to tell a story about him that maybe I would not tell if he had not told it against himself. He would laugh till the tears ran from his eyes as he told this story. More than that, his sense of humour was so subtle that he always hit the spot. It happened when he was married for the first time. His first wife was ill for a long time before she died. Because of this at the end of the month my father would go to Caernarfon to pay for coal, flour etc, because there were not many shops in our neighbourhood at the time. He had to walk four miles there and back. On this particular Saturday night he had finished paying the bills, and had bought all he needed, and had set off home from the town square. Opposite the Britannia, who did he see but his friend Wmffra Siôn. 'Hey! Owan, where are you going?' 'Home,'

'Adra,' meddai Nhad. 'Tyd am un bach efo mi i mewn i fan'ma, ac mi ddo i efo chdi wedyn.' (Dylwn egluro na byddai fy nhad yn hel diod, ond os âi i gwmni, ni wrthwynebai gymryd glasiad o gwrw gyda chyfaill. Credaf fod llawer iawn o chwarelwyr yr un fath yn y cyfnod y soniaf amdano.) Wedi mynd i mewn i'r Britannia, yr oedd llawer o'i hen gyfeillion yn y fan honno. 'Hylo'r hen Owan, sut wyt ti ers talwm?' meddai lot o leisiau ar draws ei gilydd. Cyn y gwyddai ei fod yno, yr oedd wedi ei dretio i wyth glasiad. Canlyniad naturiol hyn, gan nad oedd yn arfer yfed, oedd iddo fynd yn sâl, yn rhy sâl i gerdded adref. Tra fu'r perchennog yn ceisio cael ganddo ddyfod ato'i hun, aeth y lleill adref. Tŷ caeedig oedd y Britannia ar y pryd, felly ni allai aros yno. Modd bynnag, aeth y perchennog i chwilio am lety iddo ac fe gafodd un yn rhywle yn y stryd sy'n troi ar y chwith o Stryd y Llyn. Yr oedd y wraig honno yn onest iawn, a mynnodd i berchennog y dafarn dynnu allan hynny o arian a oedd gan fy nhad yn ei boced a'u cyfrif cyn eu rhoi ar y bwrdd glàs.

Erbyn bore trannoeth, yr oedd fy nhad yn iawn, a chychwynnodd adref fel y boi. Ar ben Allt Twll Gro, dyma ddyn ato a dweud, 'Welist di dy dad?' (Yr oedd y dyn yma yn byw ar yr allt, yn gweithio yn chwarel y Cilgwyn, yn cysgu yn y barics ar hyd yr wythnos ac yn mynd adref dros y Sul.) 'Naddo, ymhle mae o?' meddai Nhad. 'Mae o newydd fynd lawr ffor'na.' Aethai fy nhaid i lawr drwy'r ffordd gul sy'n arwain at y cei llechi, a'm tad wedi dyfod ar hyd y briffordd, ac oherwydd hynny wedi mynd yn wrthgefn i'w gilydd. Modd bynnag, ni thrafferthodd fy nhad fynd i gyfarfod â thrwbl wrth fynd i chwilio am fy nhaid, eithr canlynodd ymlaen ar ei daith. Wedi cyrraedd y Bontnewydd, troes ar y chwith, wrth y lle y mae'r pentref i blant amddifad yn awr. Â'r ffordd hon ymlaen drwy'r Bicall. Troes ar y dde wedyn drwy gae sy'n codi'n allt sydyn. Wedi iddo droi i'r cae, gwelodd nifer o ddynion ar ben y cae allt, ac fe ddeallodd ar unwaith wrth eu gweld yn chwalu yn ddwy garfan i wahanol gyfeiriadau, ar ôl ymgynghori, mai chwilio amdano ef yn fyw neu yn farw yr oeddynt. 'Hoi!' meddai yntau, nerth ei ben. Ni bu erioed y fath falchder nag ymhlith y dynion hynny o'i weld yn ddiogel.

said Dad. 'Have a little one with me in here, then I'll come with you.' (I should explain that my father was no drinker, but in company he did not mind having a beer with a friend. I think many quarrymen were the same in the period I am talking about.) He went into the Britannia, and many of his old friends were there. 'Hello, old Owan. How've you been this long time?' called many voices across each other. Before he knew it he had been treated to eight glasses. Naturally the result was, as he wasn't used to drinking, that he became ill, too ill to walk home. While the publican tried to revive him the others went home. At the time the Britannia was a closed house, so he could not stay there. So the publican went out to look for lodgings, and found somewhere in the street that turns left off Stryd y Llyn. The woman there was completely honest, and she made the publican take all my father's money from his pocket and count it before putting it on the glass-topped dressing table.

By next morning my father was better, and he set off for home in fine fettle. At the top of Allt Twll Gro, a man approached him and said, 'Have you seen your father?' (The man lived on the hill and worked in the Cilgwyn, sleeping in the barracks during the week, and going home for the weekend.) 'No. Where is he?' said Dad. 'He's just gone down there.' My grandfather had gone down the narrow road that leads to the slate quay, and my father had come along the main road, so they had not passed each other. My father wasn't going to look for trouble, so instead of going after my grandfather he continued on his way. When he reached Bontnewydd he turned left, by the place where the orphanage is today. That road continues through Bicall. He turned right through a field which rises steeply. Once he had turned into the field he saw a group of men at the top of the slope, and seeing the group divide into two and walk in opposite directions after consulting among themselves, he at once realised they were looking for him, dead or alive. 'Hoy!' he shouted at the top of his voice. There was never such relief among those men, seeing him alive.

Y prynhawn hwnnw daeth degau o bobl i edrych am ei wraig glaf, mwy o lawer nag arfer, ond gwyddai fy nhad nad i'w gweld hi y deuai llawer ohonynt. Yn eu plith yr oedd cefnder iddo a oedd yn flaenor, dyn diwylliedig, rhy hoff o'i lyfr i fynd allan i edrych am neb sâl. Ond fe ddaeth yntau. Dyna un colyn i'r stori y sylwodd fy nhad arno. Yn ystod y dylifiad hwn o bobl, eisteddai fy nhad yn y gadair freichiau wrth y tân, ei wyneb yn syllu i'r tân, a'i law tan ei ben, heb edrych ar neb. Ac O! fel y gallaf weld mynegiant y llepen a oedd ar y bobl. Nid mynegiant o gywilydd, ond o ystyfnigrwydd a gwrthwynebiad iddynt i gyd. Yn y diwedd daeth fy nhaid, yntau yn flaenor, yno, wedi cyrraedd yn ôl o'r dref, a'r cwbl a ddywedodd oedd, 'Mi rwyt ti *wedi* gwneud smonath ohoni hi yn do?' Dyna ail golyn y stori. Ni ddeallai'r un o'r bobl hyn mai damwain a ddigwyddasai i ddyn yng nghanol helbulon bywyd. Ond gallaf ddychmygu bod llygaid y rhai na ddaethant i'w weld y prynhawn hwnnw yn pefrio yn y chwarel bore drannoeth wrth ofyn yn llawn cydymdeimlad, 'Wel, sut y doth hi arnat ti, 'rhen fachgen?'

Byddai fy nhad yn darllen cryn dipyn, ond yn fwy araf na Mam. Nid apeliai barddoniaeth ato fel y gwnâi ati hi. Hoffai ddarllen ysgrifau a wnelai â bywyd y gweithiwr. Yr oedd, yn ei ddyddiau chwarel, yn fyw iawn i broblemau'r diwydiant, yn gwybod yn ddigon da ymhle'r oedd y drwg. Darllenai bob ysgrif yn y papurau Cymraeg a ddôi i'r tŷ, rhyw dri phapur bob wythnos. Cymerai arno nad oedd y nofel a redai yn y papur yn ddim ond sbwriel. Ond fe'i daliwyd ryw ddiwrnod. Fy mam ac un o'm brodyr yn dadlau ynghylch rhyw Geraint yn y nofel a'm tad yn torri'r ddadl iddynt! Un o'r pethau mwyaf digalon yn ei fisoedd olaf ydoedd ei fod wedi mynd yn rhy ddi-hwyl i ddarllen hyd yn oed y papur, er ei fod yn codi ar y soffa i'r gegin bob dydd. 'Darllen di o imi', a ddywedai wrth Mam, a byddai hithau'n gwneud gydag arddeliad.

Ni chymerai byth ran yn gyhoeddus mewn na chapel na chwarel. Mynychai'r capel a'r ysgol Sul yn gyson, ond ni chlywais mohono erioed yn siarad yn gyhoeddus. Byddai'n helpu ar nos Sul gyda chyfrif arian y casgliad mis. Nid oedd

That afternoon his sick wife had scores of visitors, far more than usual, but my father knew that many of them had not come to see her. In their midst was one of his cousins, a deacon, a cultured man too fond of his books to go out to visit the sick. Even he came too. My father stressed this moment in the story. During this flow of people, my father sat in his armchair by the hearth, his face staring into the fire, his head in his hand, not looking at anybody. And Oh! I can see the look on his face on the profile presented to the people. Not an expression of shame, but of stubbornness and hostility to them all. At last my grandfather, also a deacon, returned from town, and all he said was, 'You've really made a mess of it this time, haven't you?' And that was the story's climax. None of these people understood that an accident can befall a man in the midst of life's troubles. But I can imagine that the eyes of those who did not come that afternoon twinkled in the quarry on the following day as they enquired, full of sympathy, 'Well, what came over you, old chap?'

My father read quite a lot, but more slowly than Mam. Poetry did not appeal to him as it did to her. He enjoyed reading articles about the life of the working man. He was, in his quarry days, aware of the troubles of the industry, knowing well where the problems lay. He read every article in the Welsh papers that came to the house, three papers a week. He pretended that the novel serialised in the paper was just rubbish. But he was caught out one day. My mother and one of my brothers arguing about some Geraint in the novel, and my father settling the argument for them! One of the saddest things about his final months was that he became too low-spirited even to read the paper, though he still got up and came to the sofa in the kitchen every day. 'You read it to me,' he would say to Mam, and she would do so with conviction.

He took no public part in the chapel or the quarry. He attended chapel and Sunday school regularly, but I never heard him speak in public. He would help with counting the money from the monthly collections on a Sunday night. This shyness was not shared by his brothers, but it was in some of his children and the others had a great struggle to overcome it. But he enjoyed a debate, and listening to a sermon or a

180

y swildod yma yn perthyn i'w frodyr, ond yr oedd i rai o'i blant, a chafodd y lleill gryn drafferth i'w orchfygu. Mwynhâi ddadlau er hynny, a gwrando ar bregeth a darlith. Yn wir, câi fwy o fwynhad o'r pethau hyn nag a ddangosai i neb. Cofiaf yn dda yn ei salwch olaf ei fod yn eistedd yn y gegin un nos Sul braf yn yr haf adeg capel. Yr oedd wedi gwisgo ei ddillad gorau, ond nid oedd am fentro i'r capel rhag ofn na allai gerdded yr allt a âi i fyny tuag ato. Wrth eistedd yn y gegin, ac edrych allan drwy'r lobi a'r portico gallai weld y bobl yn mynd i'r capel i fyny'r allt honno. Soniais yn y dechrau fod golwg brudd iawn arno pan fyddai'n brudd. Felly'r noson hon. Yr oedd hiraeth annisgrifiadwy yn ei lygad. Cysur, er hynny, yw cofio iddo gael mynd i'r capel unwaith neu ddwy ar ôl hynny.

Nid oedd ein teulu ni fawr o ganwrs. Yr oedd gan fy mam lais digon da, a byddai'n canu inni pan oeddem blant. Yr oedd gan fy mrawd ieuengaf lais bach tlws hefyd. Gallaf ei glywed rŵan yn canu, pan oedd yn perthyn i gôr plant y capel, 'Siglo, siglo, cwch bach fy Iolo', a'r tro olaf y bu gartref, 'Pack all your troubles'. Ond am y gweddill ohonom, gorau po leiaf a ddywedir am ein lleisiau. Ond ambell noson, byddai llais yn mynd trwy'r tŷ gefn trymedd nos – fy nhad yn canu 'Gwaed y Groes' ar dôn 'Bryn Calfaria'. Fe ganai'r emyn reit drwodd o'r dechrau i'r diwedd mewn tiwn berffaith. Ni chredai ni yn y bore pan ddywedwn wrtho, ond byddai'n chwerthin yn iawn. Pan ddôi rhywun acw i aros, byddai arnom ofn yn ein calonnau rhag i Nhad daro 'Gwaed y Groes'. Credaf mai wedi blino y byddai pan ganai hi, oblegid fe ollyngai ryw ochenaid drist ar ei diwedd.

Ni churodd fy nhad mohonom erioed, ond byddai arnom ofn gwneud dim rhag ofn iddo ein curo. Yr oedd ganddo besychiad arwyddocaol iawn a'n rhagrybuddiai rhag inni fynd yn rhy bell. Byddai'r pesychiad yma yn digwydd weithiau wrth y bwrdd bwyd, a thawelem i gyd. Clywais fy hanner chwaer yn dweud iddi hi a ffrind iddi, pan oedd yn blentyn, fynd i'r capel hanner awr yn rhy gynnar ar noson seiat, er mwyn cael dynwared rhai o aelodau'r capel yn cerdded i'w seti. Pan oeddynt ar hanner, dechreuodd rhai o'r bobl a ddynwaredid ddyfod i mewn, a chuddiasant hwy

lecture. He got more enjoyment from such things than he ever showed anyone. I remember him during his final illness sitting in the kitchen one fine Sunday evening in summer at chapel time. He had put on his best clothes, but couldn't risk going to chapel in case he could not take the hill that led to it. Sitting in the kitchen, watching through the lobby and the porch, he could see people going to chapel up that hill. I said at the start that when he looked sad he looked very sad. So it was that evening. There was in his eyes an indescribable yearning. It is a comfort to know nevertheless that he did manage to get to chapel once or twice more after that.

Our family were not great singers. My mother had a fairly good voice and she used to sing to us when we were children. My youngest brother had a sweet little voice too. I can hear him sing now, when he belonged to the children's choir in chapel. 'Rock, rock my Iolo's little boat', and the last time he was home, 'Pack up your troubles'. As for the rest of us, the least said about our voices the better. But some nights, a voice would echo through the house late at night – my father singing 'Gwaed y Groes', Blood of the Cross, to the tune of 'Bryn Calfaria'. He would sing the whole hymn right through from beginning to end in perfect tune. He wouldn't believe us in the morning when we mentioned it, but would laugh heartily. When someone came to stay we would worry lest Dad would start singing 'Gwaed y Groes'. I think he was tired when he sang it because he always ended with a sad sigh.

Our father never beat us, but we were afraid of doing anything for fear that he would beat us. He had a meaningful cough which forewarned us not to go too far. This cough happened sometimes at mealtimes, and we would all fall silent. I heard my half sister telling how she and a friend went to chapel half an hour early on 'seiat' night, to mimic some of the chapel members walking to their seats. When they were in the middle of this, some of the people being mimicked began to come in, and they hid in the pew nearest to the far wall, a

eu hunain yn y sêt nesaf i'r mur pellaf, sêt lydan, ryfedd iawn ei ffurf am fod y seti eraill ar letraws. Yno y buont yn gorwedd ar lawr drwy'r gwasanaeth. Rhywdro, adeg i'r plant ddweud eu hadnodau, clywodd besychiad arwyddocaol ei thad, arwydd o adwaenai'n rhy dda. Dro arall, dywedodd hi ei hadnod fel hyn, 'Cofia yn awr dy Greawdwr yn nyddiau dy ieuenctid, cyn dyfod y dyddiau blin a'r llesg flynyddau maith.' Clywodd y pesychiad wedyn, ond ni wn sut y bu hi arni wedi iddi fynd adref yr un o'r ddau dro. Ni buasem am unrhyw bris yn y byd yn mynd yn hy arno, yn enwedig y rhai hynaf ohonom. Fy mrawd ieuengaf oedd yr unig un a fentrodd. Dyfeisiodd ef ei enw ei hun arno, 'Brynni', gan mai Owen Bryn y galwai ei gyfeillion ef, ar ôl ei hen gartref, Bryn Ffynnon. Mae gennyf yn fy meddiant lythyrau oddi wrth fy mrawd ieuengaf a ysgrifennodd o'r ysbyty ym Malta i Nhad pan weithiai ef yn Lerpwl, ac 'Annwyl Brynni' yw'r cyfarchiad bob tro.

Byddai fy nhad wrth ei fodd mewn cwmni. Gallaf ei weld yrŵan yn chwerthin yn braf pan ddeuai cymdogion i mewn gyda'r nos a swapio straeon. Yr oedd yntau cystal â'r un am eu hadrodd. Glynai fel gelen wrth ei gyfeillion, a chredaf ei fod yn teimlo'n sicrach ohono'i hun yng nghwmni cyfeillion. Nid dyn i fod ar ei ben ei hun ydoedd. Hoffai gael rhywun i ddibynnu arno. Cofiaf yn dda ddiwrnod yr arwerthiant pan ymadawem â Chae'r Gors. Nid oedd gan yr un ohonom y syniad lleiaf beth oedd ocsiwn, a syniai fy nhad fod yn rhaid gwerthu pob dim. Dyna lle'r oedd ben bore wedi hel pob rhyw hen gêr diwerth a'u gosod yn bentyrrau bychain hyd y cae. Y fo o bawb, yr haelaf a'r lleiaf crintachlyd o blant dynion. Ond meddyliai ef mai peth fel yna oedd ocsiwn. Gwnâi hyn oll yn berffaith ddiysbryd a digalon – bore Sadwrn ydoedd ac nid oedd yr un o'm brodyr ar gael. Toc i chwi, pwy a ddaeth ar draws y caeau dan chwibanu ond John Jones, Tŷ Weirglodd, cymydog inni. Nid oedd ef yn gweithio y bore hwnnw. Fflonsiodd fy nhad drwyddo wrth ei weld; yr oedd wedi cael cefn ac amddiffyn a chyngor. Lluchiodd John y gêr diwerth, er mawr foddhad i bawb, ac aeth yr ocsiwn yn ei blaen yn rhwydd. Cofiaf mor brudd yr

wide seat, and oddly placed as the other pews were set diagonally. There they lay, on the floor throughout the service. Once, when the children went to say their verses, she heard her father's meaningful cough, a signal she knew too well. Another time she said her verse like this, 'Remember now thy Creator in the days of thy youth, while the evil days come not, nor the years draw nigh', which should have been, 'Remember now thy Creator in the days of thy youth, while the evil days come not, nor the years draw nigh, when thou shalt say I have no pleasure in them.' She heard the cough again, but I don't know how it went for her when she got home on those two occasions. We would not for the world have been cheeky to him, especially we older ones. My youngest brother was the only one who dared to try it. He devised a name for him, Brynni, as his friends called him Owen Bryn, after his old home, Bryn Ffynnon. I have in my possession letters from my youngest brother which he wrote from the hospital in Malta to Dad who was working in Liverpool then, and 'Dear Brynni' is the greeting every time.

My father loved company. I can see him now, laughing heartily when neighbours came in the evenings to swap stories. He was as good as the next one at telling stories. He stuck like a leech to his friends, and I think he felt more confident in their company. He was not a man to be alone. He enjoyed having someone to rely on. I well remember the day of the auction when we were leaving Cae'r Gors. None of us had any idea what an auction was, and my father thought that he had to sell everything. There he was first thing in the morning having collected up every bit of useless old gear to put in little piles about the field. He of all people the most generous and the least miserly of men. But he thought that was what an auction was. He did all this quite dispirited and sad – it was a Saturday morning and none of my brothers was available. Then, who came whistling over the fields but John Jones, Tŷ Weirglodd, one of our neighbours. He was not at work that morning. My father cheered up no end when he saw him; he now had his support, guidance and advice. John threw out the useless stuff, to everyone's delight, and the auction went smoothly. I remember how sad my father was to

oedd fy nhad wrth ymadael â Chae'r Gors, er mor falch oedd o adael y gwaith, a'r rheswm am hynny oedd, meddai ef, ei fod yn gwybod mai dyma'r symud olaf a fyddai yn ei hanes am byth. Dangosodd fy mam iddo y gallesid dweud hynny yn hawdd am y tŷ cyntaf yr aethai i fyw ynddo erioed. Cafodd brofedigaeth fawr yn ei flwyddyn olaf, collodd ei fab, fy hanner brawd, mewn ffordd drychinebus iawn. Ni bu fawr llewyrch ar fy nhad wedyn, ni ddaeth y wên yn ôl i'w wyneb, a dilynodd fy mrawd ymhen naw mis, ym mis Awst, 1931, ac yntau yn 80 mlwydd oed.

Bywyd o waith caled a gafodd, a llawer o ddiddanwch a helbulon yn gymysg. Bu'n hael ei wasanaeth i'w gymdogion pan oedd yn ei breim. Âi i aros ar ei draed y nos gyda chleifion. Gweinai arnynt gyda medr, megis wrth dorri eu barf neu rywbeth felly, a byddai ei help mewn cae gwair yn werth ei chael. Bu'n gweithio dan yr un cwmni am 66 o flynyddoedd, 47 ohonynt yn yr un chwarel, ac ni roes neb o'r cwmni hwnnw ddimai goch iddo wrth ymadael. Ni byddent yn gwneud hynny â neb y dyddiau hynny. Aeth ef a'i bartneriaid o chwarel y Cilgwyn am fod y fargen wedi darfod. Ystyr hynny ydoedd nad oedd rhagor o gerrig yn y rhan honno o'r twll, dim ond tywod. Gosodasai'r perchennog ar y pryd ei fab yn ben goruchwyliwr ar y chwarel, ac ni ddaeth i ben hwnnw roi bargen newydd iddynt. Pan ymadawsant am chwarel Cors y Bryniau, yr oedd yn chwith gan holl weithwyr y Cilgwyn, oblegid nid oedd neb a weithiai yno ar y pryd yn cofio'r chwarel heb fy nhad ynddi.

Yr wyf yn berffaith sicr na wenieithodd na chynffonna i stiward erioed. Gall plentyn synhwyro hynny yn y sgwrs ar yr aelwyd. Clywais ef yn lladd digon ar y bobl a wnâi hynny, a lladd ar stiwardiaid pan haeddent, er nad un i ladd yn hawdd ar bobl ydoedd ef. Dal dan bobl y byddai yn hytrach.

Gwn na thraethais mo'r hanner amdano, na mynegi ei werth i gymdeithas. Bob tro y clywaf, 'Chwyddodd gyfoeth gŵr yr aur a'r Faenol', am fy nhad y meddyliaf, ac efallai fod hynny yn naturiol. Chwarelwr ydoedd, a chwarelwr dan gamp.

* O gerdd W. J. Gruffydd 'Cerdd yr hen chwarelwr'.

leave Cae'r Gors, though he was glad to leave the work behind, and he said the reason for his sadness was that he knew it would be the last time he would ever move in his life. My mother said this could easily have been said of the first house he ever went to live in. In his final year he had a great loss. He lost his son, my half brother, in a very terrible way. There was not much cheer in my father after that, the smile never returned to his face, and he followed my brother within nine months, in August 1931, when he was 80 years old.

He had a life of hard work, and a mixture of much pleasure and troubles. He was generous in his service to his neighbours when he was in his prime. He would be on his feet all night with the sick, he would care for them with skill, shaving them and other such things, and his help with haymaking was invaluable. He had worked for the same company for 66 years, 47 of them in the same quarry, and nobody from that quarry gave him a halfpenny when he left. They did not do such things in those days. He and his teammates left the Cilgwyn because the deal was over. That means there was no stone left in that part of the quarry, only sand. The owner had employed his son as overseer in charge of the quarry, and it did not occur to him to provide a new deal for the men. When they left for Cors y Bryniau quarry the loss was felt by all the workers at Cilgwyn, because there was nobody there who could remember the quarry without my father being there.

I am quite certain that he never flattered or curried favour with a steward. A child can sense that in the talk at home. I heard him criticise those who did so, he condemned the stewards when they deserved it, though he was not one to condemn lightly. Rather, he would support people.

I know that I have not said the half of it, or described his full value to his community. Every time I hear, 'He increased the wealth of the rich man of the manor',* it is my father I think of, and perhaps that is natural. He was a quarryman, a quarryman without equal.

---

* From W. J. Gruffydd's poem 'Cerdd yr hen chwarelwr' (The poem of the old quarryman).

Fy Mam

Nid yw cyn hawsed dweud hanes fy mam; yr oedd yn gymeriad cymhleth ac anghyson. Pan gofiaf hi gyntaf yr oedd yn tynnu am ei deugain, yn gwisgo cêp a bonet yn ôl ffasiwn y dyddiau hynny, ac yn ymddangos yn hen iawn i mi. Byddai y pryd hwnnw yn dioddef llawer iawn gan boen yn ei stumog, ac felly y cofiaf hi gyntaf yn wael yn aml, er na byddai byth yn aros yn ei gwely. Gallaf weld yn iawn erbyn hyn mai gweithio yn rhy galed y byddai heb gael digon o orffwys i'w nerfau ac felly yn methu treulio ei bwyd. Fel fy nhad, gweithiodd hithau'n galed iawn ar hyd ei hoes, ond yn wahanol iddo ef, ni roddai hi'r gorau i waith a mynd i orffwys. Yr oedd fy nhad yn gallach na hi yn hyn o beth.

Fel ymhob teulu mawr y pryd hwnnw, yr oedd yn rhaid i'r merched hyd yn oed droi allan i weithio yn ifanc. Deg oed oedd fy mam pan aeth i weini gyntaf. Buasai am ryw gymaint yn yr ysgol, yn Rhostryfan, yr un ysgol ag y buasai fy nhad ynddi, ond o dan ysgolfeistr arall. Modd bynnag, gwnaeth fy nain beth call, ar ôl i Mam fod yn gweini am ryw bum mlynedd, anfonodd hi am chwarter o ysgol i Gaernarfon, ysgol a gedwid gan hen ferch yn siop Stryd y Llyn, lle a elwir heddiw yn Uxbridge Square. Credaf fod amryw o ferched Rhostryfan wedi bod ynddi. Cafodd ddysgu darllen, ysgrifennu a gwneud rhifyddeg yno. Wrth gwrs, rhy fyr o lawer oedd y cyfnod. Nid oedd reswm fod plentyn deg oed yn cychwyn i weini. I rywle ar ochr Moeltryfan yr aeth fy mam gyntaf, a byddai'n gweld ei thad ambell noson wrth iddo fyned adref o chwarel Moeltryfan, a byddai'n gweiddi crio gan hiraeth wrth droi cefn arno. Fe aeth yn nes i Bantcelyn, ei chartref, wedi hynny. Hawdd dweud, 'Pam na ddechreuasai weini yn ymyl ei chartref?' Ond cofier, yn wahanol iawn i heddiw, lleoedd a oedd yn brin y pryd hynny, ac nid morynion.

O'r dydd yr aeth i weini gyntaf hyd ei marw, bu fy mam yn ddewr. Dangosodd hyn pan oedd yn ifanc, yn ôl yr hanesion a ddywedai amdani hi ei hun. Ar ôl bod yn gweini

IX

My Mother

It is not so easy to tell my mother's story; she was a complex and changeable character. When I first remember her she was nearing forty, wearing a bonnet and cape in the fashion of the day, and she seemed very old to me. At the time she suffered badly from stomach pain, and so I remember her being often ill, though she never took to her bed. I can well see now that she worked too hard and had too little rest for her nerves and was therefore unable to digest her food. Like my father, she worked very hard all her life, but unlike him she did not stop working and then take some rest. My father was wiser than she in that way.

As in all big families at the time, the girls too had to go out to work when they were young. My mother was ten when she went into service. For a while she went to school in Rhostryfan, the same school as my father, but under a different head teacher. However, my grandmother did a sensible thing. When Mam had been in service for some five years, she sent her for a quarter to part-time schooling in Caernarfon, a school kept by a spinster at the top of Stryd y Llyn, today known as Uxbridge Square. I think that a number of Rhostryfan girls went there. There she was taught to read, to write and to do arithmetic. Of course it was far too brief a time. There was no sense in sending a child of ten into service. It was somewhere on the side of Moeltryfan that my mother was first sent. And sometimes she would meet her father on the way home from Moeltryfan quarry and wail in homesickness when they parted. After that she moved closer to Pantcelyn, her home. Easy to wonder, 'Why didn't she begin service closer to home?' But remember, unlike today places were in short supply, not serving girls.

From the day she first went into service until her death, my mother was very brave. This was demonstrated when she was young, according to the stories she told about her life. After working on the slopes of Moeltryfan she went to Bryn Llwyd,

ar ochr Moeltryfan daeth i Fryn Llwyd, y tyddyn nesaf i'w chartref. Er nad oedd ond plentyn, gwnâi bob gwaith yno, hyd yn oed wyngalchu cyrn y tŷ. Rhaid nad y tŷ presennol oedd Bryn Llwyd y pryd hynny, mai tŷ bychan, isel ydoedd, oblegid gallai fy mam fynd ar ei do, efo phwced galch. Un o'r troeon hyn, pan oedd ar ben y to, dechreuodd ddawnsio efo'r bwced yn un llaw a'r brws gwyngalchu yn y llaw arall. Yr oedd yno gynulleidfa o blant ar lawr, plant Bryn Llwyd a phlant Pantcelyn, ei brodyr a'i chwiorydd iau na hi. Gellwch ddychmygu gorfoledd y plant wrth weld y fath gampau. Wrth glywed y sŵn daeth fy nain allan, a chymerodd ei phlant ei hun adref a dweud, 'Dowch i'r tŷ, ne mi laddith hi 'i hun wrth ddangos 'i gorchast.'

Nodwedd arall a berthynai i'm mam oedd tosturio wrth y dyn ar lawr, neu rywun anffodus. Bu'n gweini mewn lle arall yn Rhostryfan, ac ni ellid dweud bod ei meistres yn un hael o gwbl. Yn ymyl y lle hwn, yr oedd rhes o fythynnod bychain a ddiflanasai ymhell cyn fy amser i. Yn un o'r tai hyn yr oedd hen wraig o'r enw Nanw Rhisiart yn byw, gwraig weddw a gâi ddeunaw yr wythnos o'r plwy. Byddai meistres fy mam yn gadael i datws a phethau felly a fyddai ar ôl pryd, suro yn y tŷ llaeth yn hytrach na'u rhoi i neb. Wrth weld hynny, dechreuodd fy mam fynd â hwy i Nanw Rhisiart cyn iddynt suro. Mwy na hynny, efo'r geiniog a gâi gan ei mam yn bres poced bob nos Wener, âi i siop fara mân a oedd yn y pentref i brynu wicsen. Âi â hi i dŷ llaeth ei meistres, holltai hi a rhoi menyn ei meistres rhyngddi a mynd â hi i Nanw Rhisiart. Dyna lle byddai'r hen wraig yn eistedd wrth fymryn o dân ar waelod y grât, ei dannedd yn rhincian gan yr oerfel, ac yn torri i grio wrth weld y wicsen. Yr oedd yr hen greadures mor dlawd fel y bu'n rhaid ei symud i bentref arall i fyw at blentyn iddi. Ond bu farw yn fuan wedyn.

Pan oedd fy mam yn byw yn y Groeslon ar ôl priodi'r tro cyntaf, yr oedd yno hen wraig yn byw gyda'i mab neu ei merch. Arferai'r hen wraig hon smocio pibell glai, gan ddilyn arfer ei hieuenctid, ond arfer a oedd yn mynd allan o fod erbyn hynny. Yr oedd ar ei theulu dipyn o gywilydd

the smallholding next to her home. Although she was just a child, she did all the work there, even whitewashing the chimneys. It cannot have been the house currently on the Bryn Llwyd site, but a small, low house, because my mother could get onto the roof with a bucket of lime wash. On one occasion when she was on the roof, she began to dance with the bucket in one hand and the whitewash brush in the other. There was an audience of children below, Bryn Llwyd children and Pantcelyn children, her younger brothers and sisters. You can imagine the children's delight seeing such tricks. Hearing the noise, my grandmother came out, taking her own children home and telling them, 'Come into the house or she'll kill herself showing off.'

Another of my mother's qualities was her compassion to anyone who was down, or anyone unfortunate. She was in service at another place in Rhostryfan, and her mistress there could not at all be described as generous. Close to this place there used to be a terrace of small cottages which had disappeared well before my time. In one of the cottages lived an old woman called Nanw Rhisiart, a widow who received eighteen pence a week from the parish. My mother's mistress would let potatoes and other things go off in the dairy rather than give them away to anyone. Seeing this, rather than let them spoil, my mother began taking them to Nanw Rhisiart. Also, with the penny pocket money she was given by her mother every Friday night she went to a bakestone shop in the village to buy a teacake. She would take it to her mistress's dairy, split it and put her mistress's butter in it and take it to Nanw Rhisiart. There the old woman would be with a scrap of fire at the bottom of her grate, her teeth chattering with cold, and she broke down in tears when she saw the teacake. The old lady was so poor that she had to be moved to another village to live with one of her children. She died soon afterwards.

When my mother was living in Groeslon after she was married for the first time, there was an old woman living with her son or her daughter. This old woman used to smoke a clay pipe, as she had done since her youth, a habit that was dying out by then. Her family were rather ashamed of her, and they

ohoni, a gwnaethant dân yn y siamber er mwyn i'r hen wraig gael bod ar ei phen ei hun. Âi fy mam i edrych amdani a mynd ag owns o faco yn anrheg iddi, yn snêc bach felly! Nid oedd pethau fel darluniau na radio na dim y pryd hwnnw i fynd â'n bryd. Nid oedd digon o lyfrau i'w darllen, felly ni flinem ni byth glywed yr hanesion yma, ond eu mwynhau fwyfwy bob tro. Cofiaf yr argraff a wnaeth stori Nanw Rhisiart arnaf. Yr oedd hi bron yn rhy drist i'w chlywed yr eil dro, ond gwelir ei bod yn stori wrth fodd plentyn hefyd, gan fod yr hen wraig wedi derbyn y wicsen a'i mwynhau.

Gwaith caled yw gwaith tyddynnwr a'i wraig, yn enwedig yn y gaeaf. Y tymor hwnnw rhaid i'r wraig wneud llawer o'r gwaith allan, gan y bydd wedi tywyllu cyn i'r gŵr ddyfod adref o'r chwarel. Yn nyddiau fy mhlentyndod i byddai chwarelwyr yn gwisgo dillad ffustion, trywsus melfaréd, a oedd yn llwyd i gychwyn ac a olchai'n wyn, a chôt liain wen o dan ei grysbais. Bob mis, fe olchid y trywsus a'r gôt liain, ac yr oedd yn draddodiad ymysg chwarelwyr mai claerwyn oedd lliw y ffustion i fod pan fyddent yn lân ar ddechrau mis, er iddynt gael eu maeddu ag ôl llechi y diwrnod cyntaf. Mawr y beirniadu os na byddai'r ffustion yn berffaith wynion. Meddylier beth a olygai hyn mewn tai anhwylus. Yr oedd yn rhaid cario'r dŵr i'r tŷ i gychwyn, a'i ferwi mewn crochan mawr, hirgrwn a dwy glust wrtho. Ni ellid golchi'r trywsus beth bynnag ar y golchwr, yr oedd yn rhaid ei sgwrio â brws sgwrio, ac allan ar fwrdd wrth y pistyll y gwelais Mam yn gwneud hyn ar bob tywydd. Yr oedd yn rhaid eu berwi ar y tân wedyn yn y crochan, mynd â hwy allan wedyn, i'w strilio (fel y dywedai fy mam) o dan y pistyll. Meddylier hefyd am geisio eu sychu yn y gaeaf, a byddai dwy neu dair siwt weithiau. Cofier hefyd nad oedd ddrws cefn mewn llawer o'r tai. Yn ychwanegol at hyn yr oedd dillad gwelyau a dillad isaf, ac ati, golchi, eu manglio a'u smwddio.

Pobid y cyfan gartref, mewn popty dwfn a oedd wrth ochr y tân, a lle i ddodi tân odano. Pobai fy mam, pan oeddem yn saith o deulu, naw o fara mawr mewn padelli haearn, deirgwaith mewn pythefnos. Gallaf eu gweld yrŵan, ar eu

lit a fire in her bedroom so that she could stay there on her own. My mother would visit her and take her an ounce of tobacco as a gift on the sly! There was nothing like the pictures or radio to catch our attention. There were not enough books for us to read, so we never tired of hearing these stories, but relished them more and more each time. I remember the impression Nanw Rhisiart's story made on me. It was almost too sad to hear a second time, but it also can be seen as a story that would please a child, as the old woman had accepted the teacake and had enjoyed it.

The work of a smallholder and his wife was hard, especially in winter. In winter a woman had to do a lot of the outdoor work because it was dark by the time the husband came home from the quarry. In my childhood quarrymen wore clothes made of fustian, corduroy trousers that were grey to start with but washed to white, and a white linen coat under their jerkin. Every month the trousers and the linen coat were washed, and it was a tradition among the quarrymen that the colour of the fustian cloth should be pure white when they were clean at the beginning of the month, even though they would be dirty with slate marks on the first day. Severe the judgment if the fustians were not perfectly white. Think of what this meant in those primitive houses. Water had first to be carried to the house, and boiled in a large oval cauldron with two handles. The trousers, in any case, could not be laundered in the washer, but must be scrubbed with a scrubbing brush, and it was out on a table by the spring that I remember seeing Mam doing this in all weathers. Then they had to be boiled in the cauldron over the fire, then taken out to 'strilio', rinse (as my mother said) under the spring. Think too of trying to dry them in winter, and sometimes there would be two or three suits. Remember there was no back door to many of the houses. Then there would be the bedlinen, underclothes and so on to wash, mangle and iron.

Everything was baked at home, in a deep oven by the fire, with space to put hot embers underneath. When we were seven in the family, my mother baked nine large loaves in iron pans, three times a fortnight. I can see them now, on their

hochrau wrth y cwpwrdd gwydr yn oeri. Twymid y popty ar ddydd Sul hefyd i rostio'r cig a gwneud y pwdin. Ni chaem gig wedi ei rostio yn ystod yr wythnos, ac eithrio os digwyddai fy mam bobi yn y prynhawn, ond anaml y digwyddai hyn, gan mai un o wneud pob dim yn y bore ydoedd hi, ac yr oedd tân y popty yn mynd â llawer o lo. Cig wedi ei ferwi, efo lobscows a gaem yn ystod yr wythnos, neu iau a chig moch wedi ei ffrio efo nionyn, a thatws. Tua chwech y caem bryd mawr y dydd, pan ddôi'r dynion o'r chwarel, a gofalai Mam fod pryd iawn yn disgwyl y dynion.

Yn yr haf, byddai problem y bwyd yn un hawdd. Caem ddigonedd o datws newydd hyfryd o'r cae, digonedd o fenyn gyda hwy a llaeth enwyn. Ni welais Mam erioed yn cynilo ar y menyn. Byddai dysgl fawr ohono ar y bwrdd a chaem gymryd hynny a ddymunem ohono. I orffen y pryd hwn yn yr haf, byddai gennym fara ceirch wedi i Elin Jones, Pen Ffordd, eu gwneud. Rhai mawr wedi cyrlio, ac mor denau â waffer. Nid oedd angen pryd mwy blasus i'r brenin.

Byddai fy mam yn corddi ddwywaith o leiaf bob wythnos, deirgwaith pan fyddai'r gwartheg ar eu llawn broffid, neu pan ddigwyddai fod gennym dair buwch yn lle dwy. Ni wahenid yr hufen oddi wrth y llefrith, eithr surid y llefrith i gyd mewn potiau pridd mawr, y potiau llaeth cadw, a fyddai'n un rhes ar hyd mur y tŷ llaeth. Rhoid y rhai hyn yn y gaeaf mewn casgiau wedi eu torri yn eu hanner a gwair ynddynt. Byddai gennym un pot pridd fel hyn i gadw'r bara hefyd, ond bod caead pren a handlen wrtho ar y pot bara, a llechi crynion, wedi eu gwneud yn y chwarel, ar y potiau llaeth cadw. Cofiaf un tro fod fy nhad wrthi yn cadw'r llestri ar ôl te, ar ddiwrnod poeth yn yr haf, a'r llechi wedi eu tynnu oddi ar y potiau, a'r un pren oddi ar y pot bara dros amser te. Anelodd fy nhad y dorth at y pot bara, ond fe ddisgynnodd i ganol y pot llaeth cadw, nes oedd hufen tew hyd y wal.

Rhoid y llaeth i gyd felly yn y corddwr i'w gorddi, a gwaith trwm oedd troi'r handlen am dri chwarter awr o amser nes iddo droi'n fenyn. Nid oedd wiw ychwanegu mwy o ddŵr nag oedd yn angenrheidiol, er mwyn ei frysio (gwnâi rhai hynny) neu fe fyddai'r menyn yn wyn ac anodd ei drin. Wedyn, tri chwarter awr arall neu fwy i drin y

sides by the glass cupboard cooling. The oven was heated on Sundays too, to roast meat and to cook the pudding. We did not have roast meat during the week, unless my mother happened to be baking in the afternoon, but this rarely happened as she was one who did everything in the morning, and fire for the oven used a lot of coal. Boiled meat with hotchpotch we had on weekdays, or liver and bacon fried with onions and potatoes. We had the main meal of the day at about six, when the men came home from the quarry, and Mam ensured there was a proper meal waiting for the men.

In summer the question of food was easy. We had plenty of lovely new potatoes from the field, and plenty of butter with them, and buttermilk, I never saw Mam scrimp on butter. There was a large dish of it on the table and we could have as much as we wanted. To end the meal in summer we had oatcakes made by Elin Jones, Pen Ffordd. Big curly ones thin as a wafer. You couldn't want a tastier meal for a king.

My mother churned at least twice a week, three times when the cows were in full milk, or when we happened to have three cows rather than two. The cream was not skimmed from the milk, but the whole milk put to sour in big earthenware crocks, crocks for storing milk, and they stood in a row along the dairy wall. In winter they were kept in barrels sawn in half and filled with hay. There was a similar earthenware crock to keep bread, but there was a wooden lid with a handle on the bread crock, and circular slates, made in the quarry, on the milk-storage crocks. I remember once my father putting the dishes away after tea on a hot summer day, and the slates were removed from the crocks and the wooden lid from the bread crock during teatime. My father aimed the loaf at the bread crock, but it landed in the middle of a milk crock, and there was cream all over the wall.

So the whole milk was put into the butter churn for churning, and it was heavy work, turning the handle for three quarters of an hour until it had turned into butter. We daren't add more water than needed, in order to rush it (some did so) or the butter would be pale and hard to manage. Then, a further three quarters of an hour to knead the butter to get all

menyn, er mwyn cael y dŵr i gyd allan ohono, a'i gael yn bwysi solet i'w rhoi ar y llechen gron. Bwytaem ni bwys o fenyn bob dydd, gan fod llawer yn mynd ar y frechdan a roid yn y tun fwyd i fynd i'r chwarel. Wedyn, ni byddai ddim llawer ar ôl i'w werthu, dim ond digon i ryw un cwsmer neu ddau. Ambell dro ar achlysuron corddi deirgwaith yr wythnos, fe fyddai rhagor o fenyn, fe âi Mam â hwnnw i'r siop, gan na allai gadw cwsmer arall rownd y flwyddyn. Ni allech ddarbwyllo pobl unwaith y dechreuech roi menyn iddynt, na fedrech eu cadw drwy'r flwyddyn. Print deilen fefus oedd ein print ni, a menyn rhagorol ydoedd, a gadwai yn dda ei flas am amser maith, gan mor llwyr y tynasid y dŵr a'r llaeth ohono.

Yn ychwanegol at y gwaith arall, byddai gwaith gwnïo mawr a thrwsio. Yr oedd gan fy mam beiriant gwnïo bychan a brynasai yn bur rhad yn siop fy ewythr, a'i cawsai yn sampl gan drafaeliwr. Gwnâi fy nillad isaf i gyd a'm bratiau, dillad isaf fy modryb, a chrysau gwlanen fy nhad, ond nid y rhai uchaf. Yr oedd yn rhaid gwneud y crysau gwlanen â llaw. Hefyd gwnâi drywsusau i'm brodyr pan oeddent yn yr ysgol o hen drywsusau i'm tad, ond ni fentrai ar y cotiau neu'r crysbeisiau. Yr oedd teiliwr gwlad yn Rhostryfan a wnâi'r cotiau yn rhad iawn. Byddai ewythr imi a oedd yn weinidog yn Sir Fôn yn anfon ei hen gotiau llaes inni, a byddai'r gwaelod ei hun yn ddigon i wneud un crysbais. Edrychent yn hynod ddel efo'r cotiau duon, trywsusau llwydion a choleri gwynion. Cofiaf, ar un adeg, pan oedd ei chwaer yn wael, y byddai Mam yn gwneud crysau i'w genethod hithau, bedair ohonynt. Crysau calico a fyddai yn y ffasiwn y pryd hynny i ferched. Troediai sanau fy nhad hefyd yn bur aml, ac yn niwedd ei hoes, pan oedd ganddi fwy o amser, byddai yn eu gwau i gyd. Cofiaf o'r gorau, pan oeddwn gartref am dro o Donypandy, iddi ddangos llond trôr o sanau newydd a rhai wedi eu troedio imi, yn perthyn i'm tad i gyd, a dweud fod yno ddigon iddo petai'n byw i fynd yn gant. Ond gwau rhagor a wnaeth. Fe'i cofiaf ar lawer gyda'r nos yn dyfod â baich o sanau a'u gosod ar grud fy mrawd ieuengaf a'u trwsio; yr oeddwn yn rhy fechan i helpu dim y pryd hynny.

the water out of it, and to have solid pounds to place on the circular slate. We ate a pound of butter a day, as so much went into the sandwiches put into the lunch box to go to the quarry. Then there was enough left over to sell, though only to one or two customers. Sometimes, when there was churning three times a week, there was surplus butter, and Mam took it to the shop as she could not supply another customer regularly all the year round. You could never convince people, once you had begun to give them butter, that you could not do it all year round. Our butter pat was a strawberry leaf print, and it was superb butter that kept its flavour a long time, as the water and buttermilk had been so thoroughly extracted.

On top of the other work, there was a great deal of sewing and mending to do. My mother had a little sewing machine which she had bought quite cheaply from my uncle's shop, and which he got as a sample from a salesman. She made all my underwear and my aprons, my brothers' underclothes, and woollen undershirts for my father, but not his outerwear. The woollen shirts had to be made by hand. Also, while they were still in school, she made trousers for my brothers out of my father's old trousers, but she did not venture to making the coats or the waistcoats. There was a country tailor in Rhostryfan who made the coats quite cheaply. An uncle of ours who was a minister in Anglesey would send his old long coats to us, and the skirt alone would be enough to make one waistcoat. They looked very fine with the black coats, grey trousers and white collars. I remember at one time, when her sister was ill, Mam would make shirts for her girls too, four of them. Calico shirts were in fashion for girls at the time. She would also quite often darn my father's socks, and at the end of her life, when she had more time, she knitted them all. I well remember when I was home for a visit from Tonypandy, she showed me a drawer full of new socks and some that had been darned, all belonging to my father, and said there were enough to last him if he lived to be a hundred. But she knitted more. I remember her on many evenings bringing a pile of socks and placing them on my youngest brother's cradle, and mending them. I was too small to help at all then.

Buasai fy mam yn weddw am chwe blynedd a hanner cyn priodi â'm tad – collodd ei gŵr cyntaf pan oedd yn naw ar hugain oed, ac yn ystod yr amser hwnnw fe weithiodd yn galed i'w chadw hi ei hun a'i phlentyn. Âi allan i weithio i dai rhai mwy ffodus na hi ei hun, a gwneud pob gwaith. Y tâl a gâi am weithio o ben bore hyd chwech neu saith y nos fyddai swllt y dydd a'i bwyd, ac nid bwyd yr un fath ag a gaiff gwragedd heddiw. Ond fel heddiw byddai'r bwyd yn well mewn ambell le. Clywais hi'n dweud am un lle, a'r gwaith yn galed yno, y byddai'r wraig, cyn iddi gychwyn adref, yn hel hen grystiau caled o waelod drôr y bwrdd mawr ac yn gwneud brwes iddi ohonynt, neu roi potes am eu pennau. Yr oedd gan y wraig yma ddigon o fodd i roi gwell bwyd. Eithr nid ei dal ei hun fel gwrthrych tosturi a wnâi fy mam wrth sôn am y peth, gweld y peth yn taflu goleuni ar gymeriad y wraig y byddai hi. Gallaf ddychmygu Mam yn dweud wrthi ei hun, 'Merch hwn-a-hwn a hon-a-hon wyt ti, a dwyt ti ddim gwell na minna', ac yn mynd adref wedyn i'w bwthyn, yn gwneud tanllwyth o dân a sgram flasus iddi hi ei hun.

Drigain mlynedd a rhagor yn ôl nid âi gwragedd i ysbyty i eni plant, ac eithrio'r cyfoethogion efallai. Cymerent ddynes i mewn i 'dendio' am wythnos. Dechreuodd fy mam wneud y gwaith yna, a châi ychydig fwy o dâl. Wrth wneud hyn fe gafodd brofiad o fod gyda'r meddyg pan enid plentyn ambell dro, a daeth yn fydwraig brofiadol. Dysgodd hefyd weini ar y claf. Pan ddaeth i Rosgadfan i fyw, yr oedd yno fydwraig dda yn barod, ac ati hi yr âi pawb. Ond pan aeth Marged Griffith, y Siop, yn rhy hen, dechreuasant ofyn am wasanaeth fy mam, ac am gyfnod maith bu'n mynd i wneud y gorchwyl hwn, ac ni chollodd fywyd erioed. Gofynnid iddi hefyd fyned at gleifion i wneud rhywbeth nad oedd angen galw'r meddyg ato, a gofynnid iddi fyned i dai yn oriau olaf rhyw glaf.

Yr oedd ganddi ddeheurwydd at wneud pethau fel hyn, a gallu i godi calonnau pobl. Clywais ddynes ifanc yn dweud, pan oedd ei mam newydd fod yn sâl, y byddai'n sirioli drwyddi pan welai fy mam yn dyfod yno ar draws y caeau, y byddai'n bleser edrych arni yn trin y claf, ac yn ei symud,

My mother had been a widow for six and a half years before she married my father – she lost her first husband when she was twenty-nine years old, and during that time she worked hard to keep herself and her child. She went out to work in the houses of those more fortunate than her, and she did all the work. The pay she received for working from early morning until six or seven o'clock at night was one shilling a day plus her food, and not the food women would get today. But as today, the food was better in some places than others. I heard my mother tell of one place, and the work there hard, where before she left for home the wife would gather old hard crusts from the bottom of the drawer of the big table and seep them in broth for her, or would pour soup over them. That woman had plenty of means to give her better food. As my mother talked about it, it was not to focus on herself as an object for pity, but to shine a light on the woman's character. I can imagine Mam saying to herself, 'You are so-and-so's and what's-his-name's daughter and no better than I am,' and going home to her cottage to make a roaring fire and a tasty meal for herself.

Sixty years and more ago women did not go to hospital to give birth to their children, except the rich, maybe. People would take in a woman to 'tend' for a week. My mother began to do this work to earn a little more. Through this work she gained experience of being with the doctor when a baby was born, and she became an experienced midwife. She also learned to nurse the sick. When she came to live in Rhosgadfan, there was a good midwife already and everyone went to her. But when Marged Griffith, the Shop, grew too old, they started to ask for the services of my mother, and for a long time she did this work and never lost a life. She was also asked to visit a patient to perform some task where there was no need for a doctor, and she was also called out to the houses of the sick in their final hours.

She had a skill for such things, and could lift people's spirits. I heard one young woman say, when her mother had been ill, that she was cheered up by the mere sight of my mother coming across the fields, and that it was a pleasure to watch her treating the patient, and turning her, and more than

198

ac yn fwy na dim gwrando arni'n siarad ac yn trin y byd. 'Bron na theimlwn,' meddai, 'y byddai'n beth braf bod yn sâl, er mwyn i'ch mam fy nghodi yn ei breichiau.'

Yr oedd dyn ifanc 38 oed yn sâl dan y diciâu, ac yn gorfod treulio'r dyddiau hirion yn gorwedd ar wastad ei gefn. Dywedodd wrth ei fam ryw ddiwrnod, 'Biti na ddôi Catrin Roberts o rywle inni gael tipyn o hwyl, yntê?' Ac yn wir, fe ddeuai C.R. i chi, a hithau tua'r pedwar ugain, a byddai yno hwyl.

Cofiaf yn dda wyliau Nadolig 1917, a minnau gartref ar fy ngwyliau. Neb arall gartref ond fy mam ac Evan fy mrawd a glwyfasid yn ddifrifol ar y Somme yn 1916. Rhywdro yn oriau mân y bore, dyma gnoc ar ffenestr y siambar ffrynt, lle y cysgai Mam a finnau, a rhywun yn galw, 'Ddowch chi ar unwaith, Mrs Roberts, mae William ar yn gadael ni.' I'r cyfarwydd, hawdd gwybod nad dyn o Rosgadfan oedd y sawl a alwai, gan nad fel yna y buasai brodor yn ei chyfarch. Yr oedd nith i'r gŵr hwn wedi priodi William Tŷ Hen, ein cymydog, ac wedi dyfod i fyw at ei nith. Mi gododd hithau yn syth o'i gwely, ac fe aeth allan i'r oerni heb feddwl am gymryd llymaid na thamaid. Yr oedd yn 63 mlwydd oed ar y pryd. Ychydig wythnosau cyn hyn buasai'n codi William i'w wely ar ôl iddo syrthio allan ohono, gyda help rhywun a alwyd oddi ar y ffordd, gan fod y claf yn ddyn mawr, a'i salwch wedi ei wneud yn drwm.

Clywais hi'n dweud iddi gael ei galw unwaith am bedwar o'r gloch y bore i dŷ lle'r oedd gwraig yn marw o'r cancr. Nid adwaenai'r wraig hon yn dda, gan mai dyfod at ei chwaer i dreulio ei misoedd olaf a wnaeth. Yr oedd golwg mawr ar y druan, wedi cael cystudd poenus, hir, a dyna'r unig dro, meddai hi, iddi bron fynd yn sâl.

Ar achlysuron geni plant deuai i gysylltiad â meddygon, yn naturiol. Cyn i feddyg arall ddyfod i Rostryfan rywdro yn nechrau'r ganrif, y meddygon Roberts o Ben-y-groes a wasanaethai'r ardal; y tad i ddechrau, ac yna'r ddau fab, Dr Edwin Roberts a Dr H. Jones Roberts. Chwi gofiwch englyn R. Williams-Parry i'w brawd, y Major Hamlet Roberts, sy'n diweddu, 'y werin gyffredin ffraeth' a'r englyn i'r fam, 'Bu'n

anything to hear her talk and discuss the world. 'I almost felt,' she said, 'that it would be good to be ill just to have your mother lift me up in her arms.'

There was a young man, 38 years old, who fell ill with tuberculosis and had to spend the long days lying flat on his back. One day he said to his mother, 'A pity Catrin Roberts doesn't turn up from somewhere so that we can have a bit of fun, isn't it?' And indeed, Catrin Roberts would come, I tell you, and fun there would be, and she nearly eighty.

I well remember the winter of 1917, and I home on holiday. Nobody else at home except Mam and my brother Evan who had been seriously injured on the Somme in 1916. In the early hours of the morning there came a knock on the front bedroom window, where Mam and I slept, and somebody calling, 'Will you come at once, Mrs Roberts? William is about to leave us.' To those familiar with her, the caller was obviously not a Rhosgadfan man, as that was not the way a local would address her. A niece of this man had married our neighbour, William Tŷ Hen, and he had come to live with his niece. Mam got up from her bed at once, and went out in the cold without thinking about having a drink or a bite to eat. She was 63 years old at the time. A few weeks earlier she had been lifting William into bed after he had fallen out of it, with the help of someone called in from the road, as the patient was a big man, and his illness had made him heavy.

I heard her say that she had a call once at four in the morning to a house where there was a woman dying of cancer. She did not know this woman well, as she had come to spend her final months with her sister. The poor woman looked terrible, having endured a long and painful illness, and this was the only time, she said, that she felt she was going to be sick.

Naturally, at the birth of children she came into contact with doctors. Before a different doctor came to Rhostryfan, sometime at the beginning of the century, it was the Doctors Roberts of Pen-y-groes who served the neighbourhood, first the father and then the two sons, Doctor Edwin Roberts and Doctor H. Jones Roberts. You will recall R. Williams-Parry's *englyn* for their brother, Major Hamlet Roberts, which ends, 'y werin gyffredin ffraeth', 'the ordinary witty folk', and the

llednais hyd benllwydni.' Yr oedd y Robertsiaid yn deulu urddasol, yn siarad Cymraeg gydag acen Rhydychen (os oes y fath beth) ac yn darllen llenyddiaeth Gymraeg. Yr oedd gan y Dr Jones-Roberts (y Cyrnol Jones-Roberts wedyn) ymddangosiad milwrol, yn fwstás a phopeth, a chyfrifid ef yn dipyn o ŵr mawr. Ond wedi ei adnabod, yr oedd yn un o'r dynion mwyaf gostyngedig a hawdd gwneud efo fo. Daeth fy mam i'w adnabod yn dda, a phob tro y byddai wedi bod ar ei thraed y nos efo'r meddyg, deuai adref efo llond sach o straeon am hen gymeriadau Dyffryn Nantlle.

Ar un o'r achlysuron hyn cafodd stori arall yn ychwanegiad. Buasai ef a Mam ar eu traed trwy'r nos gyda'm chwaer-yng-nghyfraith. Yn y bore dyma'r ddau i lawr yn eu sliperi i frecwast, a Margiad Huws, mam fy chwaer-yng-nghyfraith, a'm brawd wedi bod wrthi yn hel brecwast. Wrth agor drws y gegin orau o'r lobi, dyma beth a glywsant, 'Dyna fo, Owan, mae yna *ddigon* o steil iddo fo.' 'Oes wir,' ebe'r meddyg wrthi, ac ymhellach ymlaen, 'Mae'n biti fod hen gymeriadau gonest fel hyn yn darfod o'r tir.' Gwraig hollol onest a diddichell oedd yr hen Fargiad Huws.

Dywedodd y meddyg wrth Mam ar un o'r achlysuron hyn: 'Os bydda i byw ar ych ôl chi, mi ofala y cewch chi gofgolofn ar ych bedd.' Ond bu ef farw flynyddoedd lawer o flaen Mam.

Gwaith oedd hwn na byddai neb yn talu am ei wneud. Rhoi anrhegion y byddid, siôl neu liain bwrdd neu ffedog. Weithiau fe roid arian, ond fel anrheg ac nid fel tâl. Dyna oedd arferiad yr ardal a'r ardaloedd cylchynol. Cymdogaeth dda fel yna a geid y pryd hwnnw. Wedi i nyrs ddyfod i'r ardal, daeth pen ar fynd allan fel hyn, er i Mam gael ei galw unwaith wedi i'r nyrs fynd ar wyliau.

Ar achlysuron fel hyn, os digwyddai fod yn wyliau ysgol, pan oeddwn yn blentyn, rhoddid gofal y tŷ arnaf fi. Cofiaf unwaith i Mam orfod mynd ar hanner pobi. Nid oedd dim i'w wneud ond i mi gario ymlaen; yr oeddwn yn rhyw dair ar ddeg oed ar y pryd. Gwyliwn y bara a'u tynnu allan o'r popty pan fyddent yn barod. Cofier mai bara mawr mewn padelli haearn oeddynt. Am yr un rheswm dysgwyd i mi yn

englyn to the mother, 'Bu'n llednais hyd benllwydni', 'She was serene until her hair grew grey.' The Roberts were a dignified family, speaking Welsh with an Oxford accent (if there is such a thing) and reading Welsh literature. Dr Jones-Roberts (later Colonel Jones-Roberts) had a military look, moustache and all, and he was considered a bit of a toff. But once you got to know him he was one of the most modest of men, and very easy to get on with. My mother came to know him well, and whenever she had been on her feet all night with the doctor she came home with a sackful of stories about the old characters of Dyffryn Nantlle.

On one of these occasions she had another story as well. Mam had been up all night with my sister-in-law. In the morning both came down in their slippers to breakfast, and Margiad Huws, my sister-in-law's mother, and my brother had been preparing breakfast. As they opened the hall door to the living room this is what they heard, 'There we are Owan, there's *enough* style with him.' 'Yes indeed,' said the doctor to her, and later, 'It's a pity that honest old characters like this are disappearing from the land.' Old Margiad Huws was completely frank and guileless.

The doctor said to Mam on one such occasion, 'If I outlive you I'll make sure you have a monument on your grave.' But he died many years before Mam.

This was work nobody paid you to do. Gifts were given, a shawl or a tablecloth or an apron. Sometimes money was given, but as a gift and not as payment. That was the way in this and the surrounding neighbourhoods. It was a good community in those days. When a nurse came to the neighbourhood, Mam going out like that came to an end, though she was called out once when the nurse was away on holiday.

On such occasions, when I was a child, if it happened to be a school holiday, looking after the house was up to me. I remember once Mam had to go out in the middle of baking. There was nothing for it but for me to get on with it; I was about thirteen at the time. I kept an eye on the bread and took it out of the oven when it was done. Remember, they were very large loaves in iron pans. For the same reason I was

gynnar sut i dylino, ac nid pobiad bach mohono, ond llond padell fawr.

Ni chafodd crwydryn erioed fyned o'r drws heb rywbeth ganddi, a phrynai rywbeth gan y mwyafrif o'r bobl a ddeuai o gwmpas y wlad efo siop wen, pobl fel Mrs Lovell, o Gaernarfon, Saesnes wedi dysgu Cymraeg, yn briod ag un o deulu mawr y sipsiwn a oedd yn byw yng Nghaernarfon. Dynes dlos, fonheddig oedd Mrs Lovell. Câi baned o de bob amser gan Mam. Begw Hapi hefyd, hen wraig a ddeuai i werthu eirin ym mis Medi ac i nôl ei blawd at y Nadolig. Byddai'n gwisgo rhwyd ddu, dew am ei gwallt, ond ni fyddem ni blant yn hoff o fyned yn rhy agos ati gan y byddai'n cosi ei phen. Câi hithau bryd o fwyd. Ond ni byddai Lisi Blac, y wraig bach a fyddai'n gwerthu Siôn a Siân, yn gwneud dim ond rhoi tro ar ei sawdl wrth y drws. Ni fyddai arnom eisiau prynu'r proffwyd tywydd hwnnw, ac nid oedd Lisi Blac yn ddynes siaradus o gwbl: credaf mai dim ond ychydig o Gymraeg a fedrai. Edrychai'n debyg i Hwngariad. (Bu gennym gath a alwem yn 'Lisi Blac' unwaith – cath ddu i gyd, a'i hoff le i orffwys fyddai'r bwced lo. Daeth Mam adref o'r dre un diwrnod ar ôl bod yn gwerthu moch tewion. Yr oedd y tŷ yn dywyll ar ôl yr haul tanbaid allan, a'r tân bron wedi diffodd. Taflodd Mam lo ar y tân isel, a beth a ddaeth allan o'r grât ond Lisi Blac. Ond nid oedd ddim gwaeth.) Myn rhai mai swcro segurdod yw rhoi o'r math yna, ond buasai fy mam yn cytuno efo John Cowper Powys mai gwell yw methu drwy roi, na thrwy beidio â rhoi.

Deuai dynion bob hyn a hyn i drwsio'r ffordd, rhyw dri ohonynt; berwai fy mam ddŵr poeth iddynt, a rhôi ei bwrdd a'i chegin at eu gwasanaeth am yr awr ginio, a deuent yno weithiau o gryn bellter ffordd. Yn ein sièd ni y byddai chwarelwyr y Bontnewydd yn cadw eu beiciau hefyd. Cofiaf unwaith i berthynas inni golli bachgen pedair ar ddeg oed yn sydyn iawn. (Wrth fynd heibio yn y fan yma, mae arnaf flys dweud stori am y bachgen yma. Yr oedd ef ac un arall o'r un oed yn aelodau o ddosbarth llenyddiaeth llewyrchus a fu gan R. Williams-Parry yn Rhosgadfan. Pan ddywedai'r bardd ar ddiwedd ei ddarlith a chyn dechrau'r

taught very early how to knead bread, and it was not a small bake but a huge, full bowl.

No tramp could ever leave the door without something from her, and she bought things from most of the people who came around the countryside with a travelling haberdashery, people like Mrs Lovell from Caernarfon, an English woman who had learned Welsh, married to one of a large family of gypsies who lived in Caernarfon. Mrs Lovell was a beautiful, well-mannered woman. She always had a cup of tea from Mam. Begw Hapi too, an old woman who came selling plums in September, and to get her flour for Christmas. She wore a thick black net over her hair, and we children did not like to get too close to her because she used to scratch her head. She too got a bite to eat. But Lisi Black, the little woman who was selling Siôn a Siân, did nothing but turn on her heel by the door. We did not want to buy that weather prophet, and Lisi Black was not at all talkative: I think she knew only a little Welsh. She looked like a Hungarian. (We once had a cat we called Lisi Black – a completely black cat whose favourite place to sleep was the coal bucket. Mam came home from the town one day after selling fattened pigs. It was dark in the house after the bright sunlight outside, and the fire had almost gone out. Mam threw coal onto the low fire, and what came out of the grate but Lisi Black. And none the worse for it.) Some would say that such giving supports idleness, but my mother would agree with John Cowper Powys that it is better to fail by giving than by not giving.

From time to time men came to mend the road, about three of them, and my mother boiled water for them and put her table and her kitchen at their service in the lunch hour, and they sometimes came from quite a distance. It was also in our shed that the Bontnewydd quarrymen kept their bicycles. I remember once a relation of ours losing a fourteen-year-old boy quite suddenly. (In passing, I'd like to tell a story about this boy. He and another of the same age were members of a flourishing literature class that R. Williams-Parry ran in Rhosgadfan. When the poet said, at the end of the talk and before discussion, 'Those who want to smoke, smoke,' and

drafodaeth, 'Y sawl sydd am ysmygu, ysmyged', byddai'r bachgen hwn a'i gyfaill yn tynnu Woodbine o'u pocedi, ac yn tanio fel gweddill y dosbarth.) Yr oedd y teulu yn ddigon tlawd, ac yr oedd llawer iawn o'r bai ar y fam am hynny, rhaid imi ddweud, er ei bod yn perthyn imi. Beth bynnag, ddiwrnod y claddu, fe ganfu Mam ar ôl mynd i'r cynhebrwng nad oedd yno gerbyd o fath yn y byd, cario'r corff ar ysgwydd, a phawb gerdded. Wedi canfod hynny, er nad oedd hi wedi meddwl mynd i'r fynwent, oblegid yr oedd yn bur hen, dyma Mam yn gafael ym mraich mam y plentyn ac yn cyd-gerdded â hi i'r fynwent. Mae honyna cystal enghraifft â'r un o'i ffordd o drugarhau.

Ni buasai'n ceisio gwneud neb o ddimai. Gwell fyddai ganddi golli arian. Dychrynai gan ofn methu talu ei ddyledion. Methai gwragedd chwarelwyr glirio eu dyledion yn y siopau yn aml, oherwydd y cyflog bychan a'r talu bob mis. Poenai hyn lawer ar fy mam, ond gofalai na wariai'r hyn a gâi am foethau, neu grwydro, ond mynd a thalu fel y medrai i bawb o'r hyn a oedd ganddi. Wedi i'w phlant ddyfod i ennill, llwyddodd i dalu i bawb, a'r unig beth a'i poenai y diwrnod y llwyddodd i wneud hynny, oedd nad oedd ei mam hi ei hun yn fyw iddi gael dweud wrthi. Un o'i dywediadau wedi iddi orchfygu oedd, 'Mi fedra i gerdded drwy'r ardal yma a dimai ar ben fy mys.' Cymeraf mai ystyr hynny oedd nad oedd arni'r ddimai i neb. Yn niwedd ei hoes prynai lawer o hetiau, ond ychydig iawn a wariai ar ddillad. Pan euthum i adref rywdro a synnu wrth weld yr holl hetiau mewn cwpwrdd, meddai hi, 'Mi rydw i'n gweld pob het yn gwneud imi edrach yn hen, ac yn prynu un arall i dreio.' Yr oedd hi dros ei phedwar ugain ar y pryd.

Yr oedd fy mam yn ddynes blaen iawn ei thafod, os cynhyrfid hi gan rywbeth. Pan fyddai wedi ei chynhyrfu y dywedai'r gwir plaen, ac nid mewn gwaed oer. Siaradwn am ddoethineb, neu y gallu i ddal ein tafod, yn aml fel rhinwedd mawr. Nid rhinwedd ydyw bob amser. Dibynna ar ein synnwyr o'r hyn sy'n gyfiawn, ac y mae'r bobl a chanddynt synnwyr o gyfiawnder yn gweld anghyfiawnder yn sydyn ac yn dweud y gwir, costied a gostio. Ystyr dal y tafod yn bur aml ydyw methu gweld anghyfiawnder, ac

this boy and his friend took Woodbines from their pockets and lit up like the rest of the class.) The family was quite poor, and although she was a relation of mine I have to say that much of the blame for it falls on the mother. However, on the day of the burial Mam discovered after going to the funeral that there was no carriage of any kind, the body being borne on shoulders, and everyone walking. After learning this, even though she was not expected to go to the cemetery, being quite old, my mother took the arm of the boy's mother and walked with her to the cemetery. That is as good an example as any of her sympathetic ways.

She would never try to do anyone out of a halfpenny. She would rather lose money. She was terrified of being unable to pay her debts. Quarrymen's wives often could not clear their debts in the shops, because of the low wage and paying every month. This worried my mother greatly, but she took care not to spend what she had on luxuries or going out, but paid everyone she could out of what she had. When her children began to earn she managed to pay everyone, and then the only thing that bothered her was that her mother was not alive so that she could tell her. One of her sayings when she achieved this was, 'I can walk through this neighbourhood with a halfpenny on the tip of my finger.' I take that to mean that she owed not a halfpenny to anyone. Towards the end of her life she would buy a lot of hats, though she spent very little on clothes. When I went home once and was surprised to see so many hats in a cupboard, she said, 'Every hat seems to make me look old, so I try buying another one.' She was over eighty at the time.

My mother was a woman with a quick tongue if she were upset by anything. She spoke plainly when she was upset, and not in cold blood. We often speak of discretion, or the ability to hold our tongue, as a great virtue. It is not always a virtue. It depends on our sense of justice, and those who have a sense of what is just are quick to see injustice and speak out whatever it costs. To hold your tongue often means a failure to note injustice, and such people are thought wise. My

ystyrir pobl fel hyn yn ddoeth. Fy mhrofiad i o fywyd ydyw fod pobl ddoeth yn aml iawn yn fradwrus. Ar y llaw arall, mae yna bobl a ddyfyd bethau plaen mewn gwaed oer, pethau wedi eu meddwl ymlaen llaw, a dywedir hwy yn aml, nid oherwydd teimlo dros yr hyn sy'n iawn, ond er mwyn y pleser o frifo. I'r dosbarth cyntaf y perthynai fy mam. Gwylltiai'n sydyn, a deuai ati ei hun yn sydyn. Mae un enghraifft o'i phlaendra yn fyw iawn yn fy nghof. Yr oeddwn i gartref ar fy ngwyliau yn haf 1917, pan ddaeth y newydd am farw fy mrawd ieuengaf ym Malta. Fel y crybwyllais mewn lle arall, clwyfasid ef yn Salonica ym mis Chwefror, torrwyd ei goes i ffwrdd, cychwynnodd adref. Torrwyd ei daith ym Malta, ac yntau yn gwella'n dda erbyn hynny, cafodd 'dysentry', a bu farw. Buasai o bared i bost, o ysbyty i ysbyty am bum mis o amser. Yr wythnos y cyrhaeddodd y newydd, galwodd dau o flaenoriaid y capel i edrych amdanom (nid oedd gweinidog ar yr eglwys ar y pryd), a dyma un ohonynt yn dweud eu bod wedi galw ynghylch trefnu cyfarfod coffa i'm brawd y nos Sul dilynol. Digwyddwn i fod yn y tŷ llaeth ar y funud, a dyma a glywais gan fy mam, 'Cyfarfod coffa i bwy? Os cofio, mi allasech gofio fy hogyn i pan oedd o'n fyw. Mi fuo ar wastad ei gefn am bum mis o amser, a ddaru'r un ohonoch chi anfon cimint â gair iddo fo, er 'i fod o cystal â neb o'r fan yma am fynd i foddion gras. Mi gwelodd James Jones, Croesywaun, o unwaith yn Bebbington, ac mi anfonodd o lythyr iddo fo wedi clywed 'i fod o wedi 'i glwyfo.' Yr oeddwn i wedi glynu wrth lawr y tŷ llaeth, ac yn methu gwybod sut yr awn i'r gegin ac wynebu'r blaenoriaid, ond ar yr un pryd yn edmygu gwroldeb fy mam o waelod fy nghalon, ac yn teimlo am unwaith, beth bynnag, fod y gwir wedi ei ddweud yn y lle iawn. Dylwn egluro mai'r Parchedig James Jones oedd y gweinidog y cyfeiriai fy mam ato, tad y meddyg enwog, Dr Emyr Wyn Jones, Lerpwl, ac am fod fy modryb yn aelod yn ei eglwys, aethai i weld fy mrawd pan oedd yng ngwersyll Bebbington.

Ni wn a gafwyd cyfarfod coffa yn y capel, ond digwyddodd peth rhyfedd i mi y nos Sul dilynol. Buasai degau o bobl yn edrych amdanom y diwrnod hwnnw, nes

experience of life is that wise people are often treacherous. On the other hand there are those who tell the plain truth in cold blood, premeditated truth, often spoken not because it is right but for the satisfaction of hurting someone. My mother was of the former kind. She was quick-tempered, and quick to recover. One example of her plain speaking is very much alive in my memory. I was at home on holiday in the summer of 1917, when news came of the death of my youngest brother in Malta. As I mentioned elsewhere, he was wounded in Salonica in February, his leg was amputated and he set off for home. His journey was broken in Malta, and he was recovering well, when he caught dysentery and died. He had been moved from pillar to post, from hospital to hospital, for five months. The day the news came, two of the chapel deacons called to see us (there was no minister there at the time) and one of them said that they had called about a memorial meeting they were arranging for my brother for the following Sunday night. I happened to be in the dairy at that moment, and this is what I heard from my mother, 'A memorial service for whom? If you're remembering, you could have remembered my boy when he was alive. He was flat on his back for five months, and neither of you sent so much as a word to him, though he was as good as anyone round here at attending services. James Jones, Croesywaun, visited him once in Bebbington, and he sent him a letter when he knew he was injured.' I was glued to the dairy floor, not knowing how I could go into the kitchen and face the deacons, at the same time admiring my mother from the bottom of my heart, feeling that for once the truth had been spoken in the right place. I should explain that the Reverend James Jones was the minister to whom my mother referred, father of the famous doctor, Doctor Emyr Wyn Jones of Liverpool, and because my aunt was a member of his chapel he went to see my brother when he was in the camp at Bebbington.

I don't know if a memorial service was held in the chapel, but a strange thing happened to me the following Sunday night. Scores of people had come to see us that day, so I was

oeddwn bron â mygu yn y tŷ. Yn union wedi i bawb glirio euthum am dro i'r caeau y tu uchaf i'r tŷ, a wynebai'r capel. Deuai'r canu i'm clyw trwy ddrysau agored y capel, canu yr oeddynt, 'Disgwyl pethau gwych i ddyfod, Croes i hynny maent yn dod.' Meddwn innau wrthyf fi fy hun, ''Sgwn i ar ôl pwy y maen nhw'n canu honna?' Gall gofid gymryd cymaint o feddiant ohonom nes ein parlysu a methu gennym sylweddoli bod neb yn cyfeirio ato.

Cofiaf amgylchiad arall pan ddywedodd fy mam bethau pur hallt wrth ryw ddyn. Pan euthum i i'r coleg, ychydig iawn o help a geid gan bwyllgor addysg nac arall, a bu'n rhaid i Mam ofyn am fenthyg, gan ŵr yr oedd ganddo bob siawns i wybod am ei gonestrwydd. Yn wir, ni buasai gan y gŵr hwn arian i'w rhoi oni bai am Mam a rhai tebyg iddi. Ond fe wrthododd. Fe wylltiodd wrtho, a dweud ei barn amdano yn ei wyneb. Edifarhaodd yntau a chynnig wedyn. Ond nid dynes i dderbyn dirmyg fel yna oedd hi. Modd bynnag, ni chymerodd mo'i gorchfygu, ac fe gafodd yr arian mewn dull a'i bodlonai yn well o lawer, dull mwy amhersonol a thebycach i fenthyg o fanc, ac fe allodd eu talu fesul tipyn erbyn diwedd y flwyddyn.

Cofiaf amgylchiad arall ychydig cyn ei marw pan orweddai ar wely cystudd. Gweinidog o eglwys gyfagos wedi dyfod i edrych amdani, a dyma fo'n dweud, 'Dewch i mi gael tipyn o adnodau 'rhen wraig.' Gwyddai Mam gymaint o'i Beibl ag yntau petai hi'n mynd i hynny, ond dyma a ddwedodd hi wrtho, 'Na 'na i wir, well gen i gael sgwrs efo chi o lawar.' Nid oedd ragrith yn perthyn iddi.

Yr oedd gan fy mam feddwl ymchwilgar. Cymerai ddiddordeb mawr ymhob dim, nid yn unig yn y pentref, eithr yn y byd mawr y tu allan. Am wn i nad oedd ei diddordeb yn y byd tu allan yn fwy nag ym 'mân sôn' yr ardal. Byddai'n holi ac yn stilio, a byddai'n rhaid i ninnau wrando arni yn holi a stilio, a cheisio ei hateb, ac os na lwyddem fe gaem gwestiwn arall, 'I be wyt ti'n da?' Fel hyn y byddai ei meddwl yn rhedeg, mi dybiaf. 'Mi fydda i yn trio meddwl sut le sydd yn y gwledydd draw yna, sut bobol sy yno, a sut maen nhw'n byw. Meddyliwch am yr holl filiynau o bobl sy tua Tsieina ac India ffor'na. Mi *fydda* i'n dyfaru na

almost suffocating in the house. As soon as everyone had gone I went for a walk in the fields above the house. I could hear singing through the open doors of the chapel, and they were singing, 'Expect great things, the opposite will come,' and I said to myself, 'I wonder who are they singing that for?' Grief can so take possession of us that it paralyses us and we don't realise that anyone else mentions it.

I remember another occasion when my mother said some rather sharp things to a man. When I went to college there was very little assistance given by the education committee or anyone else, and Mam had to ask for a loan from a man who had every reason to be aware of her honesty. Indeed, the man would have had no money to give were it not for my mother and others like her. But he refused. She lost her temper with him, and told him what she thought of him to his face. He was sorry, and then he made an offer. But she was not a woman to accept such an insult. However, she was not defeated, and she got the money in a manner which pleased her better, more like borrowing from a bank, and she managed to pay it back bit by bit by the end of the year.

I remember another occasion a little before her death when she was lying on her sickbed. A minister from a nearby church came to see her, and this is what he said, 'Let me have a few verses, old woman.' Mam knew as much of her Bible as he if it came to it, but this is what she said to him, 'Indeed I won't. I'd prefer to have a conversation with you.' She was no hypocrite.

My mother had an inquisitive mind. She took a great interest in everything, not only in the village, but in the big world outside. I think she was more interested in the wide world outside than in the small talk of the neighbourhood. She would enquire and question and we would have to listen to her enquiring and questioning, and try to answer, and if we did not succeed we would get another question, 'What use are you?' Her mind ran like this, I think. 'I try to imagine what it is like in those far countries, what kind of people are there, and how they live. Think of all the millions of people there are in China and India. I *do* so regret that I didn't go to

210

baswn i wedi mynd i Mericia pan oeddwn i'n ifanc.' Byddai wrth ei bodd yn darllen am y gwledydd 'tu hwnt i'r moroedd mawrion', ys dywedai'r hen John Jones, y Foty, ar ei liniau yn y sêt fawr, ac fe gaem ninnau'r wybodaeth wedyn ganddi. Darllenasai yn rhywle fod pobl Tibet (Tŷ Bet y galwai hi'r wlad honno) yn dweud 'Diolch' drwy ddal eu dau fawd i fyny, ac estyn eu tafodau allan. Yr oedd hynny wedi ei goglais yn arw, a chaem y perfformiad yn bur aml ganddi. Yn wir, y ni'r plant a ofynnai am y perfformiad. Gwyddai'n bur dda mai cael hwyl y byddem, ond yr oedd ei synnwyr digrifwch yn gyfryw fel y bodlonai ni. Yr oedd ei chwilfrydedd ynghylch y teulu brenhinol yn frad ar ei theimladau democrataidd. Ond yn y fan yna eto, holi am fyd dieithr fel Tibet yr oedd hi. Yr oedd arni eisiau gwybod sut yr oedd y teulu brenhinol yn bwyta, ai oddi ar lestri aur neu rai mwy cyffredin, a gaent fyned i rywle heb gwmpeini, a gaent gerydd pan na wnaent bethau yn iawn. Credai hi, pan oedd yn blentyn meddai, y saethid y Frenhines Victoria os byddai'r mymryn lleiaf o'i le yn ei hymddygiad. Darllenai bob dim y câi afael arno ar y teulu brenhinol, a gwyddai eu hachau o bant i dalar. Gallaf ei chlywed y munud yma yn sôn am 'y dywysoges Ena yna o Sbaen' (yr 'e' Gymraeg a swniai hi yn 'Ena'). Ni wn ar y ddaear sut y dôi enw honno ar y bwrdd mor aml ychwaith.

Ni bu fy mam erioed mewn drama, na darluniau byw nac eisteddfod, ond yr wyf yn sicr petai'r fath beth yn bod â darluniau Cymraeg, a'i bod hithau wedi dechrau cael blas arnynt, y byddai'n anodd iawn ei chael oddi yno. Meddwl rhamantus oedd ganddi. Ond soniaf am yr amhosibl; yr oedd tipyn o ddramâu yn dyfod i Rosgadfan weithiau, ond nid aeth erioed i weld yr un. Yr oedd ymblesera yn bechod ganddi. Yr oedd yn well ganddi aros gartref a darllen, a byw ar ei dychmygion ei hun. Ond gwn hyn, petai'r fath beth yn digwydd â'i bod yn mynd i ddrama, na chaem ni ddim ond ein cwestiyno wedi dyfod adref. 'Pam yr oedd hwn a hwn yn gwneud fel y gwnaeth o, pam y deudodd o'r peth a'r peth?'

Anaml y byddem ni yn tewi â siarad ar yr aelwyd, a chredaf, os rhoed imi unrhyw ddawn i greu deialog mewn stori, mai dysgu a wneuthum ar yr aelwyd gartref, a Mam

America when I was young.' She loved reading about the lands 'beyond the oceans', as John Jones, y Foty, would say on his knees in the big pew, and we learned facts from her. She had read somewhere that the people of Tibet (she called that country Tŷ Bet) say 'thank you' by holding up both thumbs and sticking out their tongues. That amused her hugely, and we would get the performance from her quite often. Actually it was we children who demanded the performance. She knew very well that we were making fun, but her sense of humour let her give us what we wanted. Her curiosity about the royal family betrayed her democratic feelings. But in this case too she was enquiring about a world as foreign to her as Tibet. She wanted to know how the royal family ate, if it was from gold dishes or ordinary ones, and were they allowed to go anywhere without company, and were they rebuked if they didn't do things correctly. She said that she believed when she was a child that Queen Victoria would be shot if there were the slightest thing out of place in her behaviour. She read everything she could get about the royal family, and knew their pedigrees from top to bottom. I can hear her now talking about 'that princess Ena of Spain' (she pronounced the Welsh 'e' in 'Ena'). I don't know how on earth her name came up so often at the table.

My mother had never been to the theatre, or the pictures, or the eisteddfod, but I am sure that had there been such a thing as Welsh cinema and she had begun to develop a taste for it, it would be difficult to get her away from it. She had a romantic mind. But I'm talking about the impossible; a few plays did come to Rhosgadfan sometimes, but she never went to see one. To her enjoying oneself was a sin. She preferred to stay home and read, and live on her own imagination. But I do know this, had such a thing happened, had she attended a play, we would have had nothing but questions when we came home. 'Why did so-and-so do as he did? Why did he say such-and-such?'

We rarely stopped talking at home, and I believe any talent that I have to create dialogue in a story was learned on our own hearth, and Mam would be the main talker. Do not think,

fyddai'r prif siaradwr. Peidiwch â meddwl, er hynny, mai dynes gegog oedd hi, ac yn hoffi siarad ymhobman. A dweud y gwir, ychydig mewn cymhariaeth, a siaradai y tu allan i'w thŷ ei hun. Yr oedd fel petai'n cael gollwng stêm ar ei haelwyd, fel nad oedd ganddi ddim stêm i'w ollwng wedi mynd allan. Efallai y cofia rhai ohonoch am y dyn bach hwnnw mewn stori gan Mr J. D. Powell, a gâi ei gadw i lawr yn ei dŷ gan ei wraig, ond a gâi ei gollwng hi mewn huodledd ar ei liniau o flaen gorsedd gras. Rhaid i bersonoliaeth lawn gael ei gollwng hi yn rhywle. Peth arall, yr oedd gan fy mam well cynulleidfa yn ei thŷ nag a gâi yn unman arall. Dywedai wrth y gweddill ohonom: 'Poerad un ohonoch chi er mwyn i rywun arall gael siarad.' Y hi fyddai y rhywun arall bob tro. Daethai ei barn am bawb a phopeth yn ddiwahaniaeth, pethau enllibus yn aml. 'Yn y cwat y byddi di,' meddai fy nhad dan chwerthin. 'Yn fan'ma yr ydw i yn 'i ddeud o,' meddai hithau. Ystyr hynny ydoedd, pe byddai hi byth yn ei ddwedd yn unlle arall, ac yr oedd hynny yn wir, gartref y dywedai hi'r pethau. Daeth y dywediad, 'yn fan'ma rydw i yn 'i ddeud o', yn gyfystyr i ni â 'cyfrinach ydy o, cofiwch'. Cofiaf yn dda fel y byddai yn ei dweud hi am Iarll Lloyd George adeg y Rhyfel Byd Cyntaf; a chyda llaw, ni bu'r Iarll erioed yn wron yn ein tŷ ni, na'i lun ar y wal. Mae'n wir nad ymanasai hynny ddim ar Lloyd George pes clywsai, ond rhôi dipyn o fodlonrwydd i wraig wrthryfelgar yn brwydro ag amgylchiadau ar ochr mynydd noethlwm. Câi Amen fy nhad ar Lloyd George. Beirniadai rai pregethwyr, y pregethwyr distaw, ac ni allai ddeall pam na phregethent yn ôl disgrifiad y Parch. Robert Jones, Llanllyfni, 'nes byddai pechaduriaid yn gweiddi fel perchyll mewn llidiart'.

Cafodd hi un profiad a yrrodd bregethwyr yn is fyth yn ei golwg. Ni chlywsai erioed mo'r Parch. John Williams, Brynsiencyn, yn pregethu, a rhyw Basg, pan oedd y Parch. John Williams yn un o bregethwyr y cyfarfod pregethu yn Rhostryfan, penderfynodd fyned i wrando arno. Aeth pethau o chwith o'r cychwyn. Arhosai Mr Williams yn Llanwnda, cyrhaeddodd y capel am 6.10, ac yr oedd y myfyriwr a oedd i ddechrau'r gwasanaeth wedi aros nes

however, that she was a garrulous woman, and that she liked to talk everywhere. To tell the truth she spoke comparatively little outside her own home. It was as if she could let off steam at home and had no steam to let off once she went out. Some of you may remember the little man in a story by Mr J. D. Powell, who was suppressed by his wife at home but could let everything pour out in eloquence on his knees before the throne of grace. The whole personality must be set free somewhere. Another thing, my mother had a better audience at home than she had elsewhere. She would say to the rest of us, 'One of you spit so that someone else can talk.' She would be the someone else every time. She expressed her opinion of all and sundry indiscriminately, sometimes libellously. 'It's in the cells you will be,' my father would say, laughing. 'It's in here I'm saying it,' she would say. Meaning that she would never say it anywhere else, which was true, it was at home she said such things. The saying, 'It's in here I'm saying it' became synonymous for us with, 'It's a secret, remember'. I well remember how she would criticise the Earl Lloyd George during the First World War. And, by the way, the Earl was no hero in our house, nor was his picture on our wall. Of course Lloyd George would not have been the least bothered had he heard, but it gave great satisfaction to a religious woman on a bare mountainside to rail against the situation. She had my father's Amen on Lloyd George. She was critical of some preachers, the quiet preachers, and she could not understand why they did not preach as the Reverend Robert Jones, Llanllyfni, described it, 'until the sinners shout like piglets in a gate'.

She had one experience that drove preachers even lower in her estimation. She had never heard the Reverend John Williams, Brynsiencyn, preaching, and one Easter, when the Reverend John Williams was one of the preachers at the preaching meeting in Rhostryfan, she decided to go and listen. Things went wrong from the start. Mr Williams was staying in Llanwnda and he arrived at the chapel at 6.10, and the student due to start the service waited until he arrived, and then instead of curtailing his opening words he took the

iddo gyrraedd. Yn lle cwtogi'r gwasanaeth dechreuol, cymerodd y myfyriwr yr hanner awr arferol. Pregethodd yr Athro David Williams gyntaf, yn nerthol ac o ddifrif. Oherwydd hynny, ni allai yntau gwtogi ei bregeth. Cododd y Parch. John Williams i bregethu. Rhoes ei ragymadrodd yn hollol ddieffaith, ac ymhen ugain munud eistedd, er siom i bawb. Ni bu diwedd byth ar edliw Mam ynglŷn â'r bregeth yna. Nid oedd wiw i neb sôn am yr amgylchiad yn ei chlyw.

Cofiaf un tro ei bod yn traethu yn arw ar sefyllfa'r byd, a dyma hi'n dweud reit sydyn, 'Petawn i wedi cael addysg, mi faswn i'n troi Ewrob a'i gwynab yn isa.' Yr oedd y dywediad mor ysgubol fel y cymerwyd y gwynt o'n hwyliau am y tro. Yr oedd gan fy mam rai plant a oedd cyn ffraethed â hithau, ond y tro hwn buont yn fyr iawn, ac ni allodd yr un ohonynt ateb, 'Lwc na chawsoch chi ddim addysg' neu 'Piti na fasach chi wedi *cael* addysg'. Yn ei dychymyg hi ei hun, yr oedd hi ar hyd ei hoes yn arwain gwrthryfel yn erbyn anghyfiawnder. Fe welai ddigon ohono ar raddfa fechan o'i chwmpas, ac fe ddarllenai ddigon amdano yn y byd. Nid â geiriau gochelgar y datganai ei barn. 'Llwynogod' y galwai hi bobl a ddatganai eu barn felly, neu na ddatganai mohoni o gwbl. Yr oedd yn rhaid iddi gael ysgubo pob dim ymaith o'i blaen. Cofiaf ryw nos Sul fod fy nai, Griffith Evans, acw i swper, a dyma Griffith yn dweud, er mwyn cychwyn sgwrs: 'Wedi gwrthod yr alwad i'r Rhos (sef Rhostryfan) y mae hwn-a-hwn.' (Yr oedd y gŵr dan sylw yn ŵr galluog iawn a chanddo radd ddisglair.) 'Ia debicini wir,' meddai Mam, 'os oes gynno fo *rywfaint* o garitor.' Dyna i chi ysgubo Rhostryfan oddi ar wyneb y byd. Rhyfedd hefyd a hithau yn un o'r Rhos, ond ni faliai Mam lawer am y Methodistiaid, Annibynreg oedd hi yn y bôn.

Dyma hi'n dweud ryw ddiwrnod am ryw wraig a oedd yn gryn dipyn o swel, wedi adeiladu tŷ, ond heb ddigon o arian i wneud cwt glo: 'Hy, ac y mae hi'n ysgwyd 'i charpads, byth a beunydd, ac yn cadw'i glo yn y twll dan grisiau.' 'Siŵr iawn,' ebe Evan fy mrawd, 'dyna pam *mae* hi'n gorfod ysgwyd 'i charpads.' (Rhaid imi egluro yn y fan yma mai dim ond gan y dosbarth uchaf yn ein hardal ni yr oedd carpedi, ni allai'r rhan fwyaf fforddio cymaint ag oelcloth. Ar y carped yr

full half hour. Professor David Williams preached first, powerfully and in earnest. Consequently he could not cut his sermon short. The Reverend John Williams rose to preach. He gave his introduction ineffectively, and within twenty minutes sat down, to everyone's disappointment. There was no end to Mam's complaining about that sermon. No one dared bring it up in her hearing.

I remember her once railing hard about the state of the world, and suddenly she said, 'If I'd had an education I would turn Europe upside down.' This statement was so sweeping that it took our breath away for a moment. Some of Mam's children were as sharp-tongued as she was, but this time they were very slow, and none could answer, 'Lucky you *didn't* get an education.' As she saw it she was leading a lifelong rebellion against injustice. She saw enough of it on a small scale around her, and she read enough about it on the world. She did not choose her words carefully in expressing her opinion. 'Foxes' she called those who did so, or those who said nothing at all. She had to sweep all before her. I remember one Sunday night that my nephew, Griffith Evans, was having supper with us, and Griffith said, making conversation: 'So-and-so has turned down the calling in Rhos (that is, Rhostryfan). (The man in question was a very able man with a brilliant degree.) 'Yes, I should think so too,' said Mam, 'if he has an *iota* of character.' So she swept Rhostryfan off the face of the earth. Oddly enough, and she from Rhos herself, but Mam did not care much for the Methodists. She was an Independent at heart.

One day she was talking about a woman who was rather posh, who had built a house but had insufficient means to add a coal house. 'Hm. She is forever shaking her carpets, yet keeps the coal in the cupboard under the stairs.' 'Of course,' said my brother Evan, 'That's why she *has* to shake the carpets.' (I should explain that only the well-off in our neighbourhood had carpets, and most could not even afford

oedd pwyslais fy mam, ac nid ar yr ysgwyd.) Byddai Evan yn ffraethach na hi yn aml, ac ni hoffai hi hynny. 'O,' meddai, wedi cael ei gwneud, 'does dim rheswm ar Evan.' Fel yna y byddem, pawb y pryd hynny yn gallu chwerthin. Rhof enghraifft arall o'r ysbryd hwn. Daeth Mam i aros yma atom i Ddinbych am wythnos yn 1936. Ymhen tipyn o ddyddiau dyma lythyr iddi oddi wrth Richard fy mrawd. 'Darllen di o imi,' meddai wrthyf fi, 'rydw i wedi gadael fy sbectol yn y llofft.' Dechreuodd fy mrawd drwy ddweud nad oedd ganddo newydd o fath yn y byd. Wedyn aeth ymlaen i ddweud fod hwn-a-hwn wedi priodi efo hon-a-hon (y ddau dros eu 80 mlwydd oed); fod hwn-a-hwn wedi dengid efo gwraig rhywun arall – yr oedd y bobl a enwai yn bobl go iawn o'r ardal; bod hon-a-hon wedi cyflawni rhyw weithred erchyll. Wedi cyrraedd y fan yna, dyma hi'n dweud, 'Celwydd i gyd, be sy haru'r hogyn?' Aeth y llythyr ymlaen beth yn yr un dull, a diweddodd trwy ddweud, 'Roeddwn i'n dweud nad oedd gen i ddim newydd, felly dyma fi'n gwneud rhai, er mwyn llenwi papur'!

Yr oedd ganddi gryn graffter i adnabod pobl a dadelfennu eu cymeriad, a naw gwaith o bob deg, os digwyddai newid ei barn, ei barn gyntaf oedd yn iawn. Yn wir, rhyfeddwn yn aml at y craffter a welai bethau neilltuol mewn cymeriad, pan na welai neb arall ddim ond rhyw gymeriad gwastad di-liw. Iddi hi, yr oedd pobl yn dragwyddol ddiddorol a rhywbeth newydd yn dyfod i'r golwg o hyd. Fe wyddom am bobl sy'n symio pobl eraill ag un gair, megis 'neis', neu 'rhagorol', neu 'ddrwg', heb weld o gwbl fod yna blygion a haenau eraill yng nghymeriad y bobl yna. Ond gallai fy mam weld y manion yna, a sylwi arnynt, a gwerthfawrogi'r rhinweddau a oedd o dan y brychau. Yr oedd ei chraffter yr un fath hyd ei bedd, ynglŷn ag ymddangosiad personol. Sylwai mewn eiliad ar rywbeth. Cofiaf y byddai fy modryb Elin, a oedd yn byw yn ei blynyddoedd olaf yn y Rhyl, yn dyfod i edrych amdani. Gwisgai fy modryb ddillad da, trwsiadus bob amser, ond, os byddai'n trafaelio, fe ddôi â rhyw hen ambarél gyda hi rhag ofn ei golli. Pan gyrhaeddodd hi'r drws un tro, dyma Mam yn dweud, heb gymaint â gofyn sut yr oedd, 'Ble cest ti'r hen ambarél blêr yna?'

lino. My mother was stressing the carpets, not the shaking.) Evan was quicker-tongued than she, and she didn't like that. 'Oh,' she said, after being defeated, 'there's no reasoning with Evan.'

That's how we were, we could all laugh on that occasion. I'll give another example of this spirit. Mam came to stay for a week with us in Denbigh in 1936. In a few days a letter arrived for her from my brother Richard. 'You read it to me,' she said, 'I've left my spectacles upstairs.' My brother began by saying there was no news of any kind. Then he went on to say that so-and-so had married what's-her-name (both over 80); that so-and-so had run off with someone else's wife – those mentioned were real people from the neighbourhood; that so-and-so had committed some terrible act. At this point she said, 'All lies. What's the matter with the boy?' The letter continued in the same vein, and finished by saying, 'I told you I had no news, so I've made some up to fill the paper.'

She was perceptive when it came to knowing people and their character, and nine times out of ten, if she happened to change her mind, her first impression was proved right. Indeed, I often wondered at her ability to see particular qualities in someone when others saw nothing but a flat and colourless personality. To her people were eternally fascinating, with something new revealed all the time. We know those who sum up others in a single word, like 'nice', or 'excellent', or 'bad', without at all noticing that there are creases and layers in their characters. But my mother could see these details, and note them, and appreciate the virtues behind the faults. Her sharp eye for personal appearance was with her to the grave. She would notice something in a second. I remember my aunt Elin, who lived in her last years in Rhyl, would come to see her. My aunt always wore good, neat clothes, but, if she was travelling, she would bring some old umbrella with her in case she lost it. Once when she arrived at the door Mam said, without even asking her how she was, 'Where did you get that shabby old umbrella?'

Yr oedd yn sgut am ddarllen. Darllenai bopeth y câi afael arno yn Gymraeg. Y gwaethaf ohoni oedd nad oedd digon o lyfrau Cymraeg i'w cael iddi. Deuai rhyw bedwar o bapurau Cymraeg i'n tŷ ni bob wythnos, yn yr adeg pan ffynnai papurau Cymraeg, a nifer o gylchgronau bob mis. Ni allem fforddio llawer iawn o'r olaf. Darllenai hwynt i gyd yn fanwl, 'Oes yna ddim rhyw lyfr newydd?' fyddai ei chwestiwn yn aml. Pan âi yn big arni am ddim i'w ddarllen, ailddechreuai ddarllen ei Beibl o'i gwr. (Ystyr 'o'i gwr' ydyw dechrau rhywbeth yn ei ddechrau a mynd ymlaen i'r diwedd.) Aeth mor fain arni unwaith fel y darllenodd esboniad y Parchedig Richard Humphreys, y Bontnewydd, ar lyfr Genesis, a'i sylw ar y diwedd oedd ei bod wedi dysgu llawer iawn o ddaearyddiaeth.

Meddwl rhamantus a oedd ganddi. Yr oedd yn ddigon bodlon edrych ar fywyd yn hollol fel yr oedd bob dydd, ac ni chaeai ei llygaid i'w bethau annymunol. Ond mewn stori yr oedd arni eisiau gweld bywyd fel y dymunai hi iddo fod ac nid fel yr oedd. Oblegid hynny ni hoffai straeon Richard Hughes-Williams, yr oedd gormod o farw ynddynt yn ei barn hi – ym marn y beirniaid hefyd ond am reswm gwahanol. Ni wyf yn meddwl ei bod hi yn malio dim am fy storïau innau ychwaith – ni chlywais mohoni yn dweud yr un gair amdanynt y naill ffordd na'r llall, a'r un arall o'm teulu. Yr oedd fel rhyw ddeddf anysgrifenedig i fod yn dawel ar y pwnc. Yr oedd hyn yn beth rhagorol o braf i mi, a chredaf mai'r un yw profiad llawer sy'n ysgrifennu, y gallant sôn am eu gwaith wrth bawb ond eu teulu. Gellir dweud yr un peth am lawer pwnc heblaw ein gwaith. Ni roddai dim fwy o bleser i Mam na chael stori reit hir, y cymeriadau yn myned trwy lawer o brofedigaethau a helbulon, ond yn dyfod allan yn fuddugoliaethus ar y diwedd. Ond, ni roddai flewyn am stori o'r natur uchod os byddai wedi ei hysgrifennu'n sâl. Fe ddarllenai nofelau Llew Llwyfo, ond ni soniai amdanynt wedyn, fel y soniai am nofelau Daniel Owen. Medrai werthfawrogi disgrifiadau da, na nid 'disgrifiadau' i'm mam. Ni chlywais mohoni erioed yn defnyddio'r gair yna. 'Darlunio' a ddefnyddiai hi bob amser. 'On'd tydi o'n darlunio'r cathod yn dda?' meddai am *Monica*.

She was a great reader. She read everything she could get hold of in Welsh. The worst of it was that there were not enough Welsh books to get for her. Some four Welsh newspapers came to our house every week, at the time when Welsh newspapers flourished, and a number of monthly magazines. We could not afford many of the latter. She read them all in detail. 'Isn't there a new book?' was her frequent question. When she was really short of something to read, she would begin reading the Bible over again, from start to finish. It came to the point when she even read the Reverend Richard Humphreys, Bontnewydd's explanation of the book of Genesis, and at the end her comment was that she had learned a lot of geography.

She had a romantic mind. She was willing enough to see everyday life as it was, and she did not shut her eyes to unpleasant things. But in a story she wanted to see life as she wanted it to be, not as it was. Because of this she did not like Richard Hughes-Williams's stories, there was too much death in them in her opinion – in the opinion of the critics too, but theirs for a different reason. I don't think she thought anything of my stories either – I never heard her say one word about them one way or another, nor anyone else in my family. It was like an unwritten law to remain silent on the subject. This was absolutely fine with me, and I think it is the experience of many writers that they can talk about their work with everyone except their families. The same can be said of many subjects apart from our work. Nothing gave Mam more pleasure than to have a really long story, with the characters enduring much grief and trouble, but coming out triumphant at the end. But she wouldn't give a whisker for such a tale if it were badly written. She read the novels of Llew Llwyfo, but did not discuss them afterwards as she would the novels of Daniel Owen. She could appreciate good descriptions, no, not 'descriptions' to my mother. I never heard her use that word. 'To picture' is the word she always used. 'Doesn't he picture cats well?' she said of *Monica*. Daniel Owen had spoiled *Gwen*

Yr oedd Daniel Owen wedi difetha *Gwen Tomos* iddi drwy wneud iddi ddiweddu yn anhapus. 'I beth oedd eisio iddo fo fynd â hi i'r Mericia,' meddai, 'yn lle gorffan pan gawson nhw'r pres yn y cwpwrdd?' Wel, ie wir. Gwn mai meddwl ei dymuniad o gael diwedd hapus yr oedd fy mam. Yr oedd Rheinallt a Gwen yn caru. Yr oedd Gwen wedi gadael i'w harian fynd i'w brawd yn hollol ddirwgnach, yr oedd wedi gweithio yn galed. Felly, yn ôl ymresymiad fy mam, fy ddylai rhyw iawn ddyfod iddi. Fe ddaeth trwy ddamwain wrth ganfod yr arian; i beth, felly, yr oedd eisiau canlyn ymlaen ar ei bywyd, yn lle gadael inni ddychmygu i'r ddau fyw yn hapus byth wedyn? Dyna ein tuedd i gyd, gwell gennym dynnu'r llen i lawr pan fo'r haul yn tywynnu, a gadael y dyfodol i'n diymwybod. Eithr o safbwynt technegol, credaf y byddai *Gwen Tomos* yn well fel nofel pe gorffenasid hi yn y fan yna.

Pan oeddwn yn byw yn y De byddwn yn arfer anfon pob llyfr diddorol a ddôi allan o'r wasg Gymraeg i'm cartref. Pan gyhoeddwyd *Monica*, ni wyddai fy ngŵr a minnau yn iawn beth i'w wneud. Yr oedd fy mam yn bur eang ei bryd, ond gwyddem fod llawer o'r Piwritan ynddi yn y bôn, ac anodd oedd penderfynu sut y cymerai hi *Monica*. Penderfynasom beidio â'i anfon iddi. Modd bynnag, pan aethom adref ymhen sbel, darganfuom fod Mam wedi cael *Monica* ac wedi ei darllen. Yr oedd fy chwaer-yng-nghyfraith (o Lanberis yn awr) yn garedig iawn wedi ei roi iddi yn anrheg pen-blwydd, heb ddarllen y nofel ei hun, ond yn gwybod yn iawn am waith Saunders Lewis a'r parch a oedd iddo yn fy nghartref. Pan ddeallasom ei bod wedi ei darllen, nid oedd dim amdani ond gwneud gwarrog i dderbyn y gwaethaf. Ond yn wir i chi, yr oedd hi wedi ei mwynhau yn fawr, nid yr un fath â'r nofelau 'hapus byth wedyn', yn sicr. Ei dull hi o ddarllen nofel oedd ei darllen yn frysiog i'r diwedd i weld beth oedd wedi digwydd, ac yna ei hailddarllen i'w mwynhau. Ni allaf ddychmygu amdani yn gallu gwneud hynny o gwbl â *Monica*. Ei barn am Monica ei hun oedd, 'Mi gafodd yr hen jadan bob dim oedd hi yn 'i haeddu.' Barn y beirniaid am *Monica* oedd bod 'yr hyn a heuo dyn, hynny hefyd a fêd efe', i'w weld yn amlwg drwyddi. Fe

Tomos for her by making it end unhappily. 'Why did he want to take her to America,' she said, 'instead of ending when they had the money in the cupboard?' Well, yes, it's true, I know that my mother was imagining her own happy ending. Rheinallt and Gwen were courting. Gwen had let her money go to her brother without any objection, and she had worked hard. So, according to my mother's reasoning, some compensation was due to her. It came by chance through finding the money; why, therefore, was it necessary to continue her life instead of letting us imagine the two of them living happily ever after? That is our inclination, preferring to draw the curtain across while the sun is shining, leaving ourselves unaware of the future. However, from a technical point of view, I believe that *Gwen Tomos* would be a better novel had it ended at that point.

When I was living in the south, I would send home every interesting book that came from the Welsh publishers. When *Monica* was published, my husband and I did not know what to do. My mother was quite broad-minded, but we knew there was basically a lot of the Puritan in her, and it was difficult to decide how she would take *Monica*. We decided not to send it to her. However, after a while when we went home, we discovered that Mam had got hold of *Monica* and had read it. My sister-in-law (now of Llanberis) had very kindly given it to her as a birthday present, without reading the novel herself, but knowing well the work of Saunders Lewis and the respect in which he was held in my home. When we realised that she had read it there was nothing for it but to accept the worst. But in fact she had greatly enjoyed it, not as much as the 'happy ever after' novels, of course. Her method of reading a novel was to read it quickly to the end to find out what happened, and then to re-read it to enjoy it. I could not imagine her being *able* to do this with *Monica*. Her opinion of Monica herself was that 'the old harridan got everything she deserved'. The judgment of the critics on *Monica*, that 'what a man sows he shall reap', is made clear throughout. My mother said the same thing in her own everyday way. Apart from

ddywedodd fy mam yr un peth yn ei dull gwerinol ei hun. Ar wahân i hynny, yr oedd wedi mwynhau y darlunio a geid ynddi, a chyfeiriai atynt yn fynych.

Wrth glywed pobl yn dweud fod tafodiaith Deau a Gogledd Cymru yn annealladwy i'r naill a'r llall, byddaf yn meddwl am fy mam, a'r ymdrech a wnaeth i geisio deall iaith y De. Ni wêl yr achwynwyr hyn ddim anhawster wrth geisio deall tafodiaith Wessex neu unrhyw dalaith arall o Loegr. Ymdrechodd fy mam yn galed gyda llithiau'r Tramp yn *Y Darian*. Mae'n siŵr na allodd feistroli'r dafodiaith mwy na neb arall nas maged yn y rhan honno o Gymru, ond wrth ddarllen a darllen daeth i allu mwynhau llithiau'r Tramp. Cofiaf mai ei dau hoff lyfr yn ei blynyddoedd olaf oedd hanes Siencyn Penhydd a phregethau Dafydd Ifans, Ffynnonhenri. Rhoes fenthyg y cyntaf i rywun, ac ni chafodd ef yn ôl. Fy nghopi fi oedd yr ail, a gallai wrthod rhoi ei fenthyg drwy ddweud nad oedd biau hi mohono. Darllenasai hanes Siencyn Penhydd gymaint o weithiau fel y gwyddai ef yn drwyadl, a chaem ninnau'r plant glywed ei gynnwys. Apeliai plaendra Siencyn ati, a'i hoff hanes ynddo oedd hanes y gŵr hwnnw yn mynd i ryw eglwys i dorri siopwr o'r seiat oblegid iddo dorri. Cyn iddo wneud hynny, aeth i chwilio faint o arian y siopwr a oedd allan. Canfu fod ar nifer mawr o aelodau'r eglwys honno arian iddo. Aeth i'r seiat a dywedodd wrth y bobl yma, oni thalent eu dyledion i'r siopwr, y torrid hwythau allan. Yr oedd yr arian i gyd wedi eu talu cyn y seiat ddilynol, ac ni bu'n rhaid torri'r siopwr na neb arall allan. Apeliai'r hanes at fy mam, oblegid na chafodd neb gam.

Yr un fath â phregethau Dafydd Ifans, darllenai hwynt drosodd a throsodd. Y darn pregeth ar blâu'r Aifft a hoffai hi fwyaf. Ar un cyfnod deuai nith garedig, Jane, Glyn Aber, â'i chinio iddi bob Sul, a byddai ganddi hithau, felly, amser i ddarllen yn y bore. Buasai'n darllen y bregeth ar y plâu un bore Sul, a phan ddaeth ei chinio, yn cynnwys clun cyw iâr hyfryd, yr oedd Dafydd Ifans wedi cael cymaint gafael ar ei dychymyg, meddai hi, fel y meddyliodd mai llyffant Ffaro oedd y glun am eiliad!

that, she enjoyed the picturing to be had in it, and often referred to it.

Hearing people say that speakers of south Wales and north Wales are unintelligible to each other, I think of my mother, and her effort to try to understand the language of the south. These grumblers see no difficulty trying to understand the dialect of Wessex, or any other part of England. My mother made a big effort with the articles by Tramp in *Y Darian*. She certainly didn't master the dialect any better than anyone else who was not born in that part of Wales, but by reading and reading she came to enjoy Tramp's articles. I remember that her two favourite books in her later years were the story of Siencyn Penhydd and the sermons of Dafydd Ifans, Ffynnonhenri. She lent the first to somebody and did not have it back. The second was my copy, and she was able to refuse to lend it because it was not hers. She read the story of Siencyn Penhydd so many times that she knew it thoroughly, and we children heard about its contents. The simplicity of Siencyn appealed to her, and her favourite story in it was the account of the man who went to a chapel to expel a shopkeeper from the *seiat* because he had been made bankrupt. Before he did so he went to see how much money was still owed to the shopkeeper. He discovered that a large number of the chapel members owed him money. He went to the *seiat* and told these people that if they did not pay their debts to the shopkeeper they also would be expelled. All the money had been paid by the next *seiat* and the shopkeeper did not have to be excluded, nor anybody else either. The story appealed to my mother as nobody was treated unjustly.

The same with the preachings of Dafydd Ifans, she read them over and over again. The sermon on the plagues of Egypt was her favourite. At one time a kind niece, Jane, Glyn Aber, used to bring her dinner every Sunday, so she had time to read in the morning. She had been reading the sermon on the plagues one Sunday morning, and when her dinner arrived, including a lovely chicken thigh, Dafydd Ifans had got such a hold of her imagination that for a moment she said she thought the thigh was Pharaoh's frog!

Gallwn ysgrifennu llawer rhagor am fy mam, ond credaf imi ddweud digon i ddangos pa mor llawn oedd ei bywyd a chymaint o waith a wnaeth hi yn ei hoes, a hynny o dan lu o anfanteision. Bu'n wael iawn ei hiechyd o amser y Rhyfel Byd Cyntaf hyd tua 1926. Câi gasgliad ar ei stumog o hyd, a hwnnw'n torri. Erbyn 1926, yr oedd tyfiant mawr ar waelod ei stumog, yr oedd yn rhy denau ac yn rhy wan i gael gweithred lawfeddygol, ond drwy foddion eraill a olygai ladd neu wella, cafodd wared o'r tyfiant. Daeth yn llawer gwell ar ôl hynny, a chafodd lawer llai o boenau. Fel gyda phob dim arall, ymdrechodd yn galed gyda'i hanhwylder. Nid arhosai yn ei gwely ond pan na allai symud. Cofiaf yn yr amser yma, a hithau mor wan a thenau fel ei bod yn boen edrych arni, fod jac-y-do wedi dyfod i lawr simnai'r gegin orau. Ni allai fyned i fyny yn ei ôl na dyfod i lawr. Ceisiodd pawb ei gael allan. Clywem ef yn symud bob hyn a hyn, a gwyddem ei fod yn mynd yn wannach ac yn wannach. Y trydydd diwrnod, dywedasom fod yn rhaid mynd i nôl rhywun i wneud rhywbeth i'r corn, oblegid yr oeddem bron â gwallgofi. Ond dyma Mam yn gwneud un cynnig arall, a chyda'i braich hir, denau, gwnaeth un ymdrech ddi-droi'n-ôl, a chael y jac-y-do i lawr.

Yr wyf yn hollol ymwybodol o wendidau fy nheulu; nid yw cariad yn ddall bob amser, ond yr oedd y rhinweddau mor fawr fel y byddai'n grintachlyd sôn am y gwendidau. Gall rhai ohonoch dybio fy mod wedi gorliwio'r rhinweddau. Fel arall yn hollol, teneuo'r lliw a wneuthum yn lle ei blastro'n dew. Pe buasai fy rhieni wedi eu geni â llwy arian yn eu geneuau, buaswn yn sôn am eu gwendidau hefyd, ond fe syrthiodd eu llinynnau ar dir llwm, ni bu ffawd yn garedig wrthynt, cawsant ddioddef mawr, eithr, a dyma'r peth mawr, ni ildiasant. Ymdrechasant ymdrech deg, yn onest, yn gywir, yn garedig wrth gymdogion, heb galedu eu calonnau, eithr ennill hynawsedd wrth fyned ymlaen mewn dyddiau, a gorchfygu. A fyddai'n weddus sôn am wendidau mewn rhai a frwydrodd mor galed?

Ni welsom erioed gyfoeth, ond cawsom gyfoeth na all neb ei ddwyn oddi arnom, cyfoeth iaith a diwylliant. Ar yr aelwyd gartref y cawsom ef, a'r aelwyd honno yn rhan o'r

I could write much more about my mother, but I think I have said enough to demonstrate how full her life was and how much work she did over a lifetime, and that under great disadvantage. She was in very poor health from the time of the First World War until about 1926. She had a stomach ulcer, and it burst. By 1926 there was a large tumour in the lower part of her stomach, she was very thin and too weak to have a surgical operation, but by means of other medicine, which meant either kill or cure, she got rid of the tumour. After that she was much better, and had far less pain. As with everything else she strove hard with her illness. She did not stay in bed except when she could not move. I remember at this time, and she so weak and thin that it was painful to look at her, that a jackdaw came down the chimney of the best kitchen. It could not get back up or come down. Everybody tried to get it out. We could hear it moving every now and again, and knew that it was getting weaker and weaker. On the third day we said we'd have to go and get someone to do something to the chimney, because we were all almost going mad. But there was Mam making one final effort, and with her long, thin arm she had one all-or-nothing go, and got the jackdaw down.

I am quite aware of my family's weaknesses; love is not always blind, but their virtues were so great that it would be mean to speak of their shortcomings. Some of you may think that I have over-coloured their virtues. Quite the contrary, I watered down the colours rather than plaster them on too thickly. Had my parents been born with silver spoons in their mouths I would have spoken of their weaknesses too, but their fortunes fell on bare ground, fate was not kind to them, they had great suffering, but, and this is the great thing, they never gave up. Would it be seemly to talk about shortcomings in those who fought so hard?

We never saw wealth, but we had wealth that no one can take from us, the wealth of language and culture. It was on the hearth at home that we gained it, and that hearth was part of

gymdeithas a ddisgrifiais ar y cychwyn. Yn y fynwent yn Rhosgadfan mae'n gorwedd gymdeithas o bobl a fu'n magu plant yr un pryd â'm rhieni innau, ac yn ymdrechu'r un mor galed. Cymry uniaith oeddent i gyd, a chwith oedd gennyf weld pa ddydd, fod ambell garreg fedd Saesneg, fel dant y llew Crwys, wedi ymwthio i'r ardd honno.

Dyma un o'r pethau a ddywedodd fy mam wrthyf yn ei chystudd olaf, 'Rydw i wedi cael oes faith a helbulus, ac mi fydda i'n dyfaru am lot o betha heddiw. Mi fydda i'n dyfaru na baswn i wedi canu mwy i chi, a deud mwy o straeon wrthoch chi pan oeddach chi'n blant, ond roedd gin i gimint o waith.' Mae hynyna yn symio ei brwydr bob amser rhwng ei phleser a'i dyletswydd. Bûm yn ffortunus yn fy nghartref a'm rhieni, efallai petawn yn llai ffortunus y buasai gennyf fwy o themâu i nofelau, ond i mi yn bersonol, gallaf edrych yn ôl gyda hyfrydwch heddiw, nid oherwydd llyfnder y bywyd gynt – bu'n galed a stormus, ni bu'n heddychlon bob amser – ond oherwydd na ddaeth dim byd chwerw ei flas allan ohono. Ni allaf fi 'edrych yn ôl mewn digofaint' – yr oedd mwy o gamp nag o remp yn fy nghartref a'r gymdeithas y maged fi ynddi.

the society I described at the beginning. In the graveyard in Rhosgadfan there lies a community of people who raised children at the same time as my parents, and who strove together just as hard. They were all monoglot Welsh, and I was sad the other day to see that the occasional gravestone in English, like Crwys's dandelion, has encroached on that garden.

Here is one of the things my mother said to me during her last illness, 'I have had a long and troubled life, and I regret many things today. I regret that I didn't sing to you more often, and tell you more stories when you were children, but there was so much work to do.' That perfectly sums up her struggle between her pleasure and her duty. I was lucky in my home and in my parents, and maybe had I been less lucky I would have had more subjects for novels, but for me personally, I can look back with pleasure today, not because of smoothness in my past life – it was hard and stormy, not always peaceful – but because there is not a taste of bitterness in it. I cannot 'look back in anger' – there were more virtues than flaws in my home and in the society where I was raised.

X

Perthnasau Eraill

Yr oedd gan fy nain Bryn Ffynnon chwaer, Neli, yn byw ar ochr Alltgoed Mawr, rhyngom a'r Waun-fawr, mewn tyddyn bychan o'r enw 'Regal'. Ni wn beth yw ystyr 'Regal'; awgrymai'r Dr W. J. Gruffydd mai 'Yr Eagle' ydoedd. Ar wahân i'w llygaid yr oedd y chwaer hon yn bur annhebyg i'm nain, un weddol fer, gron ydoedd, ac yr oedd yn bur wahanol ei chymeriad. Ystyrid hi yn 'gymeriad', am ei bod, mae'n debyg, yn un bur ffraeth ei thafod, yn ddigrif, heb falio dim yn neb, ac yn dweud y gwir plaen am bawb. Yn dipyn o bagan hefyd. Yr oedd bedair blynedd yn hŷn na'm nain, ac yn ei blynyddoedd olaf y deuthum i i'w hadnabod, pan oedd ei chof yn dechrau mynd, ond ei thafod a'i thraed yn bur chwim. Nid wyf yn meddwl iddi symud efo'r oes mewn dim, mewn na dillad nac arferion nac iaith. Mae'n siŵr gennyf mai'r un math o wisg a wisgai yn 88 ag a wisgai yn 48, sef pais stwff, nid becwn yn hollol ond bodis llaes, barclod hen ffasiwn, siôl bach, cap gwyn a ffrilin wrtho, a het fach fel crogen, a'i hymyl wedi ei rwymo â ruban melfed, a chlocsiau am ei thraed. Os byddai arni angen mynd i Gaernarfon, yn y dillad yna yr âi, heb falio dim yn neb. Cofiaf ei gweled yn mynd i lawr Stryd y Llyn, rywdro ar awr ginio pan oeddwn yn yr Ysgol Sir, wedi ei gwisgo fel yna, ac yn cario piser neu fasged ddillad ar ei phen yn yr hen ddull. Yr oedd ei hwyneb yn ddifrifol iawn, oherwydd y baich ar ei phen reit siŵr, ac nid edrychai i'r dde na'r aswy, ond mynd yn ei blaen fel tywysoges, yn osgeiddig ei cherddediad. Yr oedd rywle rhwng 80 a 84 mlwydd oed y pryd hynny. Ni wn ar y ddaear beth oedd ganddi ar ei phen. Tueddaf i gredu mai piser ydoedd, ac mai llaeth enwyn a oedd ynddo. Os felly, rhyw hobi oedd y cwbl ganddi, oblegid nid oedd arni angen hynny o arian a gâi am y llaeth enwyn, a ph'run bynnag, nid oedd ar ei mantais o'i gario o'r tu uchaf i'r Waun-fawr i Gaernarfon. Ond yr oedd hi a'm nain yn rhyfedd ynglŷn â chario rhywbeth mewn piser, y

X

Other Relations

My Bryn Ffynnon grandmother had a sister, Neli, who lived near Alltgoed Mawr, between us and Waun-fawr, in a little smallholding called 'Regal'. I do not know what 'Regal' means, but Dr W. J. Gruffydd suggests that it means 'The Eagle'. Apart from her eyes, this sister looked very different from my grandmother, being rather short and round, and quite different in personality. She was regarded as 'a character', because it seemed she was quick-tongued, funny, giving no quarter and telling the plain truth to everyone. A bit of a pagan too. She was four years older than my grandmother, and it was in her final years that I got to know her, when her memory was beginning to go, but she was still quick of tongue and quite fast on her feet. I don't think she had moved with the times at all, either in her dress or her language. I'm sure she wore the same kind of dress at 88 as she did at 48, that is, a stiff petticoat, not a shift exactly but a loose bodice, an old-fashioned apron, a small shawl, a white cap with a frill, a little hat like a shell, its rim bound with velvet ribbon, and clogs on her feet. If she needed to go to Caernarfon it was in these clothes, paying no heed to anyone. I remember sometimes at lunchtime, when I was in the County School, seeing her going down Stryd y Llyn dressed like that, and carrying a pitcher or a clothes basket on her head in the old way. Her face looked very serious, maybe because of the load on her head, and she looked neither to right nor to left, but proceeded like a princess, her walk graceful. She was between 80 and 84 years old at the time. I have no idea what she had on her head. I am inclined to think it was a pitcher, and that there was buttermilk in it. If so it must have been a bit of a pastime, because she did not need what little money she would get for the buttermilk , and in any case it was hardly worth carrying it from Waun-fawr to Caernarfon. But she and my grandmother were both eccentric about carrying things in a

ddwy yn eu dyddiau olaf yn mynnu cario dŵr mewn piser, er nad oedd ar neb eisiau iddynt wneud hynny.

Adroddid un stori gwerth ei hailadrodd amdani. Yr oedd hi a'm nain yn gweini mewn fferm tua Chaeathro, ni wn pa un ai ym Mhrysgol (cartref William Owen) ai yn rhywle yn ymyl. Yr oedd gan y wraig frawd, a drafaeliai o gwmpas ynglŷn â'i swydd, a phob tro y dôi i'r gymdogaeth, arhosai gyda'r chwaer. Câi'r brawd hwn yr enw ei fod yn dipyn o dderyn. Fel y byddai'r arfer y dyddiau hynny, yn aml iawn, troid un o'r parlyrau ar y llawr, yn ystafell wely, a hon oedd yr ystafell wely orau yn y tŷ hwn. Un tro pan ddaeth y brawd i aros gyda meistres yr hen fodryb, aeth i'r llofft a cheisiodd gusanu un o'r morynion neu rywbeth. Certiodd Neli ef i lawr y grisiau ac i'w ystafell. Yna aeth i chwilio am gortyn a chlymodd glicied drws y siambar wrth bostyn isaf y grisiau. Mewn carchar felly y bu'r gŵr hyd y bore. Mae'n siŵr mai Neli oedd y gyntaf i godi, a chyn gwneud tân na dim, aeth allan i'r ardd a thorrodd wroden (ffon) o'r coed. Dadfachodd ddrws y siambar, aeth i mewn, a chwipiodd y dyn cyn iddo gael amser i ddeffro. Mae'r hanes yn fy atgoffa am stori a glywsom ganwaith gan fy nhad am ryw ddyn a arferai roi cweir i'w fab am wneud drwg, ac adrodd y fformiwla hon uwch ei ben bob tro. 'Rwyt ti'n cael cweir nid am y drwg wnest ti, ond rhag iti wneud drwg eto.' Gwers ar gyfer y dyfodol a roes Modryb Neli, mae'n sicr!

Dengys y stori hon amdani gymaint o'r Piwritan a oedd ynddi, er gwaethaf ei hystyried yn dipyn o bagan.

Yn ei blynyddoedd olaf pan oedd fy nain yn byw gyda'i merch yn y Bontnewydd, deuai i fyny atom ni am ychydig amser yn yr haf, ac un o'r troeon hynny anfonasom i'r Alltgoed Mawr at yr hen fodryb i ofyn iddi ddyfod drosodd atom am brynhawn. Mae'n siŵr mai anfon neges efo rhywun o'r chwarel a wnaethom. Ni chofiaf o gwbl glywed neb yn ei galw wrth ei henw llawn, ni wyddwn ar y ddaear beth oedd ei chyfenw, ac felly ni wn sut y buasem yn cyfeirio llythyr ati. Yr oedd ganddi ryw ddwy filltir i gerdded, dros ddarn o fynydd, ond nid oedd y ffordd yn serth ac eithrio'r darn cyntaf o'i thŷ i lidiart y mynydd.

pitcher, both of them in their later years insisting on carrying water in a pitcher, though nobody asked them to do so.

One story told about her is worth repeating. She and my grandmother were in service in a farm near Caeathro, I don't know whether it was in Prysgol (the home of William Owen) or somewhere nearby. The wife had a brother who travelled about with his work, and whenever he was in the neighbourhood he stayed with his sister. This brother was known as a bit of a ladies' man. As was the custom in those days, very often one of the parlours on the ground floor was turned into a bedroom, and this was the best chamber in this house. Once, when the brother was staying with my great-aunt's mistress, he went up to a bedroom and tried to kiss one of the maids, or something. Neli carted him off downstairs to his room. She went to fetch a cord and tied the latch of the chamber door to the newel post at the bottom of the stairs. The man was thus in prison until morning. Neli must have been first up, and before lighting the fire or doing anything she went out to the garden and cut a stick from a tree. She unhooked the chamber door, went in, and beat the man before he had time to wake up. This reminds me of a story I heard a hundred times from my father about a man who used to give his son a beating for wrongdoing, reciting this formula over his head, 'You're having a beating not for the wrong you have done but to stop you doing wrong again.' It was a lesson for the future that Neli gave, certainly!

This story about her shows how much of the Puritan was in her, despite being thought a bit of a pagan.

In her last years, when she was living with her daughter in Bontnewydd, my grandmother came up to us for a while in the summer, and on one of those occasions we sent to Alltgoed Mawr to the old aunt to invite her over for an afternoon. We probably sent a message with someone from the quarry. I never remember anyone calling her by her full name, and I didn't know what on earth her surname was, so I don't know how we would have addressed a letter to her. She had about two miles to walk across part of the mountain, but the road was not steep except for the first part from her house to the mountain gate. Calculating her and my

O weithio allan ei hoedran hi a'm nain ar y pryd rhaid bod fy hen fodryb tua 86 i 88 mlwydd oed, a'm nain tua 82 i 84. Fe ddaeth yr hen wraig yn ei dillad arferol a ddisgrifiais o'r blaen. Cofiaf, er mai haf ydoedd, nad oedd y diwrnod yn hafaidd iawn. Ar ôl te eisteddem o gwmpas y tân, a sylweddolais, wedi i'r ddwy chwaer ddyfod at ei gilydd fel hyn, nad oeddem ni yn bod iddynt, ddim i Modryb Neli, beth bynnag. Siaradent am flynyddoedd eu hieuenctid a'r pethau a ddigwyddasai iddynt hwy y pryd hynny – credaf i'r ddwy fod gyda'i gilydd bron ar hyd yr amser hyd oni phriodasant. Gwn eu bod yn gweini efo'i gilydd yng Nghaeathro, rywle yn ymyl Prysgol, os nad yn y Prysgol ei hun. Pentref rhyw ddwy filltir o Gaernarfon yw Caeathro, a dwy filltir o'r Waun-fawr ar yr ochr arall. Y prynhawn hwn sonient lawer am 'fwgan Prysgol'. Yr oedd rhyw ysbryd enwog yn y fan honno pan oeddent hwy yn ifanc, ac yr oeddent wedi ei weld un noson. Wrth sôn amdano y prynhawn yma, sonient amdano fel peth nad oedd amheuaeth am ei fodolaeth o gwbl, fel petaent yn siarad am aelod o'r teulu. Weithiau, deuent i fyd y presennol, a chofiaf i'm nain wneud sylw fel hyn, 'Meddwl am Owen bach y bydda i pan a' i i'r capel.' (Fy nhaid oedd Owen bach.) A meddai Modryb Neli mor galed â'r callestr, 'Duw, Duw, beth sydd arnat ti eisio meddwl am beth felly.' Credaf mai pwnc oedd y 'peth', ac nid fy nhaid. Aeth Nain i ddanfon ei chwaer gam i fyny'r ffordd, 'Dyna chdi rŵan, Cadi, dos yn d'ôl er mwyn i mi gael rhedeg'!! A ffwrdd â hi yn ei dwy glocsen, mor chwim â phioden.

Yr oedd mor onest â'r dydd. O hynny a welais ohoni, ni chredaf y gwyddai beth oedd twyll a rhagrith, na chymryd arni ddim byd pan deimlai fel arall. Credaf fod hynny yn fwy nodweddiadol o'r oes honno. Yr ydym ni yn yr oes yma yn neisiach, ac mae arnom fwy o ofn dweud ein meddwl, felly rhoddwn len rhyngom ni a phobl eraill. Efallai ei fod yn fwy cysurus gwneud peth felly mewn cwmni, ond y mae'n hollol anonest. Cofiaf glywed fy mam yn dweud unwaith ei bod yn cerdded o Rosgadfan i'r Waun-fawr, a gweled yr hen Fodryb Neli ar y ffordd. Yr oedd hi newydd golli ei merch,

grandmother's age, she must have been about 86 to 88 years old, and my grandmother about 82 to 84 years old. The old lady arrived in her usual clothes which I have already described. I remember, although it was summer, it was not a very summery day. After tea we sat around the fire, and I realised, once the two sisters were together like this, we did not exist for them, not for Aunt Neli anyway. They talked about the years of their youth and the things which had happened to them then – I believe they were both together most of the time until they married. I know they were in service together in Caeathro, somewhere near Prysgol if not in Prysgol itself. Caeathro was a village about two miles from Caernarfon and two miles from Waun-fawr in the other direction. That afternoon they talked a lot about 'bwgan Prysgol', the Prysgol bogeyman. There was a famous ghost in that place when they were young and one night they had seen it. As they spoke about it that afternoon, they talked of it as if there was no doubt at all that it existed, as if they were talking about a member of the family. From time to time they returned to the world of the present, and I can remember my grandmother remarking, 'It's Owen bach I think about when I go to chapel.' (Owen bach was my grandfather.) And Aunt Neli said, hard as flint, 'Good God, why would you want to think of something like that?' I believe the topic was the 'something', not my grandfather. My grandmother accompanied her sister a little way up the road and past the chapel. When they reached the flat road the great-aunt said, 'There you are now, Cadi, you go back so that I can run'!! And off she trotted in her clogs, quick as a magpie.

She was as honest as the day. From what I saw of her I don't think she knew what deceit and hypocrisy were, nor pretending her feelings were other than they were. I think that was more typical of the times. We are nicer these days, and more afraid to speak our minds, so we put a curtain between ourselves and other people. Perhaps it is more comfortable to do this in company, but it is quite dishonest. I remember hearing my mother saying that once she was walking from Rhosgadfan to Waun-fawr, and she saw old Aunt Neli on the road. At the time Neli had just lost her

Jane, y pryd hynny. Buasai'n byw efo'r ferch hon cyn ei marw, h.y. cyn marw'r ferch. Nid oedd gan Jane blant, yr oedd ganddi dŷ glân a châi'r enw o fod yn ddynes flin. 'Mi gawsoch chitha brofedigaeth fawr wrth golli Jane yn 'do?' meddai Mam. 'Do,' meddai'r hen wraig yn araf a phwyllog, 'do, ond cofiwch, hen gythral oedd Siani.' Ni wn i am neb heddiw a allai fod mor onest â dweud y gwir am ei merch ei hun.

Yn aml iawn mae hen bobl wedi mynd o'r byd hwn ymhell cyn marw. Felly fy hen fodryb. Yr oedd y gorffennol yn sefydlog a disymud, ac wedi ei argraffu mor ddwfn ar y cof, fel y deuai i fyny unrhyw adeg. Ni ddeuthum i i gysylltiad agos â'r hen wraig o gwbl. Y prynhawn a ddisgrifiais oedd yr amser hwyaf a gefais yn ei chwmni am wn i. Clywed amdani a wnawn o hyd. Cofiaf y tro olaf y gwelais hi yn dda iawn. Mae'r tro hwnnw yn fyw iawn ar fy nghof i, beth bynnag. Gwyliau Pasg 1917 oedd hi. Dydd Mercher cyn Gwener y Groglith, daethai'r newydd i mi yn Ystalyfera, fod fy mrawd ieuengaf yn ddifrifol wael yn Salonica. Clwyfasid ef yn drwm iawn ym mis Chwefror, ac er treio pob dim, methwyd gwella ei glwyfau heb dorri ei goes i ffwrdd. Dyna oedd y newydd a dderbyniais gan y nyrs y diwrnod cyn i'r ysgol dorri am y gwyliau, a'r newydd y bu'n rhaid imi ei dorri i'm rhieni wedi cyrraedd gartref. Rhywdro yn ystod y gwyliau, awn i lawr i'r Waun-fawr i dŷ fy modryb, yn ddigon trwm fy nghalon. Dylwn egluro fod Alltgoed Mawr hanner y ffordd o'm cartref i'r Waun-fawr. Dylwn egluro hefyd mai allt ofnadwy yw'r allt. Nid âi ceir i lawr hyd-ddi y pryd hynny, beth bynnag. Ar ei gwaelod mae tro ar groes-gongl a gwal ddigon isel hefyd ar y tro. Yr ochr arall i'r wal rhed y tir i lawr ar rediad syth at afon Wyrfai. Tir fferm y Cyrnant yw'r tir hwn.

Y diwrnod dan sylw, deuwn i lawr yr allt, a gwelwn goes yn dyfod dros y wal, yna biser a dŵr ynddo, yna goes arall. Modryb Neli ydoedd wedi bod yn nôl un o'r pisereidiau dŵr hynny nad oedd dim o'u heisiau. Yr oedd hi yn byw erbyn hyn yn y Regal, ei hen gartref, gyda'i mab a'i merch-yng-nghyfraith. Yr oedd y tŷ ar waelod yr allt ar y llaw chwith i mi. Stopiodd a gadael y piser ar lawr, ac ar y foment âi rhyw

daughter, Jane. She had been living with her daughter before her death, before her daughter's death, that is. Jane had no children, she had a clean house and a reputation for being a bad-tempered woman. 'You've had a great loss, losing Jane, haven't you?' said Mam. 'Yes', said the old woman slowly and deliberately, 'yes, but remember, Siani was an old devil.' I can't imagine anyone today who could be honest enough to tell the truth about her own daughter.

Very often old people have already left this world before dying. So too my great-aunt. The past was fixed and unmoving, and printed so deeply in her memory that it would return at any time. I never came into close contact with the old lady. I think the afternoon I have described was the longest time I spent in her company. I was always hearing about her. I remember very well the last time I saw her. That time at least is very alive in my mind. It was the Easter holidays, 1917. On the Wednesday before Good Friday the news reached me in Ystalyfera that my youngest brother was seriously ill in Salonica. He had been very badly injured in February, and although everything was tried, they had failed to heal his wounds without amputating his leg. That was the news I heard from the nurse the day before school broke up for the holidays, and the news I had to break to my parents when I arrived home. Sometime during the holiday I went down to Waun-fawr to my aunt's house, with a very heavy heart. I should explain that Alltgoed Mawr is halfway between my home and Waun-fawr. I should also explain that the hill is a terrible hill. Cars never went down it. At the bottom there is a right angle turn and rather a low wall on the bend. On the other side of the wall the land runs straight down to the river Gwyrfai. This land belongs to Cyrnant farm.

On the day in question I came down the hill and saw a leg coming over the wall, then a pitcher of water, then another leg. It was Auntie Neli, who had been to collect one of those unnecessary pitchers of water. By this time she was living in the Regal, her old home, with her son and her daughter-in-law. The house was at the bottom of the hill on my left-hand side. She stopped and put the pitcher on the floor, and at that

ddyn heibio, a gofynnodd rywbeth i mi. Atebais innau ef. Pan ddeuthum ati, gwelwn ar unwaith na chawn fyned heibio heb iddi gael gair efo mi, er y gwyddwn ar y gorau nad adwaenai fi. I dorri'r garw, meddai hi, 'Pwy oedd y dyn yna?' 'Dwn i yn y byd,' meddwn innau, 'rhyw ddyn diarth oedd o.' 'O,' meddai hithau, ac edrych ym myw fy llygad, a meddwl, debygwn i, beth a gâi hi ofyn nesaf. Mae'n sicr fod cyfarfod â rhywun ar y ffordd yn ddigwyddiad mawr yn ei bywyd, ac nid oedd am fy ngollwng. Daliai i edrych arnaf fel ci ffyddlon ar ei feistr. 'Wyddoch chi ar y ddaear pwy ydw i,' meddwn i. 'Na wn,' meddai hi, mor eiddgar â phetai hi'n mynd i glywed stori antur. 'Merch Owen Bryn Ffynnon,' meddwn i. Nid anghofiaf fyth y mynegiant ar ei hwyneb. Petai hi wedi codi canpunt ar y ffordd, nid edrychasai'n fwy balch-gynhyrfus. Yr oedd fy nhad yn dipyn o ffefryn gyda'i deulu, a golygai 'Owen Bryn Ffynnon' rywbeth i'r hen wraig. Dyma hi'n rhoi ei llaw ar fy ysgwydd, ac yn wir tybiais na chawn symud. Yr oedd hi mor falch o'm gweld fel y daliai i afael ynof. Ond toc, dyma hi'n dweud, 'Rhoswch chi, ngenath i, oes 'na ddim brawd i chi wedi brifo'n o arw yn yr hen ryfal yna?' Bron na allech weld y peth yn dyfod i fyny o ddyfnderoedd ei chof o rywle. Yr oedd hi wedi gallu cofio hynny, beth bynnag, er ei bod rhwng 92 a 93 mlwydd oed. Byth nid anghofiaf ei hanwyldeb. Fy mrawd heb gyrraedd ei 19, hithau yn 92, y fath agendor rhyngddynt mewn oed. Y fo filoedd o filltiroedd o'i gartref, a heb allu symud. Y hi yn niwedd ei hoes ar ochr hen fynydd unig, wedi gorffen ei bywyd i bob pwrpas, yn dal i gario dŵr o ran arferiad, ei chof wedi mynd, ac eto o waelod yr ango' mawr hwnnw, yn medru codi un ffaith i fyny a ddeuai â hi i gysylltiad â'r presennol agos, nad oedd yn ddim iddi. Yr oedd y peth yn ddigon i wneud i rywun orwedd ar ei wyneb ar y ddaear a griddfan ei ing i'w mynwes. Yr oedd hi wrth ei bodd ei bod wedi cael gafael ar rywun i gael sgwrs, ac yn fwy wrth ei bodd wrth fy mod yn un o'r teulu. Sylwais wrth siarad â hi mor debyg yr oedd fy nhad iddi. Yr un llygad yn union. Bu farw yn 1919, rhwng 94 a 95 mlwydd oed. Cofiaf fod fy nhad mewn byd garw, ofn na châi ddyfod adref o

moment a man passed and asked me something. I answered. When I reached her I realised at once that I would not be allowed to pass without her having a word with me, though I well knew she did not recognise me. To break the ice she said, 'Who was that man?' 'I don't know,' I said. 'He was a stranger.' 'Oh,' she said, looking me straight in the eye, wondering, I suppose, what she could ask me next. I am sure that meeting someone on the road was a big event in her life, and she was not going to lose me. She went on gazing at me like a faithful dog at his master, 'Do you have any idea who I am?' I asked. 'No I don't,' she replied, as eager as if she were about to hear an adventure story. 'Owen, Bryn Ffynnon's daughter,' I said. I will never forget the expression on her face. If she had picked up a hundred pounds from the road she could not have looked more pleased-thrilled. My father was a bit of a favourite with the family, and 'Owen Bryn Ffynnon' meant something to the old woman. Then she put her hand on my shoulder and I thought I would not be allowed to move. She was so happy to see me that she went on holding me. But in a moment she said, 'Wait, my girl, hasn't a brother of yours been badly wounded in that old war?' You could almost see the thing rising from the depth of her mind, remembered from somewhere. She had been able to remember that at least, though she was between 92 and 93 years old. I will never forget how dear she was. My brother not yet 19 years old, and she 92, such a gap of years between them. He thousands of miles from home and unable to move. She at the end of her life on the side of a lonely mountain, her life to all intents and purposes over, yet still carrying water out of habit, her memory gone, and yet from the bottom of that great forgetting, being able to capture one fact which brought her into contact with the close present which meant nothing to her. It was enough to make one lie face down on the ground and groan with pain and anguish on its breast. She was so glad that she had found someone to talk to, and thrilled that I was one of the family. While talking to her I noticed how like my father she was. Exactly the same eyes. She died in 1919, between 94 and 95 years old. I remember that my father was upset, afraid that he would not be allowed home from

Lerpwl i'w chladdu. Ond fe gafodd. Mor dynn yw'r llinynnau sy'n dal llawer teulu wrth ei gilydd.

Mae arnaf awydd sôn am un chwaer i Mam, nid am fy mod yn gybyddus iawn â hi, ond am fy mod yn credu petai hi wedi cael addysg, y byddai wedi gwneud cryn dipyn o'i hôl ar y cylch y bu'n byw ynddo, beth bynnag. Hi, Margiad, oedd y chwaer a enillodd yn ysgol Sul y Capel Bach, Rhostryfan, ar adrodd Llyfr Jona ar ei chof. Pan gofiaf hi gyntaf yr oedd yn byw yn y Tŷ Rhodd, y Waun-fawr, a bûm yno yn aros efo hi am wythnos pan oeddwn yn chwech oed. Ymhen ychydig ar ôl hynny aeth i fyw i Dŷ'n Gadlas, Dinorwig, ac yno y bu hi a'i gŵr weddill eu hoes. Cyfnither iddi a oedd yn byw yn Nhŷ'n Gadlas o'i blaen.

Ac eithrio un brofedigaeth fawr yn ei hieuenctid, bywyd tawel iawn a gafodd. Yr oedd wedi rhoi'r gorau i'w lle ym Manceinion a dyfod adref i briodi, ond bu ei darpar ŵr farw yn sydyn. Yn ddiweddarach, priododd â mab y Tŷ Rhodd, Griffith Williams, a fagesid yn y tyddyn bach hwnnw gyda'i nain, ac a gafodd holl ddodrefn ei nain, cwpwrdd deuddarn, dresel, ac ati, ar ôl iddi farw. Ni chawsant erioed blant, ond magasant ferch i chwaer arall a fu farw yn ddynes weddol ifanc, y bu ei gweddw farw ymhen blwyddyn ar ei hôl. Gwnaeth lawer o waith cyhoeddus yn ei chylch ei hun yn ardal Dinorwig. Yr oedd yn aelod o fwrdd llywodraethwyr yr ysgol a phethau felly, ac un o'r pethau diwethaf a wnaeth yn gyhoeddus oedd eilio diolch i'r Dr W. J. Gruffydd mewn rhyw ddathliad yn Neiniolen yn niwedd 1945, a hithau yn 87 oed. Cofiaf hi yn holi'r plant mewn cymanfa yn Llanberis yn 1914, ac yn gwneud hynny yn ddeheuig iawn. Byddai wrth ei bodd gyda rhyw arwerthiant gwaith tua'r capel, a mawr fyddai ei ffwdan. Yn wir, byddai ei ffwdan gyda'r pethau hyn yn destun difyrrwch i Mam, a wnâi ei holl waith cyhoeddus yn ei thŷ, fel y dywedais. Yr oedd gan fy modryb ddosbarth o blant yn yr ysgol Sul hyd ddiwedd ei hoes, a rhoddai de parti iddynt yn ei thŷ bob blwyddyn.

Am wn i na buaswn yn sôn amdani oblegid y pethau uchod, nid oes fawr yn eithriadol ynddynt. Soniaf amdani am fod ganddi ddawn ysgrifennu llythyr. Deuthum ar draws amryw o'i llythyrau i Mam, wedi i Mam farw. Cofier ei bod

239

Liverpool to bury her. But he was. How strong the ties are that bind a family together.

I have a notion to talk about one of Mam's sisters, not because I know her very well, but because I believe that had she had an education she would have made quite a mark, at least in the circle she lived amongst. She, Margiad, was the sister who won at Sunday school in Capel Bach, Rhostryfan, reciting the Book of Jonah by heart. When I first remember her she was living in Tŷ Rhodd, Waun-fawr. I went there to stay with her for a week when I was six. Soon after that she moved to live in Tŷ'n Gadlas, Dinorwig, and that was where she and her husband lived for the rest of their lives. A cousin of hers had lived in Tŷ Gadlan before her.

Apart from one great loss in her youth, she had a quiet life. She had given up her place in Manchester to come home to get married, but her fiancé died suddenly. Later she married the son of Tŷ Rhodd, Griffith Williams, who had been brought up by his grandmother on a little smallholding, and who kept all his grandmother's furniture, the two-tiered cupboard, dresser and so on, after she died. They never had children, but she brought up the daughter of one of her sisters who died young and whose husband died within a year. She did a great deal of public work in her community in the neighbourhood of Dinorwig. She was a member of the board of governors of the school, and such things, and one of her last public acts was to second the vote of thanks to Dr W. J. Gruffydd at a celebration in Dinorwig at the end of 1945, when she was 87 years old. I remember her questioning the children at a singing festival in Llanberis in 1914, and doing so very skilfully. She was always in her element at a sale of work at the chapel, all fuss and bustle. Actually, her way of bustling about such things was a great source of amusement to Mam, whose public work was all done in her house, as I have said. My aunt took a class of children at Sunday school until the end of her life, and threw a tea party for them in her house every year.

I suppose I would not speak of her for the things mentioned above, because there is nothing special about them. I speak of her because she had a gift for writing letters. I came across

dros ei phedwar ugain pan ysgrifennai rai o'r rhai hyn. Byddwn yn dotio at ei dawn a'i synnwyr digrifwch. 'Gobeithio,' meddai hi yn un llythyr, 'dy fod chdi wedi cyrraedd gartra'n saff, heb i neb ypsetio dy datws di.' Y stori y tu ôl i'r dywediad yna oedd fod Mam wedi cael cydaid o datws ganddi y tro cyn y tro y cyfeiriai ato yn ei llythyr, ac wedi ei roi ar lawr y bws, a bod rhyw fachgen trwsgl wedi dyfod heibio a rhoi cic i'r bag, nes oedd y tatws yn sgrialu dros y bws. Y gwaethaf oedd na ddarfu i'r bachgen gynnig hel y tatws nac ymddiheuro, ac am hynny mi gafodd ei chlywed hi'n iawn gan Mam. Aeth Mam i Dŷ'n Gadlas wedyn a chael cydaid o datws, a llythyr ar ôl iddi fod yr ail dro oedd y llythyr hwn.

Ond at lythyr arall y dymunwn gyfeirio, y llythyr olaf a gefais ganddi, a hynny ddydd Calan 1946, yn dymuno Blwyddyn Newydd Dda i'm priod a minnau. Ychydig a feddyliai hi na minnau y dydd y derbyniais ef mai dyna fyddai'r wythnos galan dduaf yn fy hanes i. Anfonaswn lun o Mam iddi erbyn y Nadolig, ac ateb i hwnnw oedd y llythyr. Rhof ef yma fel yr ysgrifennodd hi ef. Nid oes ddyddiad wrtho, ond gwn yn iawn mai dydd Calan 1946 y derbyniais ef:

Tyngadlas,
Dinorwig,
Dydd Llun.

Annwyl Kate,
Diolch yn fawr i chwi am lun Catrin, ar llythyr. Mae hi yn edrych yn dda yn ei barclod gwyn at ei thraed, daeth hiraeth ar fy nghalon am dani.
Dyma y diwrnod cyntaf i mi fod fy hunnan ers 6 wythnos, bum yn bur sal Dr. yma bob dydd am 7 diwrnod; i wneyd pethau yn waeth mi ges *neuritis* yn fy mhen. Yr wyf yn methu sgwenu, yn crynu fel ciw mewn dwrn. – Bu Eliza yma dros y Nadolig dod a mund yn ol mewn *private motor* yn sal yn ei gwely yr holl amser.
Mae hi yn bur wael beth bynnag. – Rhaid rhoi gore gan

some of her letters to Mam after Mam died. Remember that she was over eighty when she wrote some of them. I was dazzled by her skill and sense of humour. 'I hope,' said she in one letter, 'that you arrive home safely without anyone upsetting your potatoes.' The story behind this statement is that Mam had a bag of potatoes from her sometime before the day referred to in the letter, and had put them on the floor of the bus, and a clumsy boy had come past and given the bag a kick and the potatoes had scattered across the bus. The worst of it was that the boy did not apologise or offer to pick up the potatoes, and for that he got an earful from Mam. Mam visited Tŷ'n Gadlas again and was given a bag of potatoes, and this was the letter written after the second visit.

But it is another letter I wish to mention, the last letter I ever had from her, on New Year's Day 1946, wishing me and my husband a Happy New Year. Little did she or I know that the day I received it would be the darkest New Year week of my life story. I had sent her a picture of Mam for Christmas, and this was her letter in response. I quote it as she wrote it. There is no date, but I know well that I received it on New Year's Day 1946:

Tyngadlas
Dinorwig
Dydd Llun.

Dear Kate,
    Thank you very much for the picture of Catrin, and the letter. She looks good with her white apron to her feet, a longing to see her came over my heart.
    This is the first day that I feel back to my old self again for six weeks. I have been quite ill the Doctor here every day for seven days; to make things worse I had neuritis in my head. I can't write, shaking like a chicken in a fist. – Eliza was here over Christmas coming and going in a private motor sick in her bed the whole time.
    She is quite ill anyway. – I must stop by wishing you both

ddymuno i chwi'ch dau Flwyddyn Newydd da ym mhob ystyr. A cofion gorau attoch, hyn yn fyr a bler iawn.

Oddi wrth eich
Modryb Margiad.

Tro cyntaf i mi drio ysgrifennu ers amser maith.

Nid yw hwn yna yn llythyr sâl gan ddynes yn tynnu am ei 88 mlwydd oed ac wedi bod yn sâl. Bu farw cyn cyrraedd ei phen blwydd. Yr wyf yn hoffi ei ddisgrifiad o'r 'barclod gwyn at ei thraed'. Ond y peth a hoffaf ynddo yw'r gymhariaeth, 'Yn crynu fel cyw mewn dwrn'. Swnia fel dywediad yn perthyn i ardal, ond nis clywais erioed. Os hi ei hun a'i lluniodd, mae'n un o'r cymariaethau gorau a glywais erioed.

Ac eithrio'r perthnasau a oedd yn byw yn Rhosgadfan a Rhostryfan byddwn i yn mynd yn amlach i dŷ fy modryb Lusa i'r Waun-fawr nag i dŷ neb arall o'm perthnasau, am y rheswm ei bod yn byw yn nes na'r rhai eraill a oedd y tu allan i'n hardal ni, a hefyd am fy mod gymaint ffrindiau â'i merch, Katie. Y tro cyntaf imi weld fy nghyfnither oedd pan oedd hi yn wythnos oed a minnau'n chwech. Y fi ar fy ffordd i Dŷ Rhodd, yntau yn y Waun-fawr, i aros wythnos gyda'm modryb Margiad. Cefais ddal y babi am eiliad yn fy mreichiau. Yr oedd fy modryb Lusa a'i gŵr yn byw mewn fferm o'r enw 'Rala, y gŵr yn gweithio yn chwarel Llanberis, yn aros yn y barics ac yn dyfod adref ddwywaith yn yr wythnos. Credwn nad oedd le difyrrach mewn bod na 'Rala. Ni chyffyrddai â'r ffordd yn unman, dim ond llwybrau i fyned ati. Yr oedd digon o amser i bob dim yno, ni frysiai fy modryb byth. Pan gyrhaeddech (heb hysbysu eich bod yn dyfod) fe gaech weithiau y drws yn agored, a phob man yn ddistaw, y tân wedi mynd yn reit isel yn y grât. Gweiddi 'Hoi' dros bob man, a thoc fe ddeuai fy modryb o rywle, a phowlen yn ei llaw a'i llond o fwyar duon, a golwg fodlon braf arni. 'Mae hi'n braf hyd y caeau yna,' meddai, ac yn wir, yr oedd awel iach y caeau yn fwy peth iddi hi na'r mwyar duon. Wedyn, rhuthro i'r tŷ, ebychu

a very good New Year in every way. And best wishes to you, this is very brief and untidy.

From your
Aunt Margiad

The first time I've tried to write for a long time.

This is not a bad letter for a woman approaching 88 and who had been ill. She died before reaching her birthday. I like her description of the 'white apron to her feet'. But what I really like is the simile, 'shaking like a chick in a fist'. It sounds like a local saying, but I never heard it before. If she made it up, it is one of the best similes I have heard.

Apart from relations who lived in Rhostryfan I went most often to the house of my aunt Lusa in Waun-fawr than to any of my other relatives' houses, because she lived closer than the others who were outside our neighbourhood, and also because I was great friends with her daughter, Katie. The first time I saw my cousin was when she was a week old and I was six. I was on my way to Tŷ Rhodd, also in Waun-fawr, to stay for a week with my aunt Margiad. I was allowed to hold the baby in my arms for a second. My aunt Lusa and her husband lived in a farm called 'Rala. Her husband worked in Llanberis quarry, staying in the barracks and coming home twice a week. I thought there was no more agreeable place than 'Rala. It was off the beaten track, only paths led to it. There was enough time for everything there, my aunt never in a rush. When you arrived (without forewarning that you were coming) you would sometimes find the door open, everywhere quiet, the fire burnt low in the grate. You'd shout 'Hoy' loudly, and in a while my aunt would appear from nowhere, with a bowl of blackberries in her hands, and a contented look about her. 'It's lovely in the fields,' she would say, and in truth the fresh air of the fields meant more to her than the blackberries. Then, hurrying into the house,

wrth ben y tân marwaidd, a dechrau hwylio bwyd. Byddech yn lwcus os caech damaid o dan awr, oblegid byddai fy modryb yn sefyll bob hyn a hyn i gael sgwrs, a newyddion, a chwerthin yn braf. Ni ddysgasom ni erioed y wers o gadw'r newyddion tan y diwedd, er mwyn inni gael te yn gynt. Ond byddai Mam yn fwy plaen ei thafod. Os hi fyddai ar ymweliad â 'Rala, byddai hi wedi dweud gryn hanner dwsin o weithiau, 'Brysia, wir, Beti, rydw i dest â llwgu wedi cerddad dros y mynydd yna.' Ond pan ddeuai'r te o'r diwedd, byddai'n werth chweil. Torth fawr gan fy modryb ar y bwrdd mawr wrth y ffenestr, a llond dysgl o fenyn caled, nobl, twca mawr, y dorth ar ei brest, a hithau'n gyrru'r twca ar hyd y dorth ag un symudiad ysgubol i gyfeiriad ei hysgwydd, nid rhyw hic-hacio fel a welwn yn awr. Byddai ganddi fara brith bob amser, gan y byddai'n crasu peth i'm hewythr fynd gydag ef i farics y chwarel. A lot o sgrams eraill a gaem, a siarad a chwerthin. Wedyn, byddai'n bryd dechrau swnian am gychwyn adref. O, na, yr oedd yn ddigon buan, 'Mi ddown ni i'ch danfon chi ar ôl godro,' meddai fy modryb a'm cyfnither. Wel, doedd dim i'w wneud ond aros, a cheisio gweithredu amynedd. Erbyn cael swper, byddai wedi deg, ac eisiau croesi'r mynydd. Mynd wedyn, heb arwydd brys ar neb, a stopio bob hyn a hyn i roddi pwyslais ar sgwrs. Cofiaf un tro i'm cyfnither yn unig ddyfod i'm danfon, ar noson olau leuad ym mis Medi. Wedi cyrraedd canol yr allt yn Alltgoed Mawr, eisteddasom ar ymyl y dorlan, yr oedd hi sbel wedi deg. Daeth rhyw chwarelwr heibio efo'i gi, 'Noson braf, genod,' meddai, a dyna'r cwbl. Dechreuasom ninnau chwerthin, nes bron fynd i sterics o chwerthin am ddim, ond bod y dyn wedi dweud y gair 'braf' mewn rhyw dôn ryfedd, a'i ymestyn rywbeth tebyg i hyn, 'br-a-a-a-f'. Yr oedd gennyf fi waith hanner awr o gerdded wedyn ar hyd y Lôn Wen unig, a byddai'n rhaid i Kate fynd drwy bant tywyll y Cyrnant a'i goed cyn cyrraedd y lôn bost. Ond yr oeddem yn ifanc, ac yr oedd golygfeydd godidog o'n cwmpas ymhobman.

Cofiaf aros dros nos unwaith yn y 'Rala, fel y gwnawn yn aml, a'r bore hwn, siarsiodd Kate fi nad oeddwn i godi yn rhy fore, ac y deuai hi i alw arnaf. Gwyddwn fod gan fy

exclaiming over the dying fire, and starting to get a meal ready. You would be lucky to get a bite in under an hour, because my aunt stood still every now and then to have a chat, to share news, and to laugh warmly. We never learned to keep the news till later so that we could have tea sooner. But Mam would be more outspoken. If she were on a visit to 'Rala, she would have said at least half a dozen times, 'Hurry up, Beti, I'm almost starving after walking over that mountain.' But when at last the tea came it was good. A large loaf beside my aunt on the big table by the window and a dish of firm, fine butter, a big knife, the loaf against her breast, and she sending the knife in one sweeping motion towards her shoulder, no sawing it as we see today. She always had *bara brith*, as she baked some for my uncle to take with him to the quarry barracks. We had lots more good food, and talk and laughter. Then it was time to think about going home. Oh, no, it was still early, 'We'll see you on your way after milking,' said my aunt and my cousin. There was nothing for it but to stay, and try to be patient. By the time we had supper it would be after ten, and we had to cross the mountain. Then leaving, with no sign of haste, pausing every now and then to stress a point in the conversation. I remember once that my cousin came on her own to escort me, one moonlit night in September. Halfway up the slope of Alltgoed Mawr we sat down at the edge of the bank, and it was a little after ten. A quarryman came by with his dog. 'A fine night girls,' he said, and that was all. We started laughing until we were almost hysterical and laughing about nothing, except that the man had said 'fine' in an odd way, drawling it something like this, 'f-i-i-i-ne'. I still had a half-hour walk along the lonely Lôn Wen, and Katie had to go down the dark hollow of the Cyrnant and its woods before reaching the lane. But we were young, and there were wonderful views all around us.

I remember once staying overnight in the 'Rala, as I often did, and on that morning Katie warned me not to get up too early, and that she would come and call me. I knew my aunt

modryb waith mawr tua'r beudai, ond ni ddeallwn y pwyslais ar aros yn hir yn fy ngwely. Disgwyl a disgwyl am oriau debygwn i. O'r diwedd, blino a chodi. Yr oedd pob man yn ddistaw pan ddisgynnwn i lawr y grisiau. Agorais ddrws y gegin yn araf, ac er fy mawr syndod yr oedd dyn yn eistedd yn y gadair wrth y tân, mewn hen ddillad reit flêr, a'i law dan ei ben yn edrych i'r tân. Ochr ei ben oedd ataf fi, ac oddi wrth ei osgo yr oedd golwg ddigalon arno. Sefais yn stond, yn methu gwybod beth i'w wneud, gan y gwyddwn nad oedd dyn i fod o gwmpas y tŷ; yr oedd fy ewythr yn ddigon pell yn y chwarel. Sefais felly yn y lobi am funudau. Toc, dyma'r dyn yn dechrau gwegian dros ei holl gorff fel petai'n crio, ond canfûm mewn eiliad mai chwerthin yr oedd, a'r pryd hwnnw y gwawriodd arnaf mai fy modryb oedd y dyn, wedi gwisgo hen ddillad i'm hewythr. Yr oedd yna gynllwyn rhwng y ddwy i'm dychryn i ar yr awr fore honno o'r dydd. Fel yna, er y gweithio caled yn y 'Rala, yr oedd amser hefyd i chwarae drama ar ganol gwaith. Cafodd y tri flynyddoedd fel yna o fywyd di-dramgwydd a diffwdan. Ond daeth terfyn arno yn hollol sydyn. Cafodd fy ewythr, a oedd yn ddyn mawr, cryf, iach, ddamwain fechan i'w arddwrn. Troes yn salwch blin. Cafodd Katie y clefyd cwsg, a hithau'n athrawes yn Lerpwl. Hithau'n eneth fawr, gref. Bu'r ddau farw o fewn tri mis i'w gilydd yn haf 1926, Katie yn 29 a'i thad yn 58. Gwerthwyd y 'Rala, ac aeth fy modryb i fyw i dŷ yng nghanol rhes ar fin y ffordd. Priodais innau yn o fuan wedyn, ac nid ymwelwn â'r Gogledd cyn amled, a dim ond weithiau y gwelwn fy modryb. Yr oedd yr hen hoen wedi mynd, er iddi fyw dros ugain mlynedd wedyn. Am wn i mai dim ond mewn un peth yr oedd fy nghyfnither a minnau'n debyg, a hynny oedd yn ein cariad at ein bro enedigol, ond yr oeddem yn gyfeillion o dan y cwbl. Geneth nobl, drymp oedd hi, ac nid oedd bywyd tref yn gydnaws iddi o gwbl.

Temtir fi i sgrifennu am berthynas arall i mi, oherwydd iddo gael antur neilltuol yn ei fywyd digyffro, hen lancyddol. Yn ei ddyddiau olaf y cofiaf fi ef pan oedd yn byw ym Methel, Sir Gaernarfon, ar ei ben ei hun, neu mewn llety. Richard Jones oedd ei enw, ac ni chofiaf pa un ai

had a lot of work in the cowsheds, but I didn't understand the emphasis on staying longer in bed. I waited and waited for what seemed like hours. At last, tired of it, I got up. Everything was quiet when I went downstairs. I opened the kitchen door slowly, and to my surprise there was a man sitting in a chair by the fire, dressed rather untidily, his hand under his head, looking into the fire. The side of his head was towards me, and from his bearing he appeared to be sad. I stood still, not knowing what to do, because I knew there wasn't supposed to be a man around the house, as my uncle was far enough away in the quarry. I stood like this in the hall for minutes. Then, the man's whole body began to rock as if he were crying, but in a moment I knew he was laughing, and then it dawned on me that the man was my aunt, wearing my uncle's old clothes. There had been a plot between the two of them to give me a fright at that early hour of the day. Just so, in spite of the hard work at the 'Rala, there was always time to play-act in the midst of work. The three of them had years like this of uneventful and untroubled life. But it came to an end very suddenly. My uncle, who was a big, strong man, had a minor accident to his wrist. It developed into a nasty illness. Katie, a teacher in Liverpool, got sleeping sickness. She was a big girl, and strong. They both died within three months of each other in the summer of 1926, Katie at 29, and her father 58. Y 'Rala was sold, and my aunt went to live in a mid-terrace house on the roadside. I was married soon after that and did not visit the North as often, and only occasionally saw my aunt. The old vitality had gone, though she lived another twenty years. I suppose my cousin and I had only one thing in common, and that was our love for the region of our birth, but under it all we were friends. She was a fine, true girl, and town life did not suit her at all.

I am tempted to write about another of my relatives, because he had one extraordinary adventure in his quiet, bachelor life. I remember him in his last days when he lived in Bethel, Caernarfonshire, alone or in lodgings. Richard Jones was his name, and I don't remember if he was one of Taid

cefnder i taid Pantcelyn ai cefnder i Mam ydoedd. Yr oedd
yn hynod debyg i'm taid, ond ei fod o bryd tywyll. Collodd
ei fam pan oedd yn fachgen, ac ailbriododd ei dad pan oedd
ef yn bymtheg oed. Aeth yntau i ffwrdd i weithio, i un o
chwareli Ffestiniog. Ond ni bu yno yn hir. Aeth i'r Taleithiau
Unedig. Oherwydd ei fynych grwydriadau, galwai Mam a'i
chwiorydd ef yn 'Dic Trên'. Digwyddai fod yno adeg rhyfel
y De a'r Gogledd. Fe'i presiwyd ef ac un arall i'r fyddin.
Wrth fynd â'r ddau i ba le bynnag yr oeddent i fod i fynd,
trodd y swyddog gyda hwynt i westy ar y ffordd i gael
bwyd. Aeth Richard Jones i'r cefn. Gwelodd wal uchel yn y
fan honno. Dringodd hi ac i lawr yr ochr arall, a ffwrdd â fo
nerth traed ar draws milltiroedd o wlad ddigon anial.
Cyrhaeddodd goedwig yn y diwedd, heb fod ymhell o'r
môr. Rhywsut daeth i gysylltiad â physgotwr a'i wraig a
oedd yn byw wrth y môr mewn lle unig. Byddent hwy yn
myned â bwyd iddo i'r goedwig bob dydd. Ni wn am faint y
parhaodd hyn, ond y diwedd fu i'r pysgotwr lwyddo i gael
rhywun neu iddo ef ei hun fyned â Richard Jones mewn
cwch neu long fechan i gyfarfod â llong a oedd ar y ffordd i
Brydain, ac felly y llwyddodd i ddianc o'r Unol Daleithiau.
Dyna'r stori a glywais gan fy mam. Ni wn beth y bu'n ei
wneud ar ôl cyrraedd Prydain. Ond gwerthu te yr oedd, yn
hen ŵr, pan gofiaf fi ef. Yr oedd yn hynod ddestlus yn ei
wisg, ac yn bur ail i'w le yn ei ymarweddiad.

Clywais Mam yn sôn am lawer eraill o'i theulu, a oedd yn
byw yn ymyl, ond nid yw'r ffeithiau yn ddigon byw yn fy
nghof imi groniclo eu hanes. Yr oedd chwaer Nain, Nain
Isander, yn byw yn y Pant Coch, yn ymyl, ac yno y maged
Isander, oherwydd i'w fam farw pan oedd ef yn blentyn
ifanc. Byddai ef a brodyr ieuengaf fy mam yn ffrindiau
mawr, ac Isander (Lewis Roger y pryd hynny) yn byw a bod
yn nhŷ ei fodryb ym Mhantcelyn, ac yn begio sgrams
ganddi. A chriw o rai drwg iawn oedd y criw yma. O'u
hachos hwy bu'n rhaid i'm nain fyned o flaen 'y sgŵl bôrd',
fel y gelwid y bwrdd llywodraethwyr. Wedi cwffio efo'r
ysgolfeistr yr oedd Isander a dau o'm hewythrod. Yng
nghanol yr ysgarmes pwy a ddigwyddai fyned heibio yn ei
drol efo blawd o stesion y lein bach yn Rhostryfan, ond hen

Pantcelyn's cousins, or one of my mother's cousins. He was very like my grandfather, except that he was dark. He lost his mother when he was a boy, and his father remarried when he was fifteen. He went away to work, to one of the quarries in Ffestiniog. But he wasn't there long. He went to the United States. Because of his many wanderings Mam and her sisters called him 'Dic Train'. He happened to be in America at the time of the Civil War. He and another were pressed into joining the army. While taking them both to wherever they had to go, the officer stopped at a roadside hotel to eat. Richard Jones walked round to the back. There he saw a high wall. He climbed it and down the other side, and off he went as fast as his feet would carry him across miles of rough country. At last he reached a forest not far from the sea. Somehow he came across a fisherman and his wife who lived in a lonely place by the sea. They would take food to him in the forest every day. I don't know how long this went on, but in the end either the fisherman himself or someone else he got took Richard Jones in a small boat to meet a ship that was on its way to Britain, and that was how he managed to escape from the United States. That was the story I heard from my mother. I don't know what he did after arriving in Britain, but as an old man, when I remember him, he sold tea. He was very neat in his dress, and upright in his conduct.

I heard Mam speak of many others in her family living nearby, but the facts are not vivid enough in my memory for me to chronicle their history. Nain's sister, Isander's grandmother, lived close by in Pant Coch, and it was there that Isander was raised, as his mother had died when he was a young child. He and my mother's youngest brothers were great friends, and Isander (Lewis Roger at that time) was always at Pantcelyn, his aunt's house, begging meals from her. They were a gang of bad ones, that crew. It was because of them that Nain had to appear before the school board, as the board of governors was known. Isander and two of my uncles had come to blows with the schoolmaster. In the middle of this scuffle, who should happen to go past in his cart with flour from the station on the little Rhostryfan rail line but the

ŵr Pant Coch. Rhedodd rhywun ato i ddweud fod Lewis Roger yn cael ei ladd. Aeth yntau i'r ysgol a rhoddi pen ar y terfysg, ac, yn anuniongyrchol, pen ar addysg y tri hefyd. Yr oedd y Parch. Gwynedd Roberts, gweinidog y Methodistiaid, ar y Sgŵl Bôrd, dyn tipyn yn ddeddfol, a chredaf iddo wneud i Nain deimlo ei fod yn beth digon amharchus mynd o flaen y cyfryw lys. Ond fe ddadleuodd hi achos y bechgyn yn bur ddeheuig mi wranta, ac yn gryfach dros Lewis Roger na'i phlant ei hun, gan mai plentyn amddifad ydoedd.

Yr oedd gennyf gefnder, Huw, tipyn hŷn na mi a fagwyd gan fy nhaid a'm nain ym Mryn Ffynnon. Edrychai teulu fy nhad arno fel eu brawd ieuengaf. Gweithiai yn y chwarel, a phan oedd oddeutu deunaw oed dechreuodd gwyno gan boen yn ei ochr. Ni allai'r meddyg weld bod dim o'i le arno: bu felly am rai blynyddoedd. Rhywdro tua 1906, pan fu'n rhaid i'm nain roi'r gorau i'w thŷ oherwydd ei golwg, cafodd Huw waith mewn chwarel arall ac aeth i letya at ei ewythr. Cafodd lid yr ysgyfaint yno, ac oherwydd i'r meddyg (un arall erbyn hyn) amau bod rhyw ddrwg arall yn bod, aed ag ef i'r ysbyty, a darganfuwyd yno beth oedd achos y boen a'i blinasai ers blynyddoedd. Wedi'r salwch hwn – yr oedd tuag un ar hugain oed ar y pryd – nid aeth i'r chwarel byth mwy, datblygodd y drwg yn ddarfodedigaeth a bu'n nychu am bum mlynedd. Daeth yn ôl i Rosgadfan i aros gyda'm brawd. Nid oedd ysbytyau diciâu yng Nghymru y pryd hynny, a bu am gyfnod mewn ysbyty felly yn Folkestone. Daeth dipyn yn well yno a dychwelodd at fy mrawd, ond mynnai gael cysgu allan mewn cwt pren pwrpasol.

Yn ystod yr amser yma dechreuodd gymryd diddordeb mewn llenyddiaeth, dysgodd y cynganeddion a dechreuodd farddoni yn y mesurau rhydd. Darllenai lawer yn Gymraeg a Saesneg. Mae ei waith gennyf, a hawdd gweld fod dylanwad Eifion Wyn a Silyn Roberts yn drwm arno. Telynegion serch siwgraidd a meddal yw llawer o'i delynegion, pethau dychymyg amherthnasol ac nid pethau profiad; nid ydynt yn salach na'r telynegion a sgrifennid y pryd hynny gan feirdd yng nghyfnod eu llencyndod. Ond mae ganddo un delyneg sy'n well na'r lleill am ei bod, mi gredaf, yn ffrwyth

old man from Pant Coch. Somebody ran to him to say that Lewis Roger was being killed. He went to the school and put a stop to the trouble, and also, indirectly, to the education of the three boys. The Reverend Gwynedd Roberts, Methodist minister, was on the school board, a rather dictatorial man, and I believe that he made Nain feel that it was a disgrace to appear before this court. But I am sure she made the boys' case skilfully, and more strongly for Lewis Roger than for her own children, because he was an orphan.

I had a cousin, Huw, quite a bit older than I, who was raised by my grandfather and grandmother in Bryn Ffynnon. My father's family looked on him as a younger brother. He worked in the quarry, and when he was about eighteen years old he began to complain of a pain in his side. The doctor could not see anything wrong with him: he was like that for years. Some time around 1906, when his grandmother had to give up her house because of her eyesight, Huw got work in another quarry and went to lodge with his uncle. There he caught pneumonia, and because the doctor (a different one), suspected that there was something else wrong, he was sent to hospital and there they discovered what had been the cause of the pain he had suffered for years. After this illness – he was about twenty one at the time – he never returned to the quarry, the illness developed into tuberculosis, and he languished for five years. There were no TB hospitals in Wales at the time, and for a while he was in such a hospital in Folkestone. He improved a little there, and returned to my brother, but he insisted on sleeping in a specially built wooden cabin.

During this time he began to take an interest in literature, he mastered the '*cynghanedd*', and began writing poetry in free verse. He read widely in Welsh and English. I have his work, and it is easy to see that he was heavily influenced by Eifion Wyn and Silyn Roberts. Many of his verses are sugary-sweet love lyrics, things of irrelevant imaginings and not personal experience, but no worse than the lyrics written at that time by poets in their youth. However, he has one lyric which is better than the others because it is, I believe, the fruit of

profiad. 'Gweled' yw ei thestun a sôn amdano'i hun yn edrych drwy'r ffenestr y mae, ac yn gweled storm hydref yn gyrru'r dail ar encil, a chymhara ef ei hun i'r ddeilen yn mynd ar encil. A dyma'r pennill olaf:

> Ond deuthum yn ôl,
>   Ces dymestl flin;
> Gwn innau rywbeth
>   Am decach hin.
> Ar droeon y daith
>   Caf edrych yn hy,
> A gweled y cyfan
>   O ffenestr y Tŷ.

I mi, mae mwy o'r llenor ynddo yn ei lythyrau a sgrifennai inni o Folkestone, megis yr un lle y dywedai ei fod yn yr ysbyty yn clywed sŵn traed Mam yn clocsio hyd gowrt Cae'r Gors. Yr oedd ganddo synnwyr digrifwch cynnil. Wedi iddo ddychwelyd o Folkestone i dŷ fy mrawd, deuai i'n tŷ ni bob dydd bron i gael te a swper chwarel, a byddai Nhad yn mynd i'w ddanfon adref tuag wyth o'r gloch. Ambell ddiwrnod byddai'n ddigalon iawn, a pha ryfedd, a cheisiai Mam wneud popeth i godi ei galon. Ar un o'r dyddiau tywyll hynny, dywedodd wrth Huw, er mwyn codi ei galon, ei bod am gymryd arni mynd o'i cho a rhedeg fel peth gwyllt o gwmpas y caeau a oedd tu cefn i'r tŷ. Yr oedd y caeau hyn yn wynebu'r capel, y siop a'r rhes tai a oedd yn ganolfan i'r pentref, ac yng ngolwg pwy bynnag a safai yn y fan honno. Felly, ni byddai'n waeth i Mam wneud ei champau lloerig ar Faes Caernarfon mwy nag ar y caeau hynny ddim, gan mor gyhoeddus oeddynt. Gwenodd Huw'n ddifrifol gynnil, a meddai, 'Beth fasa Evan Griffith y Siop yn 'i ddeud?' Un o berchenogion y siop oedd Evan Griffith, a blaenor yn ein capel ni. Mam a chwarddodd fwyaf, oherwydd i Huw weled golwg ddigrifach i'r peth nag a welsai hi.

Wrth feddwl am salwch Huw, byddaf yn meddwl peth mor ddianghenraid oedd ei farw cynnar. Heddiw, fe ddarganfuasid y drwg yn fuan iawn, a gallesid ei wella.

experience. 'Seeing' is the title, and he talks of himself looking through a window, and seeing an autumn storm driving the leaves to retreat and comparing himself to an autumn leaf. And here is the last verse:

> But I came back,
>   I had a bitter storm;
> I know something too
>   Of finer weather.
> On the journey's turnings
>   I can look boldly,
> And see it all
>   From the window of the House.

To me there is more of the literary writer in him in the letters he wrote to us from Folkestone, such as in the one where he says that he is in the hospital hearing the sound of Mam's feet 'clogging' across the yard at Cae'r Gors. He had a subtle sense of humour. When he had returned from Folkestone to my brother's house, he came to our house almost every day to have tea and quarry supper, and Dad would go to see him home at about eight o'clock. Some days he would be very sad, not surprisingly, and Mam did everything to raise his spirits. On one of those dark days, she said to Huw, to cheer him up, that she was going to pretend to be mad and run like a wild thing around the fields behind the house. These fields faced the chapel, the shop and a row of houses that were in the middle of the village, and in full view of everybody standing there. So, Mam might as well have performed her antics on the Maes in Caernarfon as in those fields, as they were so public. Huw smiled rather solemnly, and said, 'What would Evan Griffith the shop say?' Evan Griffith was one of the owners of the shop and a deacon in our chapel. It was my mother who laughed most, because Huw had seen a funnier side of it than she had.

Thinking of Huw's illness, I realise how unnecessary his early death was. Today the illness would have been caught and cured. I felt a great sense of loss at losing him. We used to

Teimlais chwithdod mawr o'i golli. Byddem yn ysgrifennu cryn dipyn at ein gilydd, a minnau mae'n debyg yn sôn am y cwrs Cymraeg yn y coleg. Pan awn i'w weld yn y gwyliau, byddai wrth ei fodd yn sgwrsio am y pethau a astudiwn. Dangosai mynegiant ei lygaid i mi y dylai yntau gael yr un manteision. Gwn y gwnaethai lawn cystal defnydd ohonynt â minnau.

write to each other quite often, and I, I suppose, talking about the Welsh course at college. When I went to see him in the holidays, he loved talking about the things I was studying. The look in his eyes told me that he ought to have had the same advantages. I know he would easily have made as good a use of them as I.

XI

Hen Gymeriad

Rhaid imi roi pennod gyfan, fer i un cymeriad: ni allaf ei haddasu i unman arall. Ond ymddiheuraf am sôn am y cymeriad yma, oblegid mae fy nghof am ei hanes a'i chysylltiadau â'n tŷ ni yn un o'r pethau cliriaf yn fy mywyd ac yn dangos rhyw reddf a oedd ynof er pan oeddwn blentyn i fwynhau storïau, heb fod ynddynt ddim byd anturus. Storïau antur sy'n apelio fwyaf at blant. Apeliant ataf finnau, ond wrth edrych yn ôl, cofiaf y pleser a gefais oddi wrth y storïau tawel di-stŵr yn ogystal.

Mary Williams oedd enw'r hen wraig y cyfeiriaf ati, eithr Mari Lewis y gelwid hi gan bawb bron, gan mai Lewis Williams oedd enw ei gŵr. Nid oedd yn hen ychwaith, eithr yr oedd golwg hen arni, gan i'w gwallt wynnu yn gynnar, a cherddai hithau dipyn yn ei chwman. Nid wyf yn sicr pa un ai 68 ai 58 oedd pan fu farw; eithr edrychai'n hŷn na'r ddau oed. Daeth i fyw i Rosgadfan o'r Waun-fawr cyn imi gofio. Yr oedd gyda ni yn mudo o Fryn Gwyrfai, y tŷ lle y ganed fi, i Gae'r Gors, tyddyn lle y buom yn byw am chwe blynedd ar hugain. O hynny hyd ei salwch olaf, byddai Mary Williams yn dyfod i lawr i Gae'r Gors lawer gwaith mewn wythnos, weithiau bob dydd ac eithrio'r Sul.

Yn yr Alltgoed Mawr yr oedd ei hen gartref; yr oedd yn ferch i Hugh Jones, Pen 'Rallt, blaenor gyda'r Methodistiaid yn y Waun-fawr, ac un o'r rhai a sefydlodd yr achos bychan yn Alltgoed Mawr. Ceir cofnodiad o hyn yn *Hanes Methodistiaeth Arfon* gan y Parch. William Hobley. Mae nifer o blasau yn yr ardaloedd hyn, un ohonynt yw Plas Glyn Afon, a Saeson a oedd yn byw yno pan oedd Mary Williams yn blentyn neu'n ferch ifanc. Yno yr aeth hi i weini, ac oherwydd hynny yr oedd yn medru ychydig Saesneg, peth anghyffredin yn yr amser hwnnw. Y mae fferm ger Plas Glyn Afon o'r enw 'Y Cyrnant', fferm go fawr, ac yno y daeth Lewis Williams, o gyffiniau Llanrwst, yn was. Yn ôl pob dim a glywais, yr oedd ef yn ddyn golygus, deniadol yr

XI

An Old Character

I must devote one whole short chapter to one character: I cannot adapt it to fit anywhere else. But I make no apology for talking about this person, because my memory of her history and her connection with our house is one of the clearest things in my life, and it shows that there was an instinctive love of stories in me since my childhood, even without any adventure in them. Adventure stories appeal to most children. They appealed to me too, but looking back, I remember the pleasure I had from quite undramatic stories too.

Mary Williams was the name of the old woman I am referring to, or Mari Lewis as she was called by almost everyone, as her husband was Lewis Williams. She was not old actually, though she looked old as her hair went white early, and she walked with a bit of a stoop. I am not sure if she was 68 or 58 when she died but she looked older than either age. She came to live in Rhosgadfan from Waun-fawr before I remember. She was with us when we moved from Bryn Gwyrfai, the house where I was born, to Cae'r Gors where we lived for twenty-six years. From then until her last illness, Mary Williams would come to Cae'r Gors many times a week, sometimes every day except Sunday.

Her old home was Alltgoed Mawr; she was the daughter of Hugh Jones, Penrallt, a deacon with the Methodists in Waun-fawr, and one of those who founded the small movement in Alltgoed Mawr. There is mention of this in *A History of Methodism in Arfon* by the Reverend William Hobley. There are several mansions in the neighbourhood, one of them Plas Glyn Afon, and English people lived there when Mary Williams was a child or young woman. It was there that she went into service, and therefore she could speak a little English, which was unusual in those days. There is a farm near Plas Glyn Afon called 'Y Cyrnant', quite a big farm, and it was there that Lewis Williams came as a servant, from near Llanrwst. According to what I heard tell, he was a handsome

olwg, a hudolus ei barabl. Yn ôl yr hyn a glywais hefyd, nid oedd Mary Williams yn olygus, ond gwisgai'n grand. Yn wir, llawer iawn a glywsom ni am ei dillad ganddi hi ei hun. Yr oedd ganddi siwt liw hufen unwaith, a het i gyd-fynd â hi, a phluen estrys hanner piws a hanner melyn ar yr het. Dywedodd wrthym i bobl capel y Waun stopio canu i edrych arni pan gerddodd i mewn i'r capel yn y siwt hon. Modd bynnag, syrthiodd hi a Lewsyn (fel y galwai hi ef) mewn cariad a phriodasant. Ganed iddynt un bachgen, Huw, a fu farw yn bedair oed. Dywedai fod Huw bach yn rhy hen ffasiwn i fyw, gan mor henaidd ei gwestiynau a'i arferion. Un peth a wnâi o hyd, fyddai gorwedd yn yr ardd a mesur ei fedd ei hun.

Daeth gwaeth trallodion iddi na cholli ei phlentyn. Âi ei gŵr ar ei sbri weithiau, nid yn aml, oblegid gan ba was ffarm yr oedd arian i fynd ar ei sbri y pryd hynny? Adeg pen-tymor efallai. Un tro, ar un o'r sbriau hyn, fe droes Lewis Williams i un o'r ffermydd yn agos i'r Cyrnant, a chymryd wats oddi yno. Actio tipyn o'r ffŵl a wnaeth yn ei ddiod. Heddiw, mae'n debyg y daethai'n rhydd gyda cherydd. Eithr fe'i hanfonwyd i garchar. Byddai Mary Williams yn dweud hanes y praw wrthym; yr oedd hi yno, ac yn dal yn bur dda, hyd oni welodd ei ben yn diflannu o'r golwg pan âi i lawr y grisiau o'r llys i'r gell. Cafodd hi wasgfa y pryd hynny. Yr oedd ei rhieni wedi marw erbyn hyn, ac anfonwyd hi i'r tloty tra fyddai ei gŵr yn y carchar. Pan ddeuai at y rhan hon o'r hanes, byddem ni blant yn drist, oblegid wyrcws oedd wyrcws y pryd hwnnw. Gwaith caled a bwyd sâl. Fel y gŵyr rhai ohonoch, rhedai trên Llanberis heibio i dloty Caernarfon. Bob bore byddai'n gwylio'r trên ac yn disgwyl amdano am fod y gyrrwr wedi dechrau codi ei law arni. Dyma ei hunig gysylltiad â'r byd tu allan, a daeth i edrych ymlaen ato o ddydd i ddydd fel peth pwysig yn ei bywyd.

Ni allaf ddweud a aeth Mary Williams a'i gŵr i fyw at ei gilydd wedi iddo ef ddyfod allan o'r carchar. Ni chredaf hynny, ac ni wn ym mha le yr oeddynt yn byw ychwaith ar ôl priodi. Rhywle yn ardal y Waun-fawr, mae'n siŵr. Modd bynnag, 'cilio bant' i'w ardal enedigol a wnaeth ef, o

man, and an enchanting talker. And also according to what I heard, Mary Williams was not good-looking, but she dressed well. In fact, much of what we heard about her clothes came from Mary herself. She once had a cream suit with a hat to match, with an ostrich feather half purple, half yellow. She told us that the congregation of Waun chapel stopped singing to look at her as she walked into the chapel in this outfit. However, she and Lewsyn (as she called him), fell in love and married. One son was born to them, Huw, who died at four years old. She said little Huw was too old-fashioned to live, so old were his questions and his ways. One thing he always used to do was to lie down in the garden and measure his own grave.

Worse troubles were to come than losing a child. Her husband sometimes went on a spree, not often because what farm worker had the money to go on a bender in those days? At season's end, maybe. Once, during one of these sprees, Lewis Williams wandered into one of the farms near Cyrnant, and he stole a watch. He acted the fool when drunk. Today he would probably have been let off with a caution. But he was sent to prison. Mary Williams would tell us this story; she was there, and holding up quite well until she saw his head disappear from view when he went down the stairs of the court to the cell. Then she fainted. Her parents had died by then, and while her husband was in prison she was sent to the poorhouse. When she reached this part of the story we children were sad, because the workhouse was the workhouse in those days. Hard work and bad food. As some of you know, the Llanberis train runs past the Caernarfon poorhouse. Every morning she watched out for the train and waited for it because the driver had started waving to her. This was her only contact with the outside world, and she began to look forward to it daily as an important event in her life.

I don't know if Mary Williams and her husband lived together after he came out of prison. I don't think so, and neither do I know where they lived when they married. Somewhere in the Waun-fawr area, certainly. However, he withdrew to the place where he was born, no doubt out of

gywilydd mae'n debyg, a daeth hithau i fyw i Rosgadfan, i dŷ bychan, y canol o dri thŷ a elwid yn Dan-y-Gaer, y tai uchaf yn y pentref, a'r nesaf i chwarel Cors y Bryniau. Fel y dywedais, deuai i lawr i'n tŷ ni i helpu dipyn ar Mam, ond ni welais mohoni erioed yn gwneud gwaith trwm. Ni allai, oherwydd iddi fynd yn hen cyn ei hamser. Ond deuai i droi handlen y corddwr, trwsio dillad, golchi llestri ac i wneud gwaith ysgafn. Trefnasid fod ei gŵr i anfon deuddeg swllt bob mis at ei chadw, swm cywilyddus o fychan yr adeg honno hyd yn oed, ond bychan oedd ei gyflog yntau. I'n tŷ ni y deuai'r arian, mewn cas llythyr cofrestredig, gan na byddai gan y postmon lythyr i'w ddanfon cyn uched â'i thŷ hi. Ond o fod yn gyson ar y cychwyn, aeth y llythyrau cofrestredig yn anghyson, ac nid oedd gan Mary Williams ddim i'w wneud ond dibynnu ar ddwy neu dair o'i chymdogesau am help. Cofiaf y byddai Mam yn rhoi llawer o bethau iddi, megis cig moch a menyn a thatws. Nid âi i mofyn cymorth plwy; yr oedd y rhan fwyaf o bobl dlodion y pryd hynny yn rhy falch ac yn rhy annibynnol eu hysbryd i ofyn help plwy. Yr oedd plwy a wyrcws yn bethau diurddas. Medrodd Mam ei darbwyllo mai trwy swyddog y plwy, 'y lifin offis', fel y gelwid ef, y gellid mynd o gwmpas ei gŵr. Cafodd Mam waith mawr i wneud iddi weld nad oedd yn beth amharchus o gwbl i'r swyddog hwnnw fyned ar ôl ei gŵr a gwneud iddo ef dalu'r arian drwy'r plwy. Felly y bu. Ond bu'n rhaid i Mam gerdded i lawr i'r Groeslon droeon i weld y swyddog, a thorri drwy galedwch ei groen i gael ganddo weled y sefyllfa. Aeth lawer gwaith wedyn yn ystod y blynyddoedd dilynol, i gael codiad iddi, gan fod ei hiechyd yn gwaethygu. Ers peth amser cyn ei marw câi chweswllt yr wythnos, a Mam a gerddasai at y lifin offis i gael yr ychwanegiad bob tro. Ni chofiaf yn iawn a fyddai'n helpu rhywun arall yn yr ardal, ond yn yr haf byddai'n hel grug i'w roi o dan y das i amryw o bobl, a chwecheiniog y baich a gâi amdano, ei dynnu, a'i gario ar ei chefn oddi ar ochr Moel Smatho i'r tyddynnod. Adeg cynhaeaf gwair byddai'n mynd i helpu hen ffrind iddi i ochr Alltgoed Mawr.

Byddai'n cael croeso yng Nghae'r Gors bob amser. Byddai pawb ohonom yn hoffi gweld ei hwyneb yn ymddangos

shame, and she came to live in Rhosgadfan, to a small house, the middle one of three called Dan-y-Gaer, the highest houses in the village and closest to Cors-y-Bryniau quarry. As I said, she came down to our house to help Mam out a bit, but I never saw her do any heavy work. She couldn't, as she had grown old before her time. But she came to turn the handle of the churn, mend clothes, wash dishes and do light work. The arrangement was that her husband would send her twelve shillings a month for her keep, a shamefully small sum even in those days, but his wage was also small. The money came to our house in a registered envelope, as the postman had no other letters to deliver up where her house was. But after coming regularly at first, the registered letters became irregular, and Mary Williams had only two or three women who lived near her to depend on for help. I remember Mam giving her a lot of things, like bacon and butter and potatoes. She did not turn to the parish for help. Most people then were too proud and independent of spirit to go on the parish. The parish and its workhouse were humiliating. My mother managed to persuade her that through the parish officer, 'y lifin offis' as he was known, she could get round her husband. Mam had great difficulty in persuading her that there was no shame in getting the officer to pursue her husband and forcing him to pay her money through the parish. So it came about. But my mother had to walk down to Groeslon several times to see the officer, and to get through his hard skin to persuade him to understand the situation. She went often again in subsequent years to get her a rise as her health was deteriorating. For a while before her death she had six shillings week, and it was always my mother who walked to the 'lifin' office to get her a rise. I can't quite remember if Mary Williams helped anyone else in the neighbourhood, but in summer she would gather heather to put under the stack for a few people, and she got sixpence a load for it, pulling it and carrying it on her back from the slopes of Moel Smatho to the smallholdings. At haymaking time she would go to help one of her old friends near Alltgoed Mawr.

She was always welcome at Cae'r Gors. We all liked to see her face appear past the partition. There was something so

heibio i'r palis. Yr oedd rhywbeth mor glên a hoffus ynddi. Yr oedd yn fonheddig bob amser, ac ni chymerai fantais ar garedigrwydd neb, eithr gweld gwerth ym mhopeth. Credaf mai'r peth mawr a'n tynnai ni blant ati oedd ei dull o adrodd stori. Yn aml iawn, ni byddai fawr ddim yn y stori ei hun, ond byddai rhywbeth yn ei dull o'i dweud yn gwneud i chwi wrando. Os byddai rhywun yn dal ei gefn at y tân i ymdwymo, ac i rywun ei atgoffa o'r hen goel ei fod yn tynnu eira, byddai hi yn sicr o ddweud hanes rhyw stiward a fu yn chwarel Cefn Du, a redodd i'r tŷ o'r chwarel ryw brynhawn oer, a dal ei gefn at y tân i ymdwymo. Pan ddychwelodd i'r chwarel, bu farw'n sydyn, a gorffennai drwy ddweud mai dyna'r diwrnod y daeth y Parch. Francis Jones (Abergele wedyn) yn weinidog i'r Waun-fawr. Pam y cofiaf y pethau yna? Nid oes llawer o bwysigrwydd ynddynt. Ond yr oedd gwrando arnynt y pryd hynny fel cân y fronfraith yn fy nghlustiau. Yr oedd llyfrau storïau yn brin, ac ni ddiwellid ein hangen am glywed a darllen am bobl, a ninnau'n awyddus i wybod a chlywed. Ni ddylem fod yn rhy goeglyd wrth sôn am ferched sy'n hel straeon neu glecs. Pobl heb eu diwallu ydynt, a'u diddordeb yn eu cyd-ddynion yn fawr. Felly ninnau yn blant, cofiem yr holl fân sôn a fyddai gan Mary Williams am bobl y Waun-fawr, ac argraffai ei dull hi o'u hadrodd arnom yn ddwfn.

Ond yr hyn a dynnai ddagrau o'n llygaid fyddai ei chanu o 'Yr eneth gadd ei gwrthod'. Deuai acw i'n gwarchod pan fyddai ar Mam eisiau mynd i rywle, a bu Mam yn mynd bob wythnos am gyfnod i edrych am chwaer iddi a fu'n wael am flynyddoedd. Ni wyddem am y ddaear am ba beth y soniai'r gân hon, ond dylifai'r dagrau pan ddeuid at y brithyll bach 'a chwaraeai'n llon yn nyfroedd oer yr afon'. Wylo dros y brithyll yn y dŵr oer y byddwn i.

Digwyddodd ychydig drychinebau ar yr achlysuron hyn pan âi Mam oddi cartref. Yr oedd gennym gath gloff – ei throed wedi mynd i drap ers blynyddoedd. Er hynny daliai i allu neidio cystal ag erioed. Byddem yn rhoi ein dwylo wrth ei gilydd, estyn ein breichiau allan, a dweud, 'Cym pic', a byddai'r gath yn neidio dros ein breichiau. Y tro hwn neidiodd drostynt ac ar silff y cwpwrdd gwydr, a dymchwel

kind and likable about her, and she never took advantage of anyone else's kindness, but saw the value in everything. I think the main thing which drew us children to her was her way of telling a story. Often there was not much in the story itself, but something in the way she told it made you listen. If someone stood with their back to the fire to warm up, and another reminded them of the old saying that it would bring the snow, she was sure to tell the story of a steward in Cefn Du quarry who ran home from the quarry one cold afternoon, and stood back to the fire to warm. When he returned to the quarry he died suddenly, and she would finish by saying that it was the very day that the Reverend Francis Jones (later of Abergele) came to be the minister at Waun-fawr. Why do I remember these things? There is not much importance in them. But to listen to them was like the song of a thrush in my ears. Storybooks were scarce, our need to hear and to read about people unsatisfied, and we eager to know and hear. We should not be too spiteful when we talk about women who gossip and tell stories. They are just people with an unslaked thirst, with a great interest in their fellow human beings. Likewise we children, we remembered all Mary Williams's small talk about the people of Waun-fawr, and the way she expressed herself impressed us deeply.

But what brought the tears to my eyes was her singing of 'Yr eneth gadd ei gwrthod', 'The rejected girl'. She came to look after us when Mam needed to go somewhere, and for a while Mam went every week to see her sister who had been ill for years. We didn't know what on earth the song was about, but tears flowed when it came to the bit about the little trout 'who played happily in the cold waters of the river'. I was crying for the little trout in the cold water.

There were a few disasters on occasions when Mam was away from home. We had a lame cat – her foot had been caught in a trap years ago. Despite this she could leap as well as ever. We would put our hands together, stretch out our arms and say, 'Cym pic', and the cat would jump over our arms. On this occasion she leaped over onto a shelf of the glass cupboard, and knocked over something we called a

peth a elwid gennym ni yn 'bot fflwar', sef cas gwydr am flodau ffug a dol. Mary Williams a boenai ynghylch y peth ac nid y ni. Ond ni ddywedwyd fawr ddim wedi i Mam ddyfod adre. Dro arall, rhoes bwys o gaws rhwng pedwar ohonom i'w fwyta adeg te. Yr oedd Mam wedi ei syfrdanu pan ddychwelodd, nid oherwydd gwerth y caws, ond wrth feddwl am ei effaith ar ein cylla, a'n gweld i gyd yn sâl yn y nos. 'Tw!' meddai Mary Williams, 'lles wnelo fo yn 'u bolia nhw.' Dro arall yr oeddem i gyd, ac eithrio un, yn ein gwely dan y frech goch pan gychwynnai Mam i'r Groeslon. Yr oedd Evan, yr unig un iach, o gwmpas tair neu bedair oed. Meddyliodd yr hen wraig ei fod yntau yn clwyfo am y frech, a rhoes bwnsyn cryf o wisgi iddo. Erbyn i Mam ddychwelyd y tro hwn, yr oeddem i gyd yn y gwely, ac Evan yn cysgu'n drwm. Erbyn bore trannoeth, modd bynnag, yr oedd ef fel y gog, ac yn amlwg wedi cael sbri hollol ddialw amdani y diwrnod cynt.

Ychydig grap a oedd gan Mary Williams ar wnïo, ond da oedd cael pob help, a byddai'n helpu efo thrwsio. Ond digon surbwch y byddai fy nhad a'm brodyr wrth fynd i'r chwarel a chlwt ar ffurf gellygen ar ben-glin eu trywsus melfaréd. Un tro, rhoes glwt ar le nad oedd ei eisiau yn nhrywsus Evan, ac yntau drannoeth yn rhedeg adref o'r ysgol gan grio a gweiddi, oherwydd yr anghysur corfforol a ddioddefasai oherwydd hynny. Yr oedd yn rhy fychan i ddeall, neu heb feddwl y gallai ddatod ei fresus. Ar ei chyfaddefiad hi ei hun prynasai gôt hogan i Huw ei bachgen unwaith, a Lewsyn a ddangosodd hynny iddi. Ond er gwaethaf ei bwnglera gyda chlytio a phethau felly, nid oedd dim a amharai ar ein hoffter ohoni; yn wir, testun hwyl fyddai'r pethau uchod, wedi iddynt fyned heibio.

Cafodd ryw dri mis o salwch cyn marw, ac oni bai am ei dwy gymdoges, ni wn beth a ddaethai ohoni. Yr oedd gorfod aros yn ei thŷ yn boen fawr arni, oblegid i lawr yn y pentref yr hoffai fod, a hynny hyd yn hwyr. Yr oedd nifer o'i chymdogion a'i ffrindiau yn barod i dalu'r gost o'i chladdu, ond pan ddaeth y diwedd nid oedd ganddynt hwy hawl i ymyrryd, gan fod ganddi deulu, er na throesant lawer o'i chwmpas pan oedd yn fyw. Felly bu'n rhaid i'w ffrindiau

'flower pot', which was a glass bell covering artificial flowers and a doll. It was Mary who worried about it, not us. But not a lot was said about it when Mam came home. Another time, she gave us a pound of cheese between the four of us to eat for our tea. Mam was shocked when she heard, not because of the cost of the cheese, but the effect on our stomachs, and us being ill in the night. 'Tw!' said Mary Williams, 'it will do good in their stomachs.' Another time we were all but one in bed with measles when Mam left for Groeslon. Evan, the only one who was well, was about three or four years old. The old woman thought he was starting measles too, so she gave him a strong slug of whisky. By the time Mam got home we were all in bed, and Evan fast asleep. By next morning, however, he was as bright as a button, having obviously had too much to drink the day before.

Mary Williams had little idea of sewing, but any help was good, and she would help with the mending. But my father and brothers would sulk a bit about going to the quarry with a patch on the knees of their corduroy trousers shaped like a pear. Once she put a patch on Evan's trousers where one wasn't needed, and next day he ran home from school crying and shouting because of the discomfort his body had suffered from it. He was too little to know, and didn't think of undoing his braces. She admitted she had once bought a girl's coat for her son Huw, and that it was Lewsyn who pointed it out. But the bungle she made of the patching and things like that, did not dent the affection we felt for her; indeed, such things were a subject of amusement once they had passed.

She had about three months of illness before she died and but for her two neighbours I don't know what would have become of her. Having to stay at home was very painful for her, because she loved to be down in the village, and there until late. A number of her neighbours and friends were prepared to pay the cost of her funeral, but when the end came they had no right to intrude, because she did have family, though they were not around her much when she was alive. So her friends had to stand aside for her family to

gilio o'r neilltu er mwyn i'r teulu drefnu ei chladdu. Diwrnod yr angladd, yr oeddwn i gartref o'r ysgol ar ŵyl hanner tymor, Gŵyl Dewi 1908, a dyna le'r oeddem, Mam a ninnau bedwar blentyn wedi ein gwasgu ein hunain i'r ffenestr i weld y cynhebrwng yn myned heibio. Dychmygwch ein teimladau pan welsom hers blwy' yn myned heibio (ni wyddem ddim am hyn ymlaen llaw), a neb yn cerdded y tu ôl iddi, a dim ond y gyrrwr, un perthynas, a'r dyn oedd biau ei thŷ ar ben blaen yr hers. Aethom i gyd i feichio crio. Claddwyd hi yng Nghaeathro, ym medd 'Huw bach', chwedl hithau. Dywedodd rhywun ddarfod iddo weld Lewsyn yn sefyll wrth glawdd y fynwent y diwrnod cynt. Digon posibl nad gwir y stori, ac mai dychymyg rhywun rhamantus a greodd y math o stori sy'n dangos nad yw cariad byth yn anghofio.

arrange the funeral. The day of the funeral I was home from school for the half-term holiday, St David's Day, 1908, and there we were, Mam and we four children, squeezed into the window to see the funeral go past. Imagine our feelings as we saw a parish hearse go past (we knew nothing of this beforehand), and nobody walking behind it, and only the driver, one relative and the man who owned her house in the front of the hearse. We all sobbed aloud. She was buried in Caeathro, in the grave of 'Huw bach', as she called him. Someone said that they had seen Lewsyn standing beside the graveyard wall the day before. Perhaps the story is not true, but just the imagination of someone romantic who invents such stories to prove that love never forgets.

XII

Amgylchiadau'r Cyfnod

Yng nghyfnod fy mhlentyndod i a wedi hynny, hyd at y blynyddoedd ar ôl rhyfel 1914–18, byd gwan iawn oedd hi ar y chwareli, yn enwedig chwareli bychain Dyffryn Nantlle. Yn union o flaen fy ngeni buasai cyfnod o arian mawr yn y chwareli, ond yr oedd blynyddoedd cyntaf y ganrif hon yn wahanol iawn. Beiid y llechi tramor a ddeuai o Ffrainc, a'r teils y gellid eu gwerthu'n rhatach na llechi – effaith Masnach Rydd. Y pryd hwnnw, fel yn awr, eid ar ôl y peth rhataf ac nid y gorau, ac fe brofwyd dro ar ôl tro mai'r llechen yw'r peth gorau at doi tŷ. Mae'n debyg y dywedai arbenigwyr y cyfnod fod bai ar y perchenogion a'r stiwardiaid, nad oedd y chwareli yn cael eu gweithio'n iawn, mai polisi golwg byr oedd ganddynt yn mynd ar ôl y faen orau, yn lle cymryd y graig o'i chwr, a bod hynny'n andwyo'r chwarel ar gyfer y dyfodol.

Bob mis y telid y cyflogau y pryd hynny, a byddent o gwmpas £4, £5, a £6 y mis. Weithiau byddent cyn ised â £3 y mis. Anaml iawn yr aent cyn uched â £7 y mis. Petawn i'n dweud ar antur beth oedd cyfartaledd cyflogau chwarelwyr yr ardaloedd hyn rhwng 1900 a 1914, buaswn yn dweud ei fod yn £5 y mis am rai blynyddoedd ac yn £4 y mis yn yr amser gwannaf un. Digon posibl ei fod yn llai na hyn mewn ambell chwarel. Cael pris am y llechi y byddai'r chwarelwyr, ac os byddai'r farchnad yn isel, isaf yn y byd y byddai'r pris, a theflid mwy o gerrig a ffawtiau ynddynt gan y marciwr cerrig.

Nid oeddem ni blant heb wybod am y pryder a achosai hyn i'n teuluoedd, ac yr oedd nos Wener tâl yn noson annifyr iawn. Ond yr oedd cyflwr pob teulu bron yr un fath, felly ni chaem achos i genfigennu wrth blant eraill. Mae R. Hughes Williams wedi disgrifio'r cyfnod hwn yn ei storïau, eithr mewn lliw rhy dywyll. Mae ei ddisgrifiad o'r tlodi yn iawn, ond mae llawer o'i gymeriadau ef wedi rhoi'r gorau i ymladd yn ei erbyn. Y peth sy'n rhagorol yn ei storïau ef yw awyrgylch y chwarel, y sgwrsio a'r tlodi hwn yn gefndir i bob sgwrs, ac ymagwedd y chwarelwyr, megis pan

XII

The Circumstances of the Time

At the time of my childhood and later, until the years after the 1914–18 war, it was a very uncertain world for the quarries, especially the small quarries of Dyffryn Nantlle. Just before my birth was a period of wealth for the quarries, but the early years of the century were very different. Blame was placed on foreign slates coming in from France, and the tiles that could be bought cheaper than slate – the effect of the Free Market. Then, as now, it is the cheapest and not the best that is sought, and it has been proved time after time that slate is the best material to roof a house. The experts of the time would likely lay blame on the owners and the stewards, and say that the quarries were not efficiently worked, that their policy of pursuing the best stone rather than take all the rock, start to finish, was short-sighted, and destroyed the quarry's future.

Wages were paid monthly at the time, and were about £4, £5 or £6 a month. Sometimes they were as low as £3 a month. Rarely they rose to £7 a month. If I were to guess the average wage of the quarrymen in these areas between 1900 and 1914, I would say it was £5 a month for several years, and £4 a month at the weakest time. It was possibly lower in some quarries. The quarrymen would get a price for the slate, and if the market were low, the lower the price, and more flawed stones would be discarded by the stone-marker.

We children were not unaware of the worry this caused our families, and Friday night was a very unpleasant night. But conditions were similar for all families, so we had no cause to envy other children. R. Hughes Williams has described this period in his stories, but in too dark a colour. His description of the poverty is right, but many of his characters have given up the fight against it. What is excellent in his stories is the atmosphere of the quarry, the talk, and the poverty that is the background to all the talk, and the attitude of the quarrymen, as when they waited eagerly at the door of the shed for the

ddisgwyliant yn eiddgar wrth ddrws y sièd am i gorn olaf y dydd ganu. Ni buaswn i'n galw ein cyflwr yn gyflwr o dlodi – i mi golyga gwir dlodi nad ydych yn cael digon o fwyd na chynhesrwydd, a'ch bod yn dioddef cymaint o eisiau fel y bo eich bywyd mewn perygl, stad y gwyddai ein cyndadau amdani yn y bedwaredd ganrif ar bymtheg. Pobl yn ymladd yn erbyn tlodi oedd pobl fy nghyfnod i, yn methu'n glir cael y deupen llinyn ynghyd. Yr oedd dau beth yn help i rai teuluoedd. Yr oedd gan y rhai a oedd yn byw mewn tyddyn rywbeth i ddibynnu arno, caent wyau, llefrith ac ymenyn. Mae'n wir fod y rhent yn uwch na rhent tŷ moel a bod blawdiau anifeiliaid yn ddrud: eto yr oedd manteision. Yr oedd digon o rwdins yn y beudy, prynid hwy yn rhad wrth y llwyth, ac yr oedd digon o datws hefyd.

Peth arall, yr oedd siopwyr yn drugarog. Cydnabyddaf mai dull drwg oedd talu i'r chwarelwyr wrth y mis, yn enwedig gan na wyddai neb hyd ganol y mis, sef pen mis 'rhoi cerrig i fyny', beth fyddai ei gyflog. Yr oedd hynny'n demtasiwn i redeg bil yn y siop. Yn aml, ni allai teuluoedd glirio eu bil ar ddiwedd mis, ond gan mai dyna'r dull, byddai'n cael coel gan y siopwr. Ond wedi rhannu'r arian rhwng y siopwr bwyd, y cigydd, y dilledydd a'r crydd, ni fyddai lawer ar ôl i ddechrau mis arall. Âi pethau fel hyn ymlaen yn aml hyd oni orffennai pennau teuluoedd fagu plant. Rhaid cofio o'r ochr arall fod rhai teuluoedd yn mynd i fwy o ddlêd nag y dylent, yn mynnu cael pob dim ac yn manteisio ar y siopwyr. Ac efallai yn y diwedd, pan aent o'r ardal, yn gadael cynffon o ddyledion ar eu holau. Er sôn am fantais cadw tyddyn, byddai colledion yn digwydd yno yn aml, megis anifeiliaid yn mynd yn sâl ac yn marw. Rhaid cyfaddef fod llawer o anwybodaeth yn achosi'r colledion yma. Ni cheid manteision cynghori ar ran y Llywodraeth fel yn y dyddiau hyn.

Nid oedd chwarelwyr y cyfnod yn bobl ddigalon o achos y byd gwan. Nid oedd yn bwn ar eu hysgwyddau byth a beunydd. Daliai eu digrifwch yr un fath yn y caban ar awr ginio ac yn eu sgwrsio gyda'r nos. Pobl lawen oeddynt, ac yn aml fe droent y byd gwan yn destun digrifwch. Cofiaf am un teulu mawr wedi cael cryn dipyn o golledion a salwch ac

last hooter of the day to sound. I would not describe our condition as poverty – to me true poverty means you do not have enough food or warmth, and that you suffer so much want that your life is endangered, a condition our forefathers knew in the nineteenth century. The people of my time fought poverty, quite unable to make ends meet. Two things helped some families. Those who lived on a smallholding had something to depend on, they had eggs and milk and butter. Of course the rent was higher than the rent for a 'bare' house (a landless house), and animal feed was expensive: yet there were advantages. There were plenty of swedes in the cowshed, bought by the load, and plenty of potatoes too.

Another great help was a merciful shopkeeper. It was agreed that the system of paying the quarrymen monthly was a bad one, especially as nobody knew until the middle of the month, that is the end of the 'slate production' month, what his wage would be. It was tempting to run up a bill at the shop. Often families could not clear their bill at the end of the month, but as that was the way, they would get credit from the shopkeeper. But after apportioning the money between the grocer, the butcher, the clothier and the shoemaker, there was little left to start the new month. Things went on like this until the breadwinner had finished raising children. It should be remembered that, on the other hand, some families got into more debt than they needed, determined to have everything and taking advantage of the shopkeeper. And maybe in the end departing the neighbourhood leaving a trail of debts behind. Despite the mentioned advantages of keeping a smallholding, losses often happened, animals fell ill and died. Admittedly, many of these losses were caused by ignorance. The advantage of government advice was not to be had in those days.

Quarrymen of the period were not depressed people despite their uncertain world. The burden was not always on their shoulders. Their humour remained the same in the cabin in the dinner hour and at home at night. They were cheerful people, and often turned their frail world into a subject for laughter. I remember one big family that had suffered quite a few losses and could not pay the rent. The owner of their

yn methu talu'r rhent. Fe orfododd perchennog eu tyddyn, gweinidog yr Efengyl gyda llaw, iddynt dalu'r rhent drwy iddynt werthu un o'r gwartheg. Yr wythnos wedyn yr oedd cyfres o benillion yn un o bapurau Cymraeg Caernarfon yn gwneud hwyl am ben y perchennog, yn gynnil mae'n wir, ond yn ddigon amlwg i'r neb a wyddai'r amgylchiadau. Dysgwyd y gân gan lanciau'r fro, a buwyd yn ei chanu am amser hir.

Nid arbedid stiward ychwaith, yn enwedig stiwardiaid a allai fod dipyn yn ddihidio. Dyna Robert Williams, Blaen-y-waen, a'i ffraethineb yn gyrhaeddgar. Ar yr adeg pan ddigwyddai llawer o ddamweiniau yng Nghors y Bryniau, gweithiai Robert Williams yn y twll, a darn bygythiol iawn o graig uwch ei ben. Aeth y stiward i ben y twll a chwibanu arno i ddyfod i fyny oblegid y perygl. Ond ni chymerai'r hen ŵr yr un sylw ohono ef na'i chwibanu. O'r diwedd, gwylltiodd y stiward a chwibanu'n fwy egnïol. Pan ddaeth Robert Williams i'r lan, meddai'r stiward, 'Robert Williams, oeddach chi ddim yn fy nghlywad i'n chwibanu?' 'Oeddwn,' meddai yntau, 'ond wyddwn i ddim fod gynnoch chi leisans i gadw ci.'

A chofiaf am gymeriad arall, mwy diniwed, yn chwarel Cors y Bryniau. Yr oedd siarad John braidd yn wahanol i bawb arall, oherwydd salwch a gawsai pan oedd yn ifanc. Rybelwr ydoedd yn cael clwt gan hwn ac arall. Weithiau byddai'r dynion wedi ei bryfocio gymaint drwy'r dydd fel na byddai gan John lechen i'w dangos ar ei derfyn. Ond byddai pawb o'r pryfocwyr yn torchi llewys ac yn troi ati i'w helpu, fel na byddai ar ôl yn ei gyflog. Un ffordd a oedd ganddynt i'w bryfocio oedd dweud bod rhyw hogan yn y fan-a'r-fan wedi gwirioni amdano, weithiau cyn belled â'r Bontnewydd, ac fe âi John yno 'i'w chynnig', yn ôl dywediad yr ardal. Drannoeth, wrth gwrs, fe ddôi'r pryfociwr i dynnu arno a gofyn sut hwyl a gawsai, pawb yn mynd i'w holi ar ddiarth ac fesul un, ond yr oedd John yn gallach na hwynt yn hynny o beth. Perchennog y chwarel ar y pryd oedd Mr Menzies, Sais a oedd yn byw yng Nghaernarfon. Yr oedd ei fab, a ddeuai i fyny i'r chwarel yn amlach na'i dad, wedi dysgu tipyn o Gymraeg, ond nid yn berffaith o lawer. Âi i

273

smallholding, a minister of the Gospel by the way, made them pay by selling one of their cows. The following week there was a series of verses in one of the Welsh papers making fun of the landowner, subtly it is true, but sufficiently obvious to anyone who knew the circumstances. The song was learnt off by the lads in the neighbourhood and it was sung for a long time.

Nor were stewards spared, especially stewards who could be a bit indifferent. There was Robert Williams, Blaen-y-waen, and his incisive wit. At a time when a lot of accidents occurred in Cors y Bryniau, Robert Williams was working in the pit with a very dangerous piece of rock above him. The steward came to the top of the pit and whistled to him to come up because of the danger. But the old man took no notice of him or his whistling. In the end the steward lost his temper and whistled more fiercely. When Robert Williams came up the steward said, 'Robert Williams, did you not hear me whistle?' 'Yes,' he replied, 'but I didn't know you had a licence to keep a dog.'

And I remember another character, more innocent, in Cors y Bryniau quarry. John's speech was somewhat different from everybody else's because of an illness he had as a child. He was an apprentice quarryman collecting slabs of slate from various people. Sometimes the men teased him so much throughout the day that he did not have a single slate to show at the end. But all those who had teased him would roll up their sleeves and turn to help him so that he wouldn't be behind with his wages. One way they used to tease him was to say that some girl in such-and-such a place fancied him, sometimes as far away as Bontnewydd, and off went John to 'try it', as the local saying was. Next day, of course, those who had teased him would ask him how he got on, everybody going one by one to question him in a roundabout way, but John was cleverer than they were in that respect. The owner of the quarry at the time was a Mr Menzies, an Englishman who lived in Caernarfon. His son, who came up to the quarry more often than his father, had learned a little Welsh, though not at all perfectly. He often went to talk to John, and indeed

siarad â John yn fynych, ac yn wir, nid oedd Cymraeg y ddau yn wahanol iawn i'w gilydd, am wahanol reswm, wrth gwrs. Un diwrnod aeth Mr Menzies ati i ddysgu tipyn o foesau da i John, yn wir, heb i chwi ei adnabod, fe swniai atebion sydyn, ffwrbwt yr olaf dipyn yn amharchus. 'Eisio ti galw "Syr" arna i,' meddai Mr Menzies. 'Be fi gwbod Syr enw di,' meddai John.

Mae'n debyg fod a wnelo fy mreuddwydion golau dydd i rywbeth â'r amgylchiadau anodd.

Yr oedd gennyf ferch ddelfrydol yn fy nychymyg, rywle o 21 i 25 oed, a'i hymddangosiad wedi ei osod ar batrwm ymddangosiad merch ifanc, un o ddwy chwaer, a ddeuai o bentref heb fod yn bell i aros at gymdogion i ni. Yr oedd y ddwy ferch ifanc hyn yn hardd, un ohonynt yn hynod felly, ac yr oedd merch ifanc fy nychymyg i yn hollol yr un fath â hon. Yr oedd ganddi arian, digon i allu byw ar ei phen ei hun heb weithio. Yr oedd ganddi dŷ bychan yn y cowrt o flaen ein tŷ ni, a'i do yn isel, rhag iddo, mae'n debyg, guddio'r olygfa hardd a gaem ni drwy'r ffenestr. Yn y tŷ yma, yr oedd y ferch ieuanc yn byw, yn gwneud ei gwaith ei hun, ac yn gwisgo bob amser sgert goch a blows wen. Byddwn yn gwau miloedd o storïau o'i chwmpas (ni chofiaf yr un ohonynt heddiw), ond yr wyf yn cofio wyneb merch ifanc fy nychymyg yn iawn. Mae'n debyg y byddai gan ryw ddadelfennwr meddyliau rywbeth i'w ddweud am bethau fel yna. Byddai gennyf ddychmygion eraill, heb fod lawn mor ddiniwed, na chofiaf mohonynt. Hawdd gweld o ba le y codai'r dychymyg am rywun a chanddi arian (heb ormod, cofier, neu buaswn yn gwneud iddi fyw mewn plas). Y boen o hyd yn ein cartrefi oedd cael y deupen llinyn ynghyd. Nid rhyfedd felly fod y dychymyg yn caru rhywun nad oedd yn rhaid iddi bryderu am fodd i fyw.

Bu amryw o fân streiciau yn y chwareli yn y cyfnod hwn. Cofiaf un a barhaodd am bum wythnos yng ngwanwyn 1912. Ond credaf mai o achos streic yn y pyllau glo y bu'r streic hon. Ni ddaeth dim un ddimai i mewn o unlle yn ystod y pum wythnos hynny. Ond mynnai Mam fod yr ieir wedi dodwy yn well nag erioed yn ystod yr amser yna. Byddai fy nhad a'm brodyr a'r cymdogion yn cario coed o

the Welsh of the two was not so different, for different reasons of course. One day Mr Menzies went to teach John some good manners, for indeed, if you didn't know him, the sudden, abrupt answers could sound a little disrespectful. 'I want you to call me "Sir",' said Mr Menzies. 'How I know Sir your name?' said John.

Probably my daydreams had something to do with the harsh conditions.

I had a dream girl in my imagination, somewhere between 21 and 25 years old, and her appearance was modelled on a young woman, one of two sisters, who came from a village not far away to stay with neighbours of ours. These two young women were beautiful, one of them extremely so, and the young woman of my imagination was exactly like her. She had means, enough to live on her own without working. She had a little house in the courtyard in front of our house, with a low roof, so that it didn't, I suppose, hide the beautiful view we had from our window. In this house, the young girl lived doing her own work and always wearing a red skirt and a white blouse. I would create thousands of stories around her (I can't remember any of them today), but I remember the face of the young girl of my imagination very well. It is likely that a psychoanalyst would have something to say about things like that. I had other imaginings that were not so innocent, which I don't remember. Easy to see whence imagining someone with money arose (not too much, remember, or I would have made her live in a mansion). The constant worry in our homes was making ends meet. No wonder then that my imagination loved someone who did not have to worry about making a living.

There were a number of minor strikes in the quarries at that time. I remember one which lasted for five weeks in the spring of 1912. But I think that particular strike was caused by a strike in the coal mines. Not a halfpenny came in from anywhere for those five weeks. But Mam insisted that the hens had laid better than ever during that time. My father and brothers and neighbours would carry timber from around

ochr Betws Garmon. Canlyniad naturiol y byd gwan yma oedd fod pobl yn ymfudo o'r ardal. I'r Taleithiau Unedig yr âi llawer, a rhai i Lerpwl i'r gwaith cotwm. I Utica a'r cyffiniau yr âi'r rhai a ymfudai i America, am y rheswm fod yn y fan honno rywrai o Rosgadfan a'r cylch. Ond ni wn pam yr aeth y rhai cyntaf i'r fan honno. Âi rhai Gogleddwyr hefyd i Poultney, ardaloedd y chwareli, gellir yn hawdd ddeall hynny. Dechreuasai'r ymfudo hwn amser maith yn ôl, byd gwan yr adeg honno, mae'n debyg. Cofiaf fy mam yn sôn fel yr aeth llawer iawn o deulu ei thad i'r Taleithiau Unedig; mae dros gan mlynedd er hynny reit siŵr. Hyd yn ddiweddar clywem am rai o'u disgynyddion yno. Aeth llawer iawn o deulu fy nhad yno hefyd ychydig yn ddiweddarach, a chofiaf gyfarfod â phlant un ohonynt adeg Eisteddfod Caernarfon 1906. Cofiaf innau lawer o bobl ieuainc a theuluoedd yn ymfudo yn y blynyddoedd yn union o flaen y rhyfel 1914–18, a pheth trist ydoedd. Digwyddai'r un peth yn Iwerddon tua'r un adeg. Dywed Mrs Mary Colum yn ei hatgofion fel y byddai teuluoedd o gwmpas ei chartref hithau yn Iwerddon yn ymfudo. Yr oedd gallt yn arwain o'r pentref, ac o ben yr allt honno troai'r ymfudwyr eu golygon yn ôl, ac wylo, y rhan fwyaf ohonynt yn gwybod na ddeuent fyth yn ôl i'w hen fro. Galwyd yr allt honno yn 'Allt yr Wylofain'. Yr oedd trefedigaeth mor gref o bobl Rhosgadfan yn Utica ar un adeg fel y rhoesant gloc yn anrheg i'r capel yn Rhosgadfan.

Deuai rhai yn ôl am dro, ond ni ddaeth rhai eraill byth. Gwlad yn llifo o laeth a mêl oedd America i'r rhai na fentrasant ymfudo, yn enwedig pan welid ambell un yn dychwelyd ac yn gwisgo'n o Iancïaidd. Ond nid oeddem mor siŵr wrth siarad â rhai eraill. Wrth ddarllen rhwng y llinellau, casglem mai caled oedd bywyd yno fel yn ein bro ninnau, ond bod gwaith i'w gael a chyflog amdano. Weithiau gyrrai hiraeth rai yn ôl. Cofiaf yn dda am ddyn ifanc o Rostryfan, a ddaeth wedyn i fyw i Rosgadfan, yn ymfudo i ardaloedd chwareli Poultney, ond a ddychwelodd ymhen blwyddyn union am fod hiraeth yn ei ladd, a'r un faint yn union yn ei boced ag a oedd ganddo yn cychwyn. Clywais ef yn adrodd stori dda amdano ei hun ar fwrdd y

Betws Garmon. The natural outcome of this world in recession was that people emigrated from the area. Many went to the United States, and some to Liverpool to the cotton factories. Those who went to America went to Utica and the surrounding area, because there were some people from Rhosgadfan and its district already there. But I don't know why the first ones went there. Some North Walians also went to Poultney, a quarrying area, which is understandable. This emigration had begun a long time ago, probably at another time of recession. I remember my mother saying how a great many of her father's family went to the United States, and that was surely over a hundred years ago. Until recently we used to hear from some of their descendants there. Very many of my father's family went there a little later, and I remember meeting the children of one of them at the Caernarfon Eisteddfod of 1906. I myself remember many young people and families emigrating in the years just before the 1914–18 war, and it was a sad thing. The same thing was happening in Ireland at about the same time. Mrs Mary Colum says in her memoir how families around her home in Ireland emigrated. There was a hill leading from the village, and at the top of this hill the emigrants would turn round and look back, and weep, most of them knowing that they would never return to their old neighbourhood. That hill was called 'The Wailing Hill'. Once there was such a strong colony of Rhosgadfan people in Utica that they sent a clock as a gift to the chapel in Rhosgadfan.

Some came back to visit, but others never came. A land flowing with milk and honey was America to those who had not ventured to emigrate, especially when they saw some of those who returned dressed like Yanks. But talking to others, we were not so sure. Reading between the lines we gathered that life was as hard there as in our own area, but that there was work to be had and a wage for it. Sometimes home-sickness drove people back. I well remember a young man from Rhostryfan, who later came to live in Rhosgadfan, emigrating to the quarrying areas of Poultney, but who was back by the end of the year because homesickness was killing him, with exactly the same sum in his pocket as he started off with. I heard him tell a good story about himself on board the

llong. Yr oedd William Jones yn ddyn tal, glandeg, bob amser yn drwsiadus ei wisg, ac yn lân. Ar fwrdd y llong cymerodd rhyw Sais ddiddordeb mawr ynddo, gellir yn hawdd ddychmygu hynny. Ychydig iawn o Saesneg a oedd ganddo, ac yr oedd ymarfer yr ychydig hwnnw yn dreth drom arno ac yn ei flino. O'r diwedd, pallodd ei amynedd, a dyma fo'n dweud wrth y Sais, 'O dam, why don't you speak Welsh to me.'

Gellid ysgrifennu llyfr ar y rhai a ymfudodd o'm hen gartref i Lerpwl. Yr oedd fy mrawd John, a fu farw yn 1959, yn un ohonynt. Aeth ef i Bootle yn 1912, ac yno y bu weddill ei oes, ac eithrio'r ychydig flynyddoedd yn ystod y rhyfel diwethaf, pan ddaeth yn ôl i'm hen gartref o achos y bomio. Yr oedd ganddo hanesion diddorol am y bobl hyn, a gresyn na roesai hwy ar gof a chadw. Aent ddrib-drab cyn rhyfel 1914–18, ond yn ystod y rhyfel hwnnw dylifasant yno, i Bootle gan mwyaf. Daeth y mwyafrif o'r rhai hynny'n ôl, ond nid y cyfan. Clywais lawer stori ddigri gan fy mrawd. Aeth William Jones y soniais amdano uchod i Bootle, a châi'r un drafferth gyda'i Saesneg yno, gan iddo fod mor anffortunus â chael llety gyda Saeson. Digwyddodd fy mrawd alw yn ei lety ryw brynhawn Sul, a dyna lle'r oedd William Jones a'i wallt i fyny'n syth gan gynnwrf yn methu cael gan ei wraig lety ddeall yr hyn yr oedd arno ei eisiau, a'r wraig lety hithau bron mewn dagrau am na fedrai ei ddeall. Yr oedd ar William eisiau benthyg 'case' meddai hi, ond er dangos iddo fag dal dillad a phob dim, ni wnâi dim y tro. 'Be sydd arnat ti eisio, Wil?' meddai fy mrawd. 'Eisiau benthyg cas llythyr i sgwennu i Maggie!' meddai yntau. (Yr oedd yn briod erbyn hyn.) Yr oedd yn ormod o Gymro i allu troi'r cas llythyr yn *envelope*. Ni bu byw'n hir ar ôl dychwelyd o Lerpwl; yr oedd yn un o'r degau a fu farw o'r adwyth anwydog a ddaeth dros y wlad ar ôl y rhyfel.

Byddai un arall o'r rhai a aeth i Bootle, mab Cae Cipris, Rhostryfan, yn myned i'r capel bob bore Sul. Yna wedi'r oedfa, âi am dro, ac yn ddieithriad bron, o gwmpas carchar Walton. Cerddai o amgylch y carchar a'i astudio'n fanwl, er mwyn gweld sut y buasai'n dianc ohono petai'n digwydd mynd i mewn rywdro! Dyna beth fuaswn i'n alw yn arch-obeithiwr.

ship. He, William Jones, was a tall, handsome man, always neatly dressed and clean. On board ship an Englishman took a great interest in him, which is understandable. He had very little English, and practising it was a great strain and tiring for him. In the end his patience failed and he said to the Englishman, 'Oh damn, why don't you speak Welsh to me.'

You could write a book about those who emigrated from my old home to Liverpool. My brother John, who died in 1959, was one of them. He went to Bootle in 1912 and was there for the rest of his life, apart from a few years during the last war when he came back to my old home because of the bombing. He told interesting stories about these people and it is a pity that he did not write them down. They left in dribs and drabs before the 1914–18 war, but during that war they flooded there, mainly to Bootle. Most of them returned, but not all. I heard many funny stories from my brother. William Jones, referred to above, went there, and he had the same trouble with his English there, as unfortunately he got lodgings with English people. My brother happened to call at his lodgings one Sunday afternoon, and there was William Jones, his hair sticking straight up with agitation, unable to get the landlady to understand what he wanted, and the landlady almost in tears because she could not understand him. She said that William wanted to borrow a 'case', but though he had been offered a holdall for clothes and all manner of other things, nothing would do. 'What is it you want, Wil?' asked my brother. 'I want to borrow a letter case to write to Maggie!' he said. (He was married by now.) He was too much of a Welshman to be able to turn the letter case into an *envelope*. He did not live long after he returned from Liverpool, but was one of the scores who died of the 'flu that swept the country after the war.

Another of those who went to Bootle, the son of Cae Cipris, Rhostryfan, went to chapel every Sunday morning. Then, after the service he went for a walk, and almost always around Walton prison. He walked round the jail and studied it in detail, in order to work out how to escape in case he ever happened to be sent there! That's what I call an arch-optimist!

Un arall o'r bobl hyn oedd un a elwid yn John James gan bawb, er mai Owen oedd ei gyfenw, mi gredaf. Aethai ef cyn y rhyfel i weithio i'r pyllau glo yn Sir Gaerhirfryn. Fe aeth nifer i'r fan honno hefyd tua 1912 a 1913. Un diwrnod pan oedd i lawr yn y pwll, dyma fo'n edrych i fyny, a daeth arswyd arno, ac meddai wrtho ef ei hun, 'Wel, mi rydw i'n fyw rŵan.' Dyna'r cwbl, ond mae'r awgrym am beth oedd ei syniad ef am y dyfodol yn amlwg. Cododd ac aeth i fyny o'r pwll. Aeth i'w lety a chychwynnodd am Sir Gaernarfon, ond nid heb weld rhai o'i gyfeillion. Dywedasant wrtho am gofio newid trên yng Nghaer. Nid oedd ganddo fawr Saesneg. Fe newidiodd yng Nghaer, ac aeth i'r trên cyntaf a welodd, a glanio yng Nghaerdydd. Mae'n rhaid bod rhywun wedi deall yn y fan honno a'i roi ar drên y Gogledd, a phapur mawr ar ei gefn gydag ysgrifen fras arno yn gorchymyn i bwy bynnag a'i gwelai ei gyfeirio i Gaernarfon.

Aeth John James wedi hynny i weithio i Bootle, ac yr oedd yno ym misoedd olaf y rhyfel. Yr oedd pethau'n ddrwg iawn gyda'r Cynghreiriaid, a rhywdro yng ngwanwyn 1918 penderfynodd eglwysi Lerpwl roi un Sul i weddïo am ddiwedd y rhyfel. Cyhoeddwyd y cyfarfodydd gweddi y Sul cynt. Bore trannoeth daeth John i'w waith yn llawen iawn, a mynegi ei lawenydd i'w gyfeillion. 'Mi gewch chi weld y bydd y rhyfal drosodd gyda hyn,' meddai, 'achos mi fydd Lerpwl i gyd yn gweddïo y Sul nesaf.' 'Ia,' meddai cyfaill o'r Waun-fawr, William Peter, 'ond tydi'r Germans yn gweddïo hefyd.' 'Tw!' meddai John, 'pwy ddiawl dalltith nhw?' Gwn y tadogir y stori yna ar rai eraill erbyn hyn, ond yr wyf mor sicr â'm bod yn ysgrifennu rŵan fod y stori wedi digwydd fel yna. Wrth gwrs, nid yw'n amhosibl iddi fod wedi digwydd yn rhywle arall hefyd. Nid wyf yn siŵr ai John James a ddywedodd pan weithiai yn y pwll glo, wrth glywed crynfeydd yn y ddaear, 'Clyw, mae hi'n bwrw glaw y tu allan.'

Rhaid imi sôn am un peth arall ynglŷn â'r byd gwan. Byd gwan neu beidio, byddai'n rhaid i'r tyddynnwr gael help ar ei dyddyn ar rai adegau ar y flwyddyn, megis amser teilo a llyfnu, ac yr oedd dynion i'w cael a âi o gwmpas i weithio diwrnod yma a diwrnod acw. Yr oedd hynny'n rhatach i'r

Another of those people was known by everyone as John James, though his surname was Owen, I believe. Before the war he went to work in the Lancashire coal mines. Others also went around 1912 and 1913. One day when he went to the mine, he looked up, and was struck with terror, and he said to himself, 'Well, I am alive at the moment.' That's all, but it's clear how he saw his future. He got up and left the pit. He went to his lodgings and set off for Caernarfonshire, but not before he had seen some of his friends. They told him to remember to change trains in Chester. He did not have much English. He changed trains in Chester and caught the first train he saw, and ended up in Cardiff. Somebody there must have understood him and put him on the north-bound train, with a notice on his back written in bold letters telling whoever found him to direct him to Caernarfon.

John James went to Bootle after that, and he was there in the last months of the war. Things were going badly for the Allies, and some time in the spring of 1918 the churches of Liverpool decided to devote one Sunday to pray for the end of the war. The prayer meetings were announced the previous Sunday. Next day John James came to work very happy, and he expressed his happiness to his friends. 'You'll see, the war will soon be over,' he said, 'because the whole of Liverpool will be praying next Sunday.' 'Yes', said William Peter, a friend from Waun-fawr, 'but won't the Germans be praying too?' 'Tut,' said John, 'but who will understand them?' I know this story has been attributed to others by now, but I'm as sure as I'm writing now that the story did happen like that. Of course it's not impossible that it happened somewhere else too. But I am not certain whether it was John James who said, when working in the pit and hearing earth tremors, 'Listen, it's raining outside.'

I must mention something else about the world in recession. Needy or no, the smallholder had to have help on his land at certain times in the year, such as muckspreading and harrowing, and you could hire men who moved about working a day here, a day there. This was cheaper for the

tyddynnwr er lleied ei gyflog na cholli diwrnod o'r chwarel. Pobl wedi mynd yn rhy lesg i weithio eu gwaith eu hunain oedd y gweithwyr crwydr hyn. Cofiaf yn dda mai Daniel Owen o Rostryfan, a ddeuai atom ni, hen ŵr tawel nobl, a hollol wahanol i un arall a âi o gwmpas, sef un a elwid yn 'Wil Huws ddigartre'. Buasai hogiau tref Gaernarfon yn ei alw yn 'rêl sgolar', hynny yw, yn un cyfrwys. Mewn sguboriau a lleoedd felly y cysgai'r nos, ac yr oedd yn ddigon o sgolar i ennill ei fwyd yn aml heb weithio. Medrai wneud rhywun o dan ei drwyn, gan fod ei ddull mor hynaws a chlên. Os byddai ar rywun eisiau ei help, ei weld yn rhywle y byddid, ac yntau'n addo yn ddiffael y deuai drannoeth. Byddai rhywun yn lwcus os deuai ymhen wythnos. Câi fwyd cyn gynted ag y cyrhaeddai, a dwywaith allan o bedair, fe ddiflannai ar ôl y bwyd. Dysgodd un wraig sut i gadw ei drwyn ar y maen. Gwnâi iddo wagio ei boced o'r ychydig sylltau a fyddai ynddi, rhoddai hwynt mewn jwg ar y dresel, a dywedai y câi hwynt yn ôl a rhai eraill wedi eu hychwanegu atynt wedi gwneud bore o waith, ond na châi na'r rhain na'r ychwanegiad os na weithiai. Nid heb lawer o ymliw ac erfyn yr âi Wil i'r cae, ac unwaith aeth oddi yno heb weithio, a bu'r arian yn ei ddisgwyl ar y dresel am wythnosau.

Daeth Wil Huws i weithio i dŷ Owen Williams, Plas Ffynnon, ryw ddiwrnod. Gwelsai ef yn rhywle y noson cynt a dywedodd wrth ei wraig y byddai yno fore trannoeth, a rhybuddiodd hi ar boen ei bywyd am gadw ei drwyn ar y maen. Fe ddaeth Wil Huws. Cafodd frecwast campus, ac aeth ati i dyrnu â ffust. Toc, daeth i'r tŷ ac egluro i Maggie Williams nad oedd y ffust yn un dda iawn, gan ddangos ei gwendidau. Ond yr oedd gan Elis Jones yn y Gaerwen ffust dderw gampus, ac ni byddai fawr o dro yn rhedeg yno i nôl ei benthyg – yr eglurhad hwn i gyd yn glên iawn ac yn berffaith resymol. Dyna'r olwg ddiwethaf a welodd Maggie Williams arno y diwrnod hwnnw. Pan ddaeth ei gŵr adref o'r chwarel, yr oedd yn lloerig, a thynghedodd y mynnai gael gafael arno y noson honno. Aeth i lawr i'r Gaerwen, ac yr oedd ar y trywydd iawn. Sbeciodd drwy dwll cliced rhagddor y sgubor, ac yno yr oedd Wil Huws yn gorwedd

smallholder than losing a day's work in the quarry despite his wage being so low. These casual workers were people who had become too feeble to do their own work. I remember it was Daniel Owen from Rhostryfan who came to us, a quiet, fine old man, and quite different from another casual worker, one known as 'homeless Wil Hughes'. The Caernarfon town lads called him a 'real scholar', meaning he was a crafty one. He slept in barns and like places, and was often scholar enough to get his food without working. He could cheat someone under their nose, as his manner was so polite and affable. If someone wanted his help they would meet him somewhere and he'd promise to come next day without fail. They'd be lucky if he came within the week. He would be given food when he turned up, and two times out of four he would disappear after the food. One woman discovered how to keep his nose to the grindstone. She made him empty his pocket of the few shillings in it, and she put them in a jug on the dresser, and said he could have them back and more when he'd done a morning's work, but that he wouldn't get them or the extra if he did not work. Only after much argument and pleading would Wil go to the field, and once he left without doing any work, and the money waited weeks on the dresser for him.

One day Wil Hughes came to work at the house of Owen Williams, Plas Ffynnon. He had seen Wil somewhere the previous night and had told his wife he would be there the next morning, and warned her on pain of her life to keep the man's shoulder to the wheel. Wil Hughes arrived. He had an excellent breakfast, and went to begin threshing with a flail. Soon he came into the house to explain to Maggie Williams that the flail was not a very good one, and showed her its faults. But Elis Jones in the Gaerwen had an excellent oak flail, and it wouldn't take long to run there and borrow it – this whole explanation was very agreeable and perfectly reasonable. That was the last that Maggie Williams saw of him that day. When her husband came home from the quarry he was livid, and swore he'd get hold of him that night. He went down to the Gaerwen to sniff him out. He spied through the latch hole in the half door of the barn, and there was Wil

mewn sach ar swp o wair glân. Dyrnodd Owen Williams y drws fel dyn cynddeiriog, gan fygwth mwrdwr a phethau gwaeth. Neidiodd Wil Huws ac allan o'i sach yn noethlymun (tystiau O.W. wedyn na welsai neb cyn laned), brysiodd wisgo amdano gan hanner crio'n edifeiriol. 'Rydw i yn dwad rŵan, Owan bach, ydw wir.' Mi gafodd ddigon o fraw y tro hwn i gyflawni ei addewid i ddyrnu yn bur fuan.

Dro arall cyfarfu Owen Williams â Wil Huws ar y Maes yng Nghaernarfon, a daeth yr olaf ymlaen ato yn wên o glust i glust a dal deuddeg swllt ar gledr ei law. 'Yli'r hen Owan,' meddai, 'mae gin i ddigon o bres, tyd efo mi, mi tretia i di i ginio.' Ni theimlai Owen Williams ddim pang cydwybod wrth dderbyn ei gynnig, gan fod ar Wil Huws fwy iddo ef na fel arall. Aethant i demprans y Ceiliog Ffesant yn Stryd Twll-yn-Wal, a chael cinio ardderchog. Aeth Owen Williams i'r cefn wedi bwyta. Erbyn iddo ddychwelyd i'r lobi yr oedd Wil Huws wedi diflannu ac wedi dweud wrth y wraig mai Owen Williams a fyddai'n talu am y ddau ginio! Ffromi eto a chymryd y bws cyntaf a welodd a disgyn ohono yn y Bontnewydd, ond ni chafodd afael arno i gyflawni ei fygwth o hanner ei ladd.

Daeth y diwedd a ddisgwyliech i un o'i fath: fe'i cafwyd wedi marw ar ochr y ffordd rywle yng nghyfeiriad Dinorwig, a mynegwyd yn y cwest mai un 'of no fixed abode' ydoedd. Gymaint mwy hoffus yw 'Wil Huws ddigartre'.

Yn nechrau cyfnod fy mhlentyndod, pladur a ddefnyddid i ladd gwair, a phleser oedd edrych ar bladurwyr profiadol (ein cymdogion cymwynasgar oeddynt) yn lladd, a rhythm eu symudiadau'n berffaith. Ac mor hyfryd i'r glust oedd eu sŵn ac mor bleserus i'r llygaid oedd y gwaneifiau ar eu holau. Ond cyn ei ddiwedd fe ddaeth y peiriant lladd gwair a wnâi'r gwaith ynghynt o lawer. Cofiaf am un amgylchiad doniol ynglŷn â thorri gwair. Yr oeddwn yn eneth go fawr erbyn hynny, ac yn yr Ysgol Sir, ond gartref ar wyliau, y cynhaeaf gwair braidd yn hwyr oherwydd tywydd gwlyb. Yr oedd John Jones, y torrwr, i fod i ddyfod yn y bore, ond ni ddaeth. Felly, gan feddwl na ddôi yn y prynhawn, aeth Mam i Fryn Ffynnon, tŷ fy nhaid a'm nain, i helpu gyda'r gwair yno. Mynnodd Dei, fy mrawd ieuengaf, gael myned

Hughes lying in a sack on a pile of clean hay. Owen Williams banged on the door like a madman, threatening murder and worse things. Wil Hughes jumped out of his sack naked (O.W. swore he'd never seen anyone so clean), rushed to get dressed half crying and sorry, 'I'm coming now, Owan bach, really I am.' He had enough of a fright this time to keep his promise to do the threshing soon.

Another time Owen Williams met Wil Hughes on the Maes in Caernarfon, and the latter came up to him smiling from ear to ear and holding twelve shillings in the palm of his hand. 'Look, old Owan,' he said, I've got enough money, I'll treat you to dinner.' Owen Williams felt not a pang of conscience in accepting his offer, as Wil Hughes owed him more than he owed Wil. They went to the Cock Pheasant Temperance in Hole-in-the-Wall Street, and had an excellent dinner. Owen Williams went to the back after eating. By the time he returned to the lobby Wil Hughes had disappeared, and had told the patroness that Owen Williams would pay for both meals! Raging again and taking the next bus he saw and getting off in Bontnewydd, he did not catch him to carry out his threat to half kill him.

The end you would expect for such a one did come: he was found dead beside the road somewhere near Dinorwig, and at the inquest he was said to be 'of no fixed abode'. How much more dear is 'Homeless Wil Hughes.'

At the time of my early childhood a scythe was used to cut the hay, and it was a pleasure to watch the experienced scythers (our obliging neighbours) mowing, and the rhythm of their movements perfect. And so beautiful to the ear was the sound and a pleasure to the eyes was seeing the hay-rows behind them. But by the end of my childhood the mowing machine had come, which did the work much more quickly. I remember one funny incident to do with mowing hay. I was quite a big girl by then, and at the County School, but home on holiday, haymaking rather late because of wet weather. John Jones the mower, was expected in the morning, but he didn't come. So, thinking that he would not come in the afternoon, Mam went to Bryn Ffynnon, my grandparents' house, to help with the hay there. Dei, my youngest brother,

gyda hi. Yr oedd Mos, fy mrawd-yng-nghyfraith, y soniais amdano mewn pennod flaenorol, i fod i ddyfod acw yn y prynhawn i helpu gyda'r chwalu gwneifiau, am ei fod yn gweithio stemiau, ac felly yn rhydd yn y prynhawn ('gweithio stemiau' yw'r term sy'n gyfystyr i weithio shifft yn y pwll glo, ond mai ar adegau neilltuol yn unig y gweithid stemiau). Ond rhwystrodd rhywbeth ef rhag dyfod. Fe ddaeth John Jones yn y prynhawn, a neb ond y fi gartref. Yr oedd y torrwr heb gael amser i roi min ar gyllyll ei beiriant, a dyma fynd ati i'w rhoi ar y maen, a finnau'n troi'r handlen. Yr holl amser y bûm yn troi, y cwbl a gefais gan John Jones oedd, 'Yn tydi'r Dei yna'n un rhyfadd, yn mynd i Bryn Ffynnon yn lle aros gartra i helpu? Yn tydi'r Mos yna yn un rhyfadd na basa fo'n dŵad fel yr oedd o wedi gaddo?' Fel yna ugeiniau o weithiau. Yr oedd hi'n ddiwrnod oer, gwyntog, dim byd tebyg i dywydd cynhaeaf gwair. Yr oedd John Jones i fod i ladd hen weirglodd fawr a oedd gennym, gryn bellter oddi wrth y tŷ. Gan ei bod ar dipyn o ar-i-fyny, lleddid ei hanner ar y tro, rhag blino'r ceffyl. Wedi i John Jones ei hel ei hun a'i injian a'i geffyl at ei gilydd, a dechrau ar ei waith, dyma fo i'r tŷ mewn dim, a gofyn i mi a ddown i'r weirglodd efo chribin i gribinio'r gwair, gan fod y gwynt ar ddwy ochr i'r darn tir, yn ei chwythu yn ôl i ddannedd y peiriant. Felly, byddai'n rhaid i mi ei ddilyn efo chribin a chribinio'r gwair yn ôl ar y ddwy ochr lle y chwythai'r gwynt. Stop wedyn, a gofyn a gâi Dic (y ceffyl) lith. Minnau'n gorfod gadael y cribinio i fyned i'r tŷ a gweled bod dau degell mawr o ddŵr ar y tân, a chael a chael bod yn ôl yn y weirglodd mewn pryd i gribinio'r gwair cyn iddo ef ddyfod yn ôl i'r ochr honno efo'r injian. Gan fod y ddaear mor wlyb, yr oedd yn rhaid imi wisgo clocsiau, ac nid tipyn o beth oedd rhedeg yn ôl a blaen i'r tŷ ac yn ôl. Wedi gwneud llith i Dic, yr oedd yn rhaid i John Jones a minnau gael te, a pharatoi'r pryd hwnnw wedyn mewn cromfachau. Nid anghofiaf fyth y prynhawn hwnnw o redeg a rasio. Mwynhaodd John Jones ei de yn fawr, fel y tystiolaethodd lawer gwaith wedyn wrth bobl. Dim ond un a allai wneud te yn well na mi meddai ef, a Mary Jones, ei wraig, oedd honno. Ond ni bu'r hen gyfaill yn lladd gwair

insisted on going with her. Mos, my brother-in-law, mentioned in an earlier chapter, should have come over to our place to help with the tedding, because he was working shifts and was free in the afternoons. ('gweithio stemiau' is a phrase which corresponds with working a shift in a coal mine, but it was only at specific times that 'stemiau' were worked). But something prevented him coming. John Jones arrived in the afternoon, and no one at home but me. The mower had not had time to sharpen the blades of his machine, and we set about putting them to the whetstone, with me turning the handle. Throughout the time I was turning all I had from John Jones was 'Isn't that Dei an odd one, going to Bryn Ffynnon instead of staying home to help? Isn't that Mos an odd one, not coming as he promised?' Like that scores of times. It was a cold day, windy, not at all like haymaking weather. John Jones was intended to cut a big old hayfield quite a long way from the house. As it was on quite a slope, half would be mowed at a time, so as not to tire the horse. When John Jones had got himself and his machine and the horse together and started on the work, he came into the house in no time to ask me to come to the hayfield with a rake to rake the hay, because the wind from both sides of the piece of land was blowing the hay back into the teeth of the machine. So I would have to follow him with a rake and comb the hay back on both sides where the wind was blowing it. Then there was another stop, and a request for mash for Dic (the horse). Then I had to leave the raking to go to the house to see that there were two big kettles of water on the fire, just about getting back to the hayfield in time to rake the hay before he reached that side with the machine. As the ground was so wet I had to wear clogs, and it wasn't an easy matter to run back and fore to the house and back again. After making mash for Dic, John Jones and I had to have tea, and then I had to prepare that tea bracketed between everything else. I will never forget that afternoon of running and rushing. John Jones enjoyed his tea very much, as he told people many times afterwards. Only one person could make tea better than me he said, and that was Mary Jones, his wife. But our old friend did not cut hay for many people after that. The start of his illness was his

i lawer wedyn. Dechrau ei salwch oedd ei ymddygiad rhyfedd y prynhawn hwnnw. Yr oedd ei ymennydd yn dechrau darfod. Un o Sir y Fflint ydoedd, ac wedi treulio llawer o flynyddoedd yn America. Pan af i fynwent Rhosgadfan ac edrych ar ei garreg fedd, byddaf yn dychryn wrth ddarllen nad oedd ond 42 mlwydd oed pan fu farw. Edrychai yn llawer nes i drigain.

Digwyddai damweiniau yn aml yn y chwareli bychain yn y cyfnod hwn, gymaint ohonynt fel y cododd ein haelod seneddol, Mr Ellis W. Davies, y mater yn y Senedd tua 1907, ar ôl lladd brawd Richard Hughes-Williams, er nad yn hollol yn y chwarel y lladdwyd ef, eithr mewn peiriant a âi â'r llechi i ben yr Inclên, drwy i'r boiler ffrwydro. Bu gwelliant ar ôl hyn. Mynnai rhai fod cymaint o ddamweiniau'n digwydd oherwydd mynd ar ôl y faen orau fel y soniais, ac felly greu brig bygythiol. 'Dwn i ddim. Heddiw mae'r damweiniau'n llai o lawer. Wrth reswm mae llai o bobl yn gweithio ynddynt hefyd.

Y tro diwethaf y gwelais i'r fintai bach yn hebrwng corff cyd-chwarelwr adref oedd yng ngwyliau Pasg, 1928. Yr oeddwn gartref ar wyliau o Aberdâr ar y pryd. Rhywdro yn nechrau'r ganrif, daethai Sais o'r enw William Bebbington i weithio i chwarel Cors y Bryniau. Un o Sir Gaer (Cheshire) ydoedd, wedi treulio ei ieuenctid yn y fyddin, a'i olwg braidd yn ddrwg. Lletyai gyda dwy chwaer, un yn weddw a'r llall yn hen ferch, nithoedd i Lasynys. Gan na fedrai air o Gymraeg, âi i fwrw pob Sul i Gaernarfon. Ond daeth Diwygiad 1904–5, a dechreuodd yntau dreulio'r Sul yn Rhosgadfan, a mynychu'r capel. Cawsai ychydig grap ar y Gymraeg yn y chwarel erbyn hyn, ond ni fedrai ddigon i weddïo yn gyhoeddus ynddi. Modd bynnag, âi ymlaen i gymryd rhan, lediai'r emyn yn Gymraeg, ac yn hollol naturiol i un wrthi yn dysgu iaith newydd, lediai'r emyn drwyddo o'i ddechrau i'w ddiwedd, a'r acen Saesneg yn dew iawn, y peth tebycaf a glywsoch erioed i Mr Aethwy Jones yn dynwared Mr Churchill yn *Noson Lawen* y BBC ers talwm. Ni wn beth a ddywedasai Williams Pantycelyn, Ann Griffiths, David Charles a'r holl hen emynwyr pe clywsent ef yn llofruddio eu hemynau. Ond gwn un peth, fe

strange behaviour that day. His brain was beginning to go. He was from Flint, and had spent many years in America. When I go to the Rhosgadfan cemetery and look at his gravestone it frightens me to read that he was only 42 years old when he died. He looked closer to sixty.

Accidents happened often in the small quarries at that time, so many of them that our Member of Parliament, Mr Elis W. Davies, raised the matter in Parliament in about 1907, after the death of the brother of Richard Hughes-Williams, though he was not actually killed in the quarry, but in a machine which carried the slates to the top of the incline, when the boiler burst. Things improved after that. Some said that so many accidents happened because of the pursuit of the best stone, to which I have referred, thus creating a dangerous overhang. I don't know. Today there are fewer accidents. Of course fewer people are working in the quarries.

The last time I saw a small troop escorting the body of their fellow quarryman home was in the Easter holidays, 1928. I was home on holiday from Aberdare at the time. Sometime at the beginning of the century, an Englishman called William Bebbington had come to work in Cors y Bryniau quarry. A native of Cheshire, he had spent his youth in the army, and his eyesight was rather poor. He lodged with two sisters, one a widow, and the other a spinster, nieces of Glasynys. As he could not speak a word of Welsh he would spend every Sunday in Caernarfon. But the Revival of 1904–5 arrived, and he began to spend his Sundays in Rhosgadfan attending chapel. He had picked up a little Welsh in the quarry by then, but not enough to pray publicly in Welsh. However he went on to take part, and to lead the hymn in Welsh, and naturally for one learning a new language, he read the hymn through from beginning to end, in a thick English accent, the closest you would ever hear to Mr Aethwy Jones imitating Mr Winston Churchill in the BBC's *Noson Lawen* years ago. I don't know what Williams Pantycelyn, Ann Griffiths, David Charles and all the rest of the old hymn writers would have said hearing him murdering their hymns. But I know one

edmygasent ei ysbryd Cristnogol cywir. Fesul tipyn daeth i gymysgu Cymraeg a Saesneg yn ei weddi, nes o'r diwedd fentro'n gyfan gwbl yn Gymraeg. Yn y dechrau, pan fyddai ei weddi yn Saesneg i gyd, câi wrandawiad perffaith, er na ddeallai llawer yr un gair ohoni. Ond yr oedd pobl wâr yn byw yr adeg honno. Ni byddai'n fodlon i neb geisio egluro dim yn Saesneg iddo, ac felly y dysgodd Gymraeg yn drwyadl, er mai Saesneg oedd ei acen hyd y diwedd, a bod pobl yr ardal yn tybied o hyd mai am oen y soniai wrth gyfeirio at 'Owen'. Darllenai lawer o Saesneg a Chymraeg, ac fe'i gwnaeth ei hun yn rhan o'r gymdeithas Gymreig honno, gan fyw yn union fel y bobl, ymweled â hwy mewn salwch ac adfyd, cydlawenhau â hwy a chydgrefydda, ac ymddygai pawb ato yntau fel petai'n un ohonynt er erioed, a'r un oedd eu parch iddo ac i'r un dyfnaf ei wreiddiau yn yr ardal pan hebryngai'r fintai fechan ef i'w lety a'i gartref am y tro olaf y diwrnod hwnnw yn 1928. Pan aeth i weithio i Lerpwl rhwng 1914 ac 18, capel Cymraeg a fynychai, fel pe na bai capel Saesneg yn Lerpwl. Mae'n cydorwedd â'i gyfeillion ym mynwent Rhosgadfan. Mae llawer iawn o Saeson wedi dyfod i Rosgadfan er 1939, ond nid ymdawdd llawer ohonynt hwy i mewn i'r gymdeithas fel y gwnaeth William Bebbington.

Gan fy mod yn sôn am ddamweiniau ni waeth imi ddweud hanes un ddamwain arall. Digwyddodd hon ymhen blynyddoedd lawer iawn a minnau i ffwrdd oddi cartref. Lladdwyd Robert Jones, Pen 'Rallt, Alltgoed Mawr – Bob Hafod Ruffudd, fel y gelwid ef yn chwarel Cors y Bryniau, yn o hwyr ar y diwrnod. Tyddyn bychan iawn yw Hafod Ruffudd, ar ben Moel Smatho, heb fod yn bell iawn o'r chwarel ac ar y llwybr sy'n arwain i'r Alltgoed Mawr. Yno yr oedd ei fam weddw yn byw, a galwai ei mab heibio i'r hen wraig bob nos wrth fyned adref o'i waith, a byddai ganddi hithau banaid o de yn barod iddo bob nos. Yr oedd fy nhad yn un o'r rhai a aeth i dorri'r newydd iddi am ddiwedd ei mab, un o'r pethau tristaf a ddaeth i'w ran erioed, oblegid yr oedd y cwpanau te yn barod ar y bwrdd. Yr oedd yr hen wraig, Mary Jones, mewn tipyn o oed, ac ni chredaf iddi sylweddoli yn iawn beth a ddigwyddasai. Bob nos, am

thing, they would have admired his true Christian spirit. Little by little he began to mix Welsh and English in his prayers until at last he dared to do it all in Welsh. In the beginning, when his prayers were in English only, he got a perfect hearing though many did not understand a word of it. But there were civilised people there then. He would not allow anyone to explain anything to him in English, and that was the way he learned Welsh thoroughly, though his accent was English to the end, and people in the neighbourhood thought he was talking about a lamb '*oen*' when he said 'Owen'. He read a great deal in English and Welsh, and he made himself a part of that Welsh community, living just as the people did, visiting them in sickness or trouble, rejoicing and worshipping with them, and everyone treated him as if he had always been one of their own, and their respect for him was the same as for one with the deepest roots in the area when the small group escorted him home to his lodgings and home for the last time that day in 1928. When he went to work in Liverpool between 1914 and 1918, he attended a Welsh chapel as if there were no English chapel in Liverpool. He lies with his friends in Rhosgadfan cemetery. Many English people have come to Rhosgadfan since 1939, but very few of them blend into the community as William Bebbington did.

As I am talking about accidents I may as well tell the story of one more accident. It happened many years ago, and I away from home. Robert Jones, Pen 'Rallt, Alltgoed Mawr – Bob Hafod Ruffudd as he was known in the Cors y Bryniau quarry – was killed quite late in the day. Hafod Ruffudd was a very small smallholding, at the top of Moel Smatho, not very far from the quarry and on the path which led to Alltgoed Mawr. His widowed mother lived there, and the son called on the old woman every night on his way home from work, and she would have a cup of tea ready for him every night. My father was one of those who went to break the news to her of the death of her son, one of the saddest things he ever had to do, as the teacups were already set on the table. The old woman, Mary Jones, was quite elderly, and I don't think she could quite take in what had happened. Every night for the

weddill ei blynyddoedd ar y ddaear, paratodd y gwpanaid te i Bob erbyn iddo alw ar ei ffordd o'r chwarel. Dyna'r math o stori y buasai Pirandello yn ei hysgrifennu.

Er mwyn cofnodi ffeithiau, ac am fod a wnelo pethau â'm teulu i, yr wyf am roi hanes dwy ddamwain arall a ddigwyddodd ymhell cyn fy amser i, ni chofiaf y dyddiadau. Un oedd y ddamwain pan laddwyd Robert Thomas, Hafod y Coed, tad y diweddar Barch. Morris Thomas, Dolwyddelan, awdur y nofel *Y Wawr*. Yr oedd fy nhaid yn un o'r rhai a fu'n ceisio cael y corff – rhaid mai cwymp o graig oedd yr achos y tro hwn hefyd. Y pryd hynny, crysau cau tu ôl oedd y ffasiwn i ddynion. Crysau gwlanen lwydlas wedi eu gwneud gartref oedd y rhai hyn, a'r tu blaen yn debyg i'r rhai a ddaeth wedyn i gau yn y tu blaen, ond yn lle agoriad, yr oedd dwy bleten yn troi oddi wrth ei gilydd, a'r darn rhyngddynt wedi ei addurno â phwyth croes. Yr oedd yr agoriad ar y tu ôl a botwm ar fand y gwddw yn ei gau. Wedi dyfod adref y noson honno, dywedodd Taid na wisgai byth grys cau tu ôl wedyn, gan iddo fygu bron wrth chwilio am y corff, ac ni allai estyn ei law i'r tu ôl i agor band ei grys.

Bu damwain fawr arall yn Chwarel Dorothea. Fe sgrifennodd Mr R. H. Jones yn fanwl yn *Yr Herald Gymraeg* am ddamweiniau Dyffryn Nantlle rai blynyddoedd yn ôl a hon yn eu mysg. Sôn yr wyf fi amdani oherwydd digwydd o rywbeth arall ynglŷn â hi ac ynglŷn â'm tad. Nid wyf yn ddigon sicr ychwaith ai hon oedd y ddamwain y lladdwyd Mr Robert Thomas, Hafod y Coed, ynddi. Efallai mai'r un oedd hi. Daeth dŵr i dwll Dorothea ac achosi cwymp mawr a chladdu deuddeg o ddynion dani. Buwyd yn hir iawn yn cael y cyrff o achos y dŵr. Cafwyd un corff ymhen y flwyddyn, a gweddw'r dyn wedi ailbriodi erbyn hynny. Yn y cyfamser, tyrrai pobl yno o bob man i weld lle'r ddamwain, er na allent weld fawr ddim arall. Felly y gwna pobl o hyd. Rhyw brynhawn Sadwrn, daeth cefndyr i'm tad o Lanrug i edrych amdano (yr oedd ef wedi priodi erbyn hynny), a gofyn iddo fyned gyda hwynt i weld twll Dorothea. Dyma gychwyn a thros Ros y Cilgwyn yr eilwaith y diwrnod hwnnw i'm tad. Pan oeddent ar y Rhos dyma

rest of her years on earth she prepared the cup of tea for when Bob called on his way from the quarry. It is the sort of story Pirandello might have written.

To record the facts, and because these things involve my family, I will tell the stories of two other accidents that happened long before my time, I don't remember the dates. One was the accident which killed Robert Thomas, Hafod y Coed, the father of the Reverend Morris Thomas, Dolwyddelan, author of the novel, *Y Wawr* (The Dawn). My grandfather was one of those who tried to get the body – the cause must have been a rockfall in this case too. At the time shirts that closed at the back were the fashion for men. Blue-grey woollen shirts made at home they were, and the shirt-fronts were similar to later styles which closed in the front, but in place of an opening, there were two pleats that turned away from each other, and the cloth between decorated with cross-stitch. The opening was at the back with a button on the collar-band to close it. When he got home that night Taid said that he would never again wear a shirt that closed at the back, as he had almost choked searching for the body, and he could not get his hand to the back to undo the neck-band of his shirt.

There was another big accident in Dorothea Quarry. Some years ago, Mr R. H. Jones wrote in great detail in *Y Herald Gymraeg* (The Welsh Herald) about the accidents of Dyffryn Nantlle, and this amongst them. I speak of it because of something else which happened concerning it and my father. I am not sure if this was the accident where Mr Robert Thomas, Hafod y Coed, was killed. It may have been the same one. Water got into the pit at Dorothea, and caused a large fall, and twelve men were buried beneath it. Because of the water it took a long time to recover the bodies. One body was recovered a year later, and by then the widow had remarried. In the meantime, people flocked to see the site of the disaster, though there was not much to see. That is how people always behave. One Saturday afternoon, cousins of my father from Llanrug came to visit him (he was married by then) and asked him to go with them to see the Dorothea pit. They set off across Rhos y Cilgwyn, for the second time that day for my father. When they were on the Rhos a little boy ran towards

fachgen bach yn rhedeg i gyfarfod â hwy a gweiddi. 'Hei, mae 'na hogyn wedi syrthio i'r olwyn ddŵr.' Rhuthrasant tuag yno, a dyna lle gwelsant hogyn bach saith oed wedi ei ladd, a threuliwyd y prynhawn ganddynt hwy yn myned ôl a blaen at ei deulu a dwyn ei gorff adre.

them shouting, 'Hey, a boy has fallen into the waterwheel.' They rushed towards it, and there they saw that a little seven-year-old boy had been killed, and they spent the afternoon going to and fro to his family and bringing his body home.

XIII

Y Darlun Diwethaf

Yr wyf yn hen – os caf fyw ychydig fisoedd eto byddaf wedi cyrraedd oed yr addewid. Eisteddaf wrth y tân yn synfyfyrio am yr hyn a sgrifennais, a meddwl faint ohonof fi fy hun sydd ynddo. Yr wyf yn Ninbych ers chwarter canrif, yn byw mewn tref lle na chlywaf fawr iawn o Gymraeg: hynny sydd yma mae'n Gymraeg sâl, hyd yn oed yn y capel. Mae safon siarad cyhoeddus yn isel yma. Ar draws y blynyddoedd, o'r hyn a sgrifennais daw lleisiau pobl a allai siarad yn gyhoeddus mewn Cymraeg cyfoethog, a allai wedd'io mewn geirfa goeth, 'Cymer ni i Dy nawdd ac i'th amddiffyn sylw. Rhagora ar ein dymuniadau gwael ac annheilwng.'

Pan fûm yn ysgrifennu'r pethau hyn fe gododd y meirw o'u beddau am ysbaid i siarad efo mi. Fe ânt yn ôl i gysgu eto. Ysgrifennais am fy nheulu a'i alw'n hunangofiant, ond yr wyf yn iawn. Fy hanes i fy hun yw hanes fy nheulu. Hwy fu'n gwau fy nhynged yn y gorffennol pell. Pobl syml oeddynt. A dyma'r ofn yn dyfod yn ôl eto, ofn y bydd y darllenwyr yn diarhebu fy mod yn ysgrifennu am bethau mor ddibwys. Ond nid ydynt ddibwys i mi, dyna fy mywyd, dyna'r gymdeithas y ganed fi iddi. Yr oeddwn yn fyw y pryd hynny, yn medru mwynhau teimlad fy mwa blewog cyntaf am fy ngwddw yn y gaeaf, yn mwynhau mynd trwy'r llidiart i'r ffordd am mai yno yr oedd y byd mawr llydan. Yr oeddwn yn mwynhau cwffio efo hogiau, yn mwynhau sglefrio dros geunant, yn mwynhau dweud fy adnod yn y seiat. Yr oedd diwrnod yn hir ac yn fyr y pryd hynny, a'i lond o bethau, a phan ddeuai i'w derfyn byddai fel tynnu llinyn crychu am warpaig a'i llond o farblis a'i rhoi i'w chadw yn y cwpwrdd. Yr oedd poen yn y warpaig hefyd a chywilydd, a deuent allan drannoeth o flaen y pethau hapus.

Yr oedd gennyf gap llongwr gwinau a thoslyn sidan ar ei gorun, ac HMS y llong-a'r-llong ar ei du blaen. Rhoddais ef y tu ôl ymlaen i fynd i'r capel heb wybod. Dywedodd yr hogyn atgas a fyddai'n llibindio genod ar y ffordd adre o'r practis côr wrthyf ar fy ffordd allan, 'Wyddat ti fod dy gap

XIII

The Final Picture

I am old – if I am permitted a few more months I will have reached the promised age. I sit by the fire musing about what I have written, and considering how much of myself is in it. I have been in Denbigh for a quarter of a century, living in a town where I hear hardly any Welsh; what there is is poor Welsh, even in chapel. The standard of public speech is low here. Across the years out of what I have written come the voices of people who could speak publicly in rich Welsh, and could make their prayers in cultured language. 'Take us into thy House of refuge and under thy protective notice. Improve on our poor and undeserving desires.'

While I was writing these things the dead rose from their graves to talk to me. They will return to their sleep. I have written about my family and have described this as autobiography, but I am right. My story is my family's story. It is they who wove my destiny in the distant past. They were simple people. And here the fear returns again, fear that the reader will think it strange that I write of such unimportant things. But they are not unimportant to me, that was my life, that was the society into which I was born. I was alive then, felt my first fur bow at my throat in winter, enjoyed going out through the gate to the road because that was where the big wide world was. I enjoyed fighting with boys, enjoyed skating across the frozen ravine, enjoyed saying my verse in the *seiat*. A day was both long and short at that time, and full of things, and when it came to an end it was like pulling shut the drawstrings of a *warpaig* (little bag) full of marbles and placing it for safekeeping in a cupboard. There was pain in the *warpaig* too, and shame, and they would come out next day sooner than the happy things.

I had a brown sailor's cap with a satin tassel on its crown, and with HMS something on the front. I wore it back to front to go to chapel without realising. The nasty boy who teased the girls on the way home from choir practice said, as I was on the way out, 'Did you know your cap was back to front in

di tu 'nôl ymlaen yn y capal?' Efallai na fuaswn wedi gwybod oni bai amdano fo. Yr oedd arnaf gywilydd. Daeth y cywilydd yn ôl yn wrid i'm hwyneb am flynyddoedd. Heddiw, ni fuaswn yn poeni. Yn wir ni fuaswn yn poeni petawn i'n mynd i'r Capel Mawr a thair het tu 'nôl ymlaen am fy mhen. Yr wyf wedi marw i gywilydd.

Yr oedd gennyf gath pan oeddwn yn naw oed. Aeth i grwydro a chafodd wenwyn. Daeth yn ôl i farw. Y Sul oedd hi. Yr oedd cyfarfod gweddi yn y capel yn y nos, a phob tro y rhoddem ein pennau i lawr i weddïo, wylwn ar ôl fy nghath. Buaswn yn gwneud yr un peth heddiw. Nid wyf wedi marw i golli ffrind.

Ychydig amser yn ôl wrth fynd drwy fy llyfrau deuthum ar draws llyfr bychan o hanes Ffransis Sant a gefais gan fy athrawes hanes wrth ymadael ag Ysgol Sir Gaernarfon. Llyfr twt a phapur da. Ynddo yr oedd ysgerbwd pryd Gwas Neidr. Cofiais. Yr oedd fy mrawd, pan oedd mewn ysbyty gwella ym Malta wedi anfon corff y pry yma imi wedi ei binio ar bapur sidan, ac wedi sgwennu 'Tendia' odano. Yr oedd yn fwy lawer na'n Gwas Neidr ni. Rhoddais ef i Mam, a hi a'i rhoesai yn llyfr Ffransis Sant i'w gadw a'i wastatu. Yr oedd yno er 1917. Ei esgyll a'i gorff yn berffaith, ond fod ei ben wedi dyfod yn rhydd. Gwythiennau ei esgyll sydd yno, yn rhwyllwaith mor fain ag edafedd y gwawn. Maent wedi cadw yn berffaith. Maent yn farw. Maent yn hen.

Digwyddasai popeth pwysig i mi cyn 1917, popeth dwfn ei argraff. Yr oedd carreg nadd a chlwt llnau llechen ysgol yn bwysig. Wrth edrych ar y pry, a meddwl am sgrifennu f'atgofion, tybiwn mai fel yr ysgerbwd y byddent, yn rhywbeth wedi bod, ond yn farw, yno o hyd rhwng dalennau'r llyfr.

Ond fe grynodd gwythiennau'r corff marw ychydig. Daeth yn fyw. Fe deimlais y boen, fe deimlais y llawenydd, fe deimlais y siom. Bûm yn chwerthin, bûm yn wylo, bûm yn ddig. Bûm yn sgwrsio ar aelwyd Maes-teg, clywais yr acenion, clywais y Gymraeg yn ei harddwch.

A dyma fi'n ôl ar fy aelwyd yn Ninbych, fe aeth y pry yn ôl rhwng dalennau'r llyfr. Fe dawodd y lleisiau. Ond fel pan oeddwn blentyn, yr wyf yn synfyfyrio ac yn poeni.

chapel?' Perhaps I would never have known were it not for him. I was ashamed. For years the shame would return in a blush to my face. Today I wouldn't care. Actually, I wouldn't care if I went to Capel Mawr with three hats back to front on my head. I am dead to shame.

When I was nine years old I had a cat. She strayed and was poisoned. She came home to die. It was Sunday. There was a prayer service in the chapel that evening, and every time we bowed our heads to pray, I prayed for my cat. I would do the same thing today. I am not dead to losing a friend.

A short time ago while looking through my books I came across a small book on the life of St Francis given to me by my history teacher when I left Caernarfon County School. A neat book with good paper. Inside was the skeleton of a dragonfly. I remembered. My brother, when he was in hospital in Malta, had sent me the body of this fly pinned to tissue paper, and had written 'Look after' underneath. It was much more than a dragonfly to us. I gave it to Mam, and it was she who had put it in the book on St Francis to keep and to press. It had been there since 1916. Its wings and its body perfect, and only its head had come loose. The veins on its wings are there, a lattice-work as fine as gossamer. They are perfectly preserved. They are dead. They are old.

Everything that mattered to me happened before 1917, everything that impressed itself deeply. We had a cut stone and a cloth – it was important to clean our school slate. Looking at the fly, and thinking about the memoir I have written, I thought that it would be like its skeleton, something that had been, but was dead, yet still there between the pages of the book.

But the arteries of the dead body quivered a little. It came back to life. I felt the pain, felt the joy, felt the disappointment. I have laughed, I have cried, I have been angry. I have been talking on the hearth of Maes-teg, I heard the accents, heard the Welsh in its beauty.

And here am I back on my hearth in Denbigh, and the fly has gone back between the pages of the book. The voices have fallen silent. But as when I was a child, I am musing and

A ddywedais i'r gwir? Naddo. Fe'm cysurais fy hun ei bod yn amhosibl dweud y gwir mewn hunangofiant. Gadewais y pethau anhyfryd allan. Yr oedd yn fy hen ardal bethau cas, yr oedd yno bethau drwg, yr oedd yno bobl annymunol. Ond petawn i'n sôn amdanynt fe fyddai eu teuluoedd am fy ngwaed, ac fe'm cawn fy hun mewn llys barn. Ymateliais am fod arnaf ofn. Ofn yw ein gelyn mwyaf, yn ifanc ac yn hen.

Daw lleisiau dros farwydos coelcerthi Moel Smatho ac yn donnau ar hyd y Lôn Wen, 'Bryd, bryd, caf fi orffwys ynddi hi?' Ond nid wyf yn poeni am hwnyna, er fy mod yn nes ato. Yr wyf wedi cofio ac wedi anghofio. Tybed a fyddaf innau fel fy hen fodryb Neli 'Regal wedi anghofio popeth ond y gorffennol, ac mor farw â'r Gwas Neidr yn y llyfr – yma a heb fod yma? A anghofiodd Modryb Neli ei hofn? A fu arni ofn erioed? Gofynnaf y cwestiynau i wacter fy nhŷ. Yr wyf yn blentyn eto yn synfyfyrio ac yn gofyn cwestiynau. Ond ni fedraf ddatrys problem chwarae pum carreg.

Mae'r tân yn mynd i lawr yn y grât. Af i'm gwely. Fe ddaw yfory eto, a chaf ddal i ofyn cwestiynau.

worrying. Have I told the truth? No. I comfort myself that it is impossible to tell the truth in an autobiography. I left out the ugly things. There were in my old neighbourhood foul things, bad things, and bad people. But if I spoke of them their families would be after my blood, and I would find myself in a court of law. Fear held me back. Fear is our greatest foe, in youth and in age.

Voices come across the embers of the Moel Smatho bonfires, and in waves along the White Lane, 'When, when will I have my rest?' I don't worry about it although I am close to it. I have remembered and forgotten. I wonder if I will become like my Aunt Neli, 'Regal, having forgotten all but the past, and as dead as the dragonfly in the book – here but not here? Did Aunt Neli forget her fear? Was she ever afraid? I ask the questions into the emptiness of my house. I am a child again, musing and asking questions. But I still can't solve the trick of playing Five-stones.

The fire is going down in the grate. I'm off to my bed. Tomorrow will come, and I can go on asking questions.

Hefyd yn y gyfres

Also in the series

Hen Dŷ Ffarm
The Old Farmhouse

D. J. WILLIAMS Translated by Waldo Williams

Since it was first published in Welsh in 1953, *The Old Farmhouse* has become a classic of Welsh literature. Its author, D. J. Williams, is renowned for the apparently easy but carefully crafted style of the fireside storyteller in which he relates his memoirs of growing up on a farm in rural Carmarthenshire during the years leading up to the First World War. This volume presents a long overdue reprint of the UNESCO-commissioned English translation by the poet Waldo Williams, which appears here for the first time alongside the original Welsh. It will appeal to non Welsh-speakers, learners and Welsh-speakers alike, offering as it does an opportunity to appreciate both text and translation simultaneously.

'This is undeniably a work of great vividness and charm which deserves to be known to a wider public' Times Literary Supplement

Adargraffiad o un o glasuron hunangofiannol yr ugeinfed ganrif yw hwn. Yn *Hen Dŷ Ffarm*, drwy gymorth cof hen deulu a gysylltwyd â'r un filltir sgwâr ers cenedlaethau a chanrifoedd, cawn gip personol ar ambell agwedd ar fywyd Cymru Fu. Ceir yn y gyfrol hon gyfle i werthfawrogi'r llyfr am y tro cyntaf ochr yn ochr â chyfieithiad ardderchog Waldo Williams na dderbyniodd hyd yn hyn y sylw sy'n ddyledus iddo.

With an introduction by Jim Perrin
Gyda rhagarweiniad gan Jim Perrin

978 1 84323 032 8   £12.95

Triptych

R. GERALLT JONES

Spare, yet moving, this novella remains as fresh and modern as when it was first written in Welsh in 1977, the year in which it was awarded the National Eisteddfod's prestigious Prose Medal.

Bydd y nofel fer gynnil, ddiaddurn ond dirdynnol hon yn sicr o apelio at gynulleidfa eang.

With an introduction by Jerry Hunter
Gyda rhagarweiniad gan Jerry Hunter

978 1 85902 991 6   **£7.50**

Gwaliadur / Walesland

NIGEL WELLS & CARYL LEWIS

Walesland is a poetic exploration of Welsh history. It is not a text book. It is not a propagandist's pamphlet. Neither is it surrounded by the clichéd, atmospheric mists of magic and myth.

Archwiliad barddol o hanes Cymru yw *Gwaliadur*. Nid llyfr testun mohono. Nid pamffled propagandydd. Nis cysgodwyd chwaith gan niwloedd annelwig ac ystrydebol hud a chwedloniaeth.

With an introduction by Nigel Wells / Gyda rhagarweiniad gan Nigel Wells

978 1 82323 668 0   **£7.99**

Si Hei Lwli / Twilight Song

ANGHARAD TOMOS

Eleni and her great-aunt Bigw are stuck together in the car on an awkward old journey. Their road is one of restless memories. The road where two generations jar. The cruel road with only one destination . . .

Mae'n daith car. Mae'n lôn arw. Hon yw lôn Eleni a'i hen fodryb, Bigw.
Lôn atgofion aflonydd. Lôn gwrthdaro rhwng dwy genhedlaeth.
Lôn greulon y gri olaf . . .

978 1 84323 367 3 **£8.99**